KATHLEEN GLASGOW

GAROTA EM PEDAÇOS

Tradução
Carolina Candido

2ª edição
Rio de Janeiro-RJ / São Paulo-SP, 2025

VERUS
EDITORA

Título original
Girl in Pieces

ISBN: 978-65-5924-220-7

Copyright © Kathleen Glasgow, 2016
Todos os direitos reservados.
Publicado nos Estados Unidos pela Delacorte Press,
um selo da Random House Children's Books, divisão da
Penguin Random House LLC, Nova York.

Tradução © Verus Editora, 2023
Direitos reservados em língua portuguesa, no Brasil, por Verus Editora. Nenhuma parte desta obra pode ser reproduzida ou transmitida por qualquer forma e/ou quaisquer meios (eletrônico ou mecânico, incluindo fotocópia e gravação) ou arquivada em qualquer sistema ou banco de dados sem permissão escrita da editora.

Verus Editora Ltda.
Rua Argentina, 171, São Cristóvão, Rio de Janeiro/RJ, 20921-380
www.veruseditora.com.br

CIP-BRASIL. CATALOGAÇÃO NA FONTE
SINDICATO NACIONAL DOS EDITORES DE LIVROS, RJ

G457g
Glasgow, Kathleen
　　Garota em pedaços / Kathleen Glasgow ; tradução Carolina Candido. - 2. ed. - Rio de Janeiro : Verus, 2025.

　　Tradução de: Girl in pieces
　　ISBN 978-65-5924-220-7

　　1. Romance americano. I. Candido, Carolina. II. Título.

23-85869　　　　CDD: 813
　　　　　　　　CDU: 82-31(73)

Gabriela Faray Ferreira Lopes - Bibliotecária - CRB-7/6643

Revisado conforme o novo acordo ortográfico.

Seja um leitor preferencial Record.
Cadastre-se no site www.record.com.br e receba
informações sobre nossos lançamentos e nossas promoções.

Atendimento e venda direta ao leitor:
sac@record.com.br

*Para minha mãe, M. E.,
e minha irmã, Weasie*

UM

―

Não há como ganhar neste corpo em que tenho que estar.
— Belly, "Star"

Assim como os filhotes de foca da Groenlândia, eu sou toda branca. Meus antebraços estão cobertos de curativos, tão pesados quanto um pedaço de madeira. Minhas coxas também estão bem enfaixadas; a gaze branca aparece por baixo do short que a enfermeira Ava tirou da caixa de achados e perdidos, atrás do balcão da enfermaria.

Assim como uma órfã, eu não tinha roupas quando vim para cá. Assim como uma órfã, vim enrolada num lençol e deixada no gramado do Hospital Regions, no frio congelante da geada e da neve, o sangue empapando o lençol florido.

O segurança que me encontrou parecia ter tomado banho de cigarro de menta e fedia a café de máquina. Os pelos do nariz eram como uma floresta densa, encaracolada e branca.

Ele disse:

— Santa mãe de Deus, menina, o que fizeram com você?

Minha mãe não veio me buscar.

Mas eu me lembro das estrelas naquela noite. Pareciam sal no céu, como se alguém tivesse sacudido o saleiro em um pano bem escuro.

Aquilo era importante para mim, a beleza acidental. A última coisa que achei que veria antes de morrer na grama fria e molhada.

As meninas aqui tentam me fazer falar. Elas querem saber: *Qual a sua história, manhã de glória? Conte seu relato, cara de sapato.* Ouço as histórias delas todo dia no grupo, no almoço, na aula de artes, no café da manhã, no jantar, e por aí vai. As palavras que despejam, as lembranças sombrias, não conseguem parar. Elas são comidas vivas pelas histórias, viradas ao avesso. Não param de falar.

Cortei todas as minhas palavras. Meu coração estava cheio delas.

Louisa e eu dividimos o quarto. Ela é mais velha e seu cabelo é como um oceano estrondoso, vermelho e dourado, caindo pelas costas. É tanto cabelo que ela mal consegue fazer tranças ou coques ou prender. O cabelo dela tem cheiro de morango; é mais cheirosa do que qualquer garota que já conheci. Eu poderia sentir o cheiro dela para sempre.

Na minha primeira noite aqui, quando ela ergueu a blusa para se trocar e ir dormir, pouco antes de seu cabelo doido cair pelo corpo como uma capa protetora, eu vi, vi tudo, e prendi a respiração com força.

Ela disse:

— Não precisa ter medo, pequena.

Eu não estava com medo. Só nunca tinha visto uma garota com a pele como a minha.

Temos sempre muita coisa para fazer. Acordamos às seis. Bebemos café morno ou suco aguado às seis e quarenta e cinco. Temos trinta minutos para passar o pouco de cream cheese em rosquinhas que parecem papelão, ou enfiar os ovos insossos goela abaixo, ou engolir mingau de aveia embolotado. Às sete e quinze, podemos tomar banho nos nossos quartos. Os chuveiros não têm box e não sei do que os espelhos do banheiro são feitos, mas não é vidro, e nosso rosto parece turvo e perdido quando escovamos os dentes ou penteamos o cabelo. Só é permitido depilar as pernas na presença de uma enfermeira ou auxiliar, mas ninguém quer fazer isso, então nossas pernas são peludas como as de meninos. Às oito e meia estamos na hora do grupo, e é ali que as histórias são contadas, lágrimas são derramadas, e algumas meninas gritam e outras resmungam; eu fico sentada, só sentada, e aquela menina horrível e mais velha, Blue, com dentes podres, todo dia diz: *Você vai falar hoje, Sue Quietinha? Você queria ouvir a Sue Quietinha hoje, não queria, Gasparzinho?*

Gasparzinho manda ela parar. Gasparzinho nos manda respirar, manda fazer movimento de sanfona abrindo bem os braços, abrindo ainda mais e depois inspirando, para dentro, dentro, dentro, e depois expirando, para fora, fora, fora, e não nos sentimos melhor só por respirar assim? Remédios vêm depois do grupo, então hora do silêncio, depois almoço, então aula de artes, em seguida momento individual, que é quando você se senta com o médico e chora um pouco mais, e às cinco da tarde é a hora do jantar, que está mais para comida-nada-quente, e mais Blue: *Você gosta de macarrão com queijo, Sue Quietinha? Quando você vai arrancar esses curativos, Sue?* E depois hora do lazer. Depois é a hora da ligação, e mais choro.

Então são nove da noite e mais remédios, por fim cama. As meninas armam o maior barraco por causa da programação, da comida, do grupo, dos remédios, de tudo, mas eu não me importo. Tem comida, uma cama, e é quente, e estou aqui dentro, e a salvo.

Eu não me chamo Sue.

A JEN S. SE CORTA: CICATRIZES PEQUENAS QUE PARECEM GRAvetos subindo e descendo por seus braços e pernas. Ela usa um short de ginástica brilhante; é mais alta do que todo mundo, exceto o doutor Dooley. Ela dribla uma bola de basquete invisível no corredor bege. Arremessa em uma cesta invisível. Francie é um agulheiro humano. Ela cutuca a pele com agulhas de crochê, palitos, tachinhas, o que conseguir encontrar. Tem olhos irritadiços e cospe no chão. Sasha é uma menina gorda e chorona: ela chora no grupo, chora durante as refeições, chora no quarto dela. Nunca vai secar. Faz cortes simples: linhas vermelhas esvaecidas cruzadas nos braços. Não se corta fundo. Isis gosta de se queimar. Montes de crostas circulares como pintinhas em seus braços. Disse algo no grupo sobre corda, primos e um porão, mas eu ignorei o que ela dizia; aumentei o volume da música na minha mente. Blue é cheia de mimimi com seus traumas; e tem um pouco de tudo: um pai ruim, dentes de metanfetamina, queimaduras de cigarro, cortes de navalha. A Linda/Katie/Grude usa vestidos de ficar em casa, tipo de vovó. Os chinelos dela fedem. É coisa demais para acompanhar; as cicatrizes dela ficam na parte de dentro do corpo, assim como seus segredos. Não sei por que está aqui com a gente, mas ela está. Passa purê de batata no rosto durante o jantar. Às vezes vomita sem motivo. Mesmo quando está completamente imóvel, dá para saber que tem *muita* coisa acontecendo em seu corpo, e isso não é bom.

Conheci pessoas assim quando estava lá fora; fico longe dela.

ÀS VEZES NÃO CONSIGO RESPIRAR NESTE LUGAR MALDITO; SINTO um aperto no peito. Não entendo o que está acontecendo. Fiquei lá fora tempo demais, passando muito frio. Não entendo os lençóis limpos, as colchas com cheiro de suor, a comida à minha frente no refeitório, mágica e morna. Entro em pânico, começo a tremer, engasgo, e Louisa, ela chega bem perto de mim no nosso quarto, onde fico abaixada no canto. O hálito de chá de menta no meu rosto. Ela segura meu rosto e até isso me faz recuar. Ela diz:

— Pequena, você está com os seus.

O quarto é silencioso demais, então perambulo pelos corredores à noite. Meus pulmões doem. Me movimento devagar.

Tudo está quieto demais. Passo um dedo pelas paredes. Faço isso durante horas. Sei que estão pensando em me dar remédio para dormir depois que minhas feridas sararem e eu puder parar com os antibióticos, mas eu não quero. Preciso estar acordada e atenta.

Ele pode estar em qualquer lugar. Pode estar aqui.

Louisa é tipo a rainha da Inglaterra. Está aqui, desde sempre, para sempre. Ela me diz:

— Fui a primeira garota a entrar nessa porra, estou aqui desde que inauguraram, puta merda.

Está sempre escrevendo em um caderno de capa preta e branca; nunca vai para o grupo. A maioria das meninas usa calça de ioga e camiseta, roupas desleixadas, mas Louisa se arruma todo dia: meia-calça preta e sapatilhas lustrosas, vestidos cheios de glamour dos anos 1940 que encontra em brechós, o cabelo sempre arrumado de algum jeito impactante. Tem malas cheias de lenços, camisolas delicadas, maquiagens cremosas, tubos de batom vermelho-vivo. Louisa é como uma visita que não tem intenção de ir embora.

Diz ela que canta em uma banda.

— Mas o meu nervosismo — explica, afetuosa —, o meu *problema*, me atrapalha.

Louisa tem queimaduras em círculos concêntricos na barriga. Tem linhas que parecem raízes na parte de dentro dos braços. As pernas são queimadas e cortadas em padrões cuidadosos e bem-feitos. Tatuagens cobrem as costas.

Louisa está ficando sem espaço livre no corpo.

A Gasparzinho começa todo grupo do mesmo jeito. O exercício da sanfona, a respiração, alongar o pescoço, se esticar para pegar os dedos dos pés. É pequena e delicada. Usa tamancos de salto baixo tipo holandês. Todas as outras médicas daqui usam sapatos pontudos que fazem muito barulho, mesmo no carpete. Ela é pálida. Tem olhos enormes, redondos e bem azuis. A Gasparzinho não tem formas marcadas.

Ela olha para nós, abrindo um sorriso gentil. E frisa:

— Seu trabalho aqui é *você*. Todas nós estamos aqui para melhorar, não é?

O que significa que, neste exato instante, somos um monte de merda.

Mas a gente já sabia disso.

Gasparzinho não é o nome verdadeiro dela. Mas é assim que a chamam, por causa de seus enormes olhos azuis e pelo fato de ser tão quietinha. Como um fantasma, ela surge ao lado das nossas camas em algumas manhãs para fazer a lista, os dedos quentes deslizando um centímetro ou pouco mais abaixo dos curativos para medir minha pulsação. Fica com uma papada graciosa quando olha para mim, deitada na cama. Como um fantasma, ela surge de repente atrás de mim nos corredores, sorrindo quando me viro surpresa:

— *Como* se *sente?*

No escritório dela tem um aquário enorme com uma tartaruga gorda e lenta que nada e nada, nada e nada, mal conseguindo se mover. Sempre olho para aquela pobre otária, eu poderia fazer isso por horas e dias; ela tem tanta paciência para uma atividade que, no fim, não adianta nada, porque não vai sair daquela merda de tanque tão cedo, né?

E a Gasparzinho me observa enquanto eu a assisto.

A Gasparzinho é cheirosa. Está sempre limpa, e o farfalhar de suas roupas é suave. Nunca ergue a voz. Esfrega as costas de Sasha quando ela soluça com tanta força que engasga. Fica com os braços abertos ao redor de Linda/Katie/Grude como se fosse uma goleira ou coisa do tipo quando uma de suas personalidades sobressai. Eu até já vi a Gasparzinho no quarto de Blue, nos dias em que ela recebe uma enorme caixa de livros da mãe, remexendo as brochuras e sorrindo para ela. Já vi Blue derreter um pouco, bem pouco, por causa desse sorriso.

A Gasparzinho deveria ser mãe de alguém. Ela deveria ser *minha* mãe.

Nós nunca ficamos no escuro. Todo quarto tem luzes nas paredes que são *acesas* às quatro da tarde e *apagadas* às seis da manhã. São pequenas, mas iluminam bastante. Louisa não gosta de luzes. As janelas do quarto têm cortinas ásperas, e ela se certifica de fechá-las bem, com habilidade, toda noite antes de dormir, para bloquear os quadrados amarelos do edifício comercial ao lado. Depois puxa os lençóis para cobrir a cabeça, só para garantir.

Hoje, assim que ela dormiu, joguei os lençóis para longe e abri as cortinas. Pode ser que esteja procurando pelas estrelas de sal. Não sei.

Faço xixi na privada de metal, assistindo à massa silenciosa que é Louisa embaixo da pilha de cobertas. No espelho estranho, meu cabelo se parece com cobras. Aperto os nós e cachos nos dedos. Meu cabelo ainda tem cheiro de sujeira e concreto, sótão e poeira, e me dá enjoo.

Há quanto tempo estou aqui? Estou saindo do torpor de alguma coisa. De algum lugar. Um lugar sombrio.

As lâmpadas no teto do corredor são como rios longos e claros. Espio dentro dos quartos enquanto ando. Somente Blue está acordada, segurando o livro de bolso embaixo da lâmpada noturna para conseguir ler.

Sem portas, sem lâmpadas, sem vidros, sem navalhas, só comida macia e café quase morno. Não tem como se machucar aqui.

Eu me sinto estridente e frouxa por dentro, esperando na enfermaria, tamborilando os dedos na bancada. Toco o sininho. Ele faz um som terrível e alto no corredor silencioso.

Barbero surge de um dos cantos, a boca cheia de algo crocante. Ele franze a testa ao me ver. Barbero é um ex-lutador de pescoço grosso, da cidade de Menominee. Ainda tem cheiro de pomada e adesivo. Ele só gosta de garotas bonitas. Dá para perceber, porque a Jen S. é muito bonita, tem pernas longas e nariz cheio de sardas, e ele está sempre sorrindo para ela. Ele só sorri para ela.

Ele coloca um dos pés na mesa e enfia batatinhas chips na boca.

— Você — diz, pedacinhos de batata caindo da boca para o uniforme azul —, que caralho você quer a esta hora da noite?

Pego o bloco de notas adesivas e uma caneta em cima da bancada e escrevo rápido. Ergo o papel. HÁ QUANTO TEMPO ESTOU AQUI?

Ele olha para o papel. Balança a cabeça.

— Nananinanão. *Pergunte.*

Escrevo NÃO. ME DIGA.

— Não vai rolar, *Sue Quietinha*. — Barbero amassa o pacote de salgadinho e enfia no lixo. — Você vai ter que abrir essa porra de boca e falar que nem uma menina grandinha.

Barbero acha que eu tenho medo dele, mas não tenho. Só tenho medo de uma pessoa, e ele está longe, do outro lado do rio, e não consegue me encontrar aqui.

Eu *acho* que não consegue me encontrar, na verdade.

Outro papel. FALA LOGO, SEU BABACA. Mas minhas mãos tremem de leve quando o ergo.

Barbero ri. Tem batatinha enfiada entre os dentes.

Faíscas saem de trás dos meus olhos e o volume da música na minha mente aumenta. Minha pele fica dormente enquanto me afasto da enfermaria. Queria poder respirar, como a Gasparzinho diz, mas não consigo, não vai funcionar, não para mim, não quando fico irritada e a música começa. Minha pele já não está mais dormente, mas coçando enquanto caminho e caminho, procuro e procuro, e, quando encontro e me viro, Barbero já parou de rir. Ele é todo *Ah, puta merda* enquanto desvia.

A cadeira de plástico quica pela enfermaria. O pote de canetas, com flores de plástico de enfeite, cai no chão, as canetas se espalhando pelo carpete bege sem fim. O carpete bege sem fim, que está por toda parte. Começo a chutar o balcão, o que não é bom, porque estou descalça, mas a dor é boa, então continuo. Barbero já está de pé, mas eu pego a cadeira de novo e ele estende as mãos, cheio de *Calma aí, sua louca do caralho*. Mas ele fala de um jeito doce. Como se estivesse com medo de mim agora. E não sei por quê, mas isso me deixa ainda mais irritada.

Estou erguendo a cadeira de novo quando doutor Dooley aparece.

Se a Gasparzinho está decepcionada comigo, não demonstra. Ela só me observa enquanto assisto à tartaruga, e ela cuida da própria vida. Gostaria de ser essa tartaruga, embaixo d'água, quieta, sem ninguém por perto. Ela leva uma vida tranquila pra cacete.

Gasparzinho diz:

— Respondendo à pergunta que você fez para o Bruce ontem: faz seis dias que você está no Centro Creeley. Você foi tratada no hospital e ficou em observação por sete dias antes de ser transferida pra cá. Você sabia que estava com pneumonia atípica? Bom, ainda está, mas os antibióticos devem ajudar.

Ela pega algo da mesa e desliza para mim. É um daqueles calendários de mesa. Não sei bem o que estou procurando, mas então vejo, no alto da página.

Abril. Estamos no meio de abril.

Gasparzinho diz:

— Você perdeu a Páscoa aqui no Creeley. Não pegou por pouco. Mas não perdeu grande coisa. Não se pode colocar um coelhinho gigante pra saltar na ala psiquiátrica, né? — Ela sorri. — Desculpa. Piadinha de terapeuta. Mas fizemos uma caça ao tesouro com ovos de Páscoa. O Dia de Ação de Graças é bem mais divertido: peru seco, molho embolotado. Época boa.

Sei que ela está tentando me animar, me fazer falar. Viro o rosto na direção dela, mas, assim que olho em seus olhos, sinto as malditas lágrimas arderem e volto a olhar para a tartaruga idiota. Eu me sinto como se estivesse acordando e voltando para a escuridão, tudo ao mesmo tempo.

Gasparzinho se inclina para a frente.

— Você pelo menos se lembra de ter ido para o Hospital Regions?

Eu me lembro do segurança e da floresta de pelos dentro do nariz dele. Me lembro das luzes acima de mim, tão cintilantes quanto sóis, o som dos bipes que pareciam que jamais parariam. Eu me lembro de querer espernear quando sentia mãos em mim, quando estavam cortando minhas roupas e botas. Eu me lembro de sentir os pulmões pesados, como se estivessem cheios de lama.

Eu me lembro de sentir tanto medo de que Frank Maldito surgisse na porta e me levasse embora, de volta para a Casa da Semente, para o quarto onde as meninas choravam.

Eu me lembro de chorar. Eu me lembro dos respingos do meu vômito nos sapatos de uma enfermeira e de como a expressão dela não se alterou nem um pouco, como se aquilo acontecesse o tempo todo, e desejei que meus olhos dissessem *desculpa*, porque eu não conseguia falar, e me lembro de que a expressão dela também não se alterou neste momento.

Então nada. Nada. Até Louisa.

Gasparzinho diz:

— Tudo bem se você não consegue se lembrar. Nosso subconsciente é ágil demais. Às vezes ele sabe como nos afastar, como uma forma de proteção. Espero que isso faça sentido.

Gostaria de saber como dizer a ela que meu subconsciente está quebrado, porque nunca me afastou de nada quando Frank Maldito me ameaçava, ou quando aquele homem tentou me machucar na passagem subterrânea.

Meu dedão do pé está quebrado e lateja embaixo da tala e da bota esquisita que Dooley me fez usar. Agora de fato pareço uma aberração quando ando, com meu cabelo em desalinho, braços gordos, pernas enfaixadas, e mancando.

O que vai acontecer comigo?

Gasparzinho responde:

— Acho que você precisa de um projeto.

Não é verdade que quero ser como a tartaruga e ficar sozinha. O que eu quero mesmo é ter Ellis de volta, mas ela não pode voltar, nunca, nunca. Pelo menos não como era antes. E é verdade que sinto saudade de Mikey e de DannyBoy, e até mesmo sinto falta de Evan e Dump, e às vezes sinto saudade da minha mãe, apesar de que sentir saudade dela me faz sentir mais raiva do que tristeza, a tristeza que sinto quando penso em Ellis, e até isso, para ser sincera, não é verdade, porque, apesar de dizer *tristeza*, o que eu quero mesmo dizer é *buraco negro dentro de mim, cheio de unhas e pedras e vidros quebrados e das palavras que já não sei mais dizer.*
Ellis, Ellis.

E, APESAR DE SER VERDADE QUE MINHAS ROUPAS VÊM DOS achados e perdidos, não é inteiramente verdade que não tenho nada, porque eu *tenho* uma coisa, só que tiraram de mim. Eu vi uma vez, quando doutor Dooley me pediu para parar de assistir ao filme durante a hora do lazer e ir até a enfermaria. Quando cheguei lá, ele pegou uma mochila, *minha* mochila, de trás do balcão. Doutor Dooley é superalto e bonito, aquele tipo de pessoa bonita que você sabe que ela sabe o quanto é bonita, e que a vida dela é bem mais fácil por causa disso, então ele costuma ser gentil e pegar leve com o resto de nós que não somos bonitos. Então quando ele disse:

— Dois meninos vieram deixar isso aqui. Você reconhece? — A brancura dos dentes dele me ofuscou por alguns instantes, e fiquei fascinada pela barba por fazer, que parecia tão aveludada.

Agarrei minha mochila e me joguei de joelhos, abri o zíper e enfiei as mãos lá dentro. Estava lá. Eu agarrei, suspirando de alívio, mas o doutor Dooley disse:

— Não se empolgue. Tiramos tudo de dentro.

Peguei meu kit da ternura, um kit de primeiros socorros do Exército que encontrei quando tinha catorze anos e vasculhava o brechó St. Vincent de Paul na West Seventh com Ellis. A caixa de metal estava amassada, a grande cruz vermelha na frente arranhada e perdendo a pintura.

Eu costumava guardar tudo no meu kit da ternura: pomada, gaze, pedaços de potes de conserva quebrados que mantinha em um saquinho de veludo azul, cigarros, fósforos e isqueiro, botões, pulseiras, dinheiro, minhas fotos embrulhadas em linho.

A caixa não fez barulho quando a balancei. Vasculhei mais fundo na mochila verde, mas ela também estava escura e vazia. Nem sinal das meias ou calcinhas extras, dos rolos de papel higiênico, dos tubinhos de filme fotográfico cheios de dinheiro mendigado, nenhuma pílula em um saquinho, nenhum cobertor de lã dobrado bem apertado. Meu caderno de desenho não estava ali. Minha bolsinha de canetas e carvões havia sumido. A câmera instantânea havia sumido. Olhei para doutor Dooley.

— Tivemos que tirar tudo, para sua segurança. — Ele estendeu a mão para mim, e até a mão dele era bonita, com dedos finos e unhas bem lixadas. Ignorei a mão e me levantei sozinha, agarrando com força meu kit da ternura e a mochila. — Você tem que devolver a mochila e a caixa. Vamos guardar até você ter alta.

Ele estendeu a mão e puxou a mochila, tirou meu kit da ternura da minha mão. Colocou tudo atrás do balcão.

— Mas pode ficar com isso.

O doutor Dooley apertou o quadrado de linho em minhas mãos. Dentro, protegidas pelo tecido macio, estão as nossas fotos: eu e Ellis, Mikey e DannyBoy, perfeitos e juntos, antes de tudo ir pelos ares.

Enquanto eu me afastava, apertando as fotos junto ao peito, doutor Dooley gritou:

— Esses meninos, eles mandaram pedir desculpa.

Continuei andando, mas por dentro me senti paralisada, apenas por um segundo.

Estou mexendo nas fotografias quando a Jen S. vem me ver, na noite após o incidente com o dedão do pé: reviro cada uma delas, ávida como sempre fico quando me permito pensar em Ellis, debruçada sobre as imagens em preto e branco de nós quatro no cemitério, fazendo poses bobas como se fôssemos estrelas do rock, cigarros no canto da boca, o lábio leporino de DannyBoy quase invisível, as espinhas de Ellis quase imperceptíveis. DannyBoy sempre disse que as pessoas ficam melhor em preto e branco, e ele estava certo. As fotos são pequenas e quadradas; a câmera instantânea era velha, dos anos 1960, o primeiro tipo de Polaroid. Ganhei de presente da minha avó. Tinha foles e eu me sentia descolada quando usava. Encontramos alguns filmes na loja de câmeras do Macalester College. Era um cartucho que você colocava na câmera, tirava foto, rasgava a tira de filme do lado e ajustava o pequeno cronômetro redondo. Quando ele fazia barulho, era só abrir o filme e lá estávamos nós, à moda antiga, em preto e branco, Ellis tão linda com seu cabelo preto. E lá estava eu, coitada, tão tolinha, os braços cruzados, o suéter furado e o cabelo desgrenhado, tingido de vermelho e azul no mundo real e colorido, mas parecendo cheio de lama no mundo em preto e branco. Quem conseguiria parecer outra coisa a não ser nojenta ao lado de Ellis?

— Da hora. — Jen S. se abaixa, mas eu enrolo as fotos de volta no lençol e as deslizo para baixo do travesseiro. — Cara — ela suspira. — Tá. Tanto faz. Anda, então. O Barbero está esperando na sala da recreação. Temos uma surpresa pra você.

Lá, o cheiro de pipoca está impregnado no ambiente desde o filme a que assistimos mais cedo; a tigela vazia está apoiada em uma mesa redonda. Jen lambe os dedos e passa pela tigela, sugando o sal e pedacinhos de manteiga endurecida. Ela imita um porquinho. Os lábios frouxos de Barbero se curvam.

— Schumacher — começa ele —, você acaba comigo.

Ela dá de ombros, passando o dedo molhado na barra da camiseta verde larga.

Jen S. vasculha uma das várias caixas de bugigangas, procurando seu baralho favorito. As caixas coloridas ficam empilhadas umas sobre as outras, apoiadas nas paredes de marfim da sala. Dentro delas há cartas de baralho, caixas de giz de cera velho, marcadores, jogos.

Tem uma bancada com três computadores em uma das paredes. Barbero liga um deles e acena com os dedos para me afastar enquanto digita a senha.

— O negócio é o seguinte, doidinha. — Barbero joga um livrinho para mim. Tenho que me abaixar para pegá-lo. Ele começa a digitar. ALTERNAPRENDER. O LUGAR IDEAL PARA VOCÊ surge na tela. — A médica boa acha que você precisa de alguma coisa que ajude a controlar os seus acessos de raiva, que pelo jeito são muitos, e também o seu hábito estranho de não dormir. Então, parece que você vai voltar para a escola, trouxona.

Olho para Jen S., que está com um sorriso enorme enquanto embaralha as cartas.

— Eu vou ser sua *professora* — ela diz, risonha.

Barbero estala os dedos em frente ao meu rosto.

— FO-CO. Estou bem aqui! Aqui.

Olho para ele.

Barbero começa a contar nos dedos.

— O acordo é este: não veja nada além do site da escola. Nada de entrar no Facebook, Twitter, e-mail, nada que não seja o site da escola. Sua amiga Schumacher aqui se ofereceu para ser sua professora e corrigir suas provas e essa merda toda quando a aula acabar.

Ele olha para mim. Eu o encaro de volta.

— Se não aceitar — explica —, a médica boa disse que você vai ter que começar a tomar remédio para dormir, e imagino que você não queira isso. Ela prefere que você esteja aqui do que vagando pelos corredores que nem você fica. Porque isso é esquisito *pra caralho*.

Não quero tomar remédios, ainda mais à noite, quando estou mais assustada e preciso estar atenta. Os médicos me encheram de remédios dos oito até meus treze anos. Ritalina não deu em nada. Eu pulava nas paredes e enfiei um lápis na pança de Alison Jablonsky. Adderall me fez cagar nas calças no oitavo ano; minha mãe me obrigou a ficar em casa o restante do ano. Deixava o almoço para mim na geladeira, coberto com filme plástico: sanduíches de bolo de carne ensopados, saladas de ovo fedidas com torradas empapadas. Zoloft era como engolir um ar pesado e não conseguir expirar por dias. A maioria das meninas aqui vive dopada até o talo e aceita os copinhos com remédios com uma resignação sórdida.

Eu me sento na cadeira e escrevo meu nome na caixa que diz SEU NOME AQUI.

— Melhor decisão, esquisita.

— Credo, Bruce — protesta Jen, exasperada —, você faltou à aula da escola de enfermagem em que ensinam a tratar os pacientes com carinho?

— Eu sei tratar as pessoas com carinho, gata. Me avise se quiser provar. — Ele se joga no sofá marrom da sala da recreação e tira o iPod do bolso.

A sala tem uma janela que ocupa a parede inteira. As cortinas foram abertas. Está escuro lá fora, depois das dez da noite. Nossa ala fica quatro andares acima; posso ouvir o *vruum* dos carros descendo a Riverside Avenue na chuva. Se eu estudar, a Gasparzinho vai ficar feliz comigo. Da última vez que estudei, fui expulsa no penúltimo ano do ensino médio. Parece que já se passou uma vida.

Espio a tela e tento ler um parágrafo, mas só consigo ver as palavras *zoada* e *puta vadia* rabiscadas no meu armário. Sinto o gosto da água da privada na boca, a sensação de me debater para me soltar, mãos no meu pescoço e risadas. Meus dedos formigam, e sinto um aperto no peito. Depois que fui expulsa da escola, tudo foi ladeira abaixo. Ainda mais do que antes.

Olho em volta na sala. Como ratinhos agitados, os pensamentos surgem, quem está pagando para eu ficar aqui, mas eu os afasto de minha mente. Minha mãe passou anos fazendo bolo de carne com cebola e ketchup e montes de purê de batata como acompanhamento em uma lanchonete, antes de tudo acontecer. Não somos do tipo que tem dinheiro; somos do tipo que procura trocados no fundo de bolsas e mochilas, e come macarrão com manteiga quatro noites por semana. Pensar em como posso ficar aqui me deixa ansiosa e com medo.

Eu penso *estou abrigada e quentinha e dou conta de fazer isso, se significar que posso ficar.* É o que importa agora. Seguir as regras para poder ficar aqui dentro.

Os dedos de Jen embaralham e amontoam as cartas. O som é semelhante ao de pássaros voando e deixando a árvore vazia.

A Gasparzinho me pergunta:
— Como está se sentindo?
Ela pergunta isso todo dia. Um dia por semana outro alguém me pergunta — doutor Dooley, talvez, quando está trabalhando no turno do dia, ou a médica de voz áspera e cabelo denso que passa muitas camadas de rímel. Acho que se chama Helen. Não gosto dela; me faz sentir uma pessoa fria por dentro. Uma vez por semana, aos domingos, ninguém pergunta como estamos nos sentindo, e algumas de nós se sentem perdidas. A Jen S. diz, em tom de zombaria:
— Estou sentindo coisas demais! Preciso que alguém ouça meus sentimentos!

A Gasparzinho espera. Posso *senti-la* esperando. Tomo uma decisão. Escrevo como me sinto e empurro o papel sobre a mesa dela. *Meu corpo parece pegar fogo o tempo todo, me queimando de dia e de noite. Tenho que cortar esse calor dos infernos. Me sinto melhor quando me limpo, tomo banho e me recupero. Mais fria por dentro, mais calma. Como tocar o musgo fresco, quando você entra bastante na floresta.*

O que não escrevo é: me sinto tão só no mundo que quero arrancar toda a minha carne e caminhar, só osso e cartilagem, ir direto até o rio, para ser engolida, como meu pai foi.

Antes de ficar mais doente, meu pai sempre me levava em longas viagens para o norte. Estacionávamos o carro e caminhávamos pelas trilhas entre os pinheiros perfumados e os abetos exuberantes, tão distante que às vezes parecia noite porque as árvores eram tantas que não dava para ver o céu. Eu era pequena na época e tropeçava muito nas pedras, caindo em montes de musgo. A sensação dos meus dedos no musgo frio e reconfortante permaneceu comigo. Meu pai conseguia andar por horas. Ele dizia:
— Eu só quero que fique silencioso. — E a gente andava e andava, procurando pelo lugar silencioso. A floresta não é tão silenciosa quanto todo mundo pensa.

Depois que ele morreu, minha mãe fez igual a um caranguejo: enfiou tudo para dentro e deixou só a carapaça de fora.

A Gasparzinho termina de ler e dobra o papel com cuidado, colocando-o em uma pasta em sua mesa.

— Musgo fresco — ela sorri —, não é ruim se sentir assim. Seria tão bom se você conseguisse se sentir desse jeito sem se machucar. Como podemos fazer isso?

Ela sempre tem folhas de papel em branco em sua mesa para mim. Eu escrevo e empurro para ela. Ela franze a testa. Puxa uma pasta da gaveta e passa os dedos por uma página.

— Não, não vejo um caderno de desenho na lista de itens na sua mochila. — Ela olha para mim.

Faço um som discreto. Meu caderno de desenho tinha tudo, meu mundinho. Desenhos de Ellis, de Mikey, os quadrinhos que eu fazia sobre a rua, sobre mim, Evan e Dump.

Sinto meus dedos formigando. Eu só preciso desenhar. Eu *preciso* me enterrar. Faço outro som discreto.

A Gasparzinho fecha a pasta.

— Deixa eu falar com a srta. Joni. Vamos ver o que ela pode fazer.

Meu pai era cigarros e latas de cerveja. Era camisetas brancas sujas e uma cadeira de balanço marrom, olhos azuis e barba por fazer que arranhava a bochecha, e *Ah, Misty* quando minha mãe franzia a testa para ele. Também era dias sem sair daquela cadeira, comigo no chão aos seus pés, enchendo papéis de sóis, casas, focinhos de gato, com giz de cera, lápis e caneta. Era dias sem trocar a camiseta, de silêncio ou de risadas demais, uma risada estranha que parecia quebrá-lo por dentro até que não havia mais risada, mas choro, e lágrimas que sangravam pelo meu rosto enquanto eu subia em seu corpo e balançava com ele, para a frente e para trás, para a frente e para trás, coração batendo coração batendo coração batendo enquanto a luz mudava lá fora, enquanto o mundo ficava mais escuro ao nosso redor.

Louisa diz:

— Você é tão quietinha. Fico feliz por terem colocado alguém assim comigo. Você não faz ideia do quanto é chato ouvir uma pessoa falar alto sem parar.

Ela ficou em silêncio por tanto tempo que pensei que estivesse dormindo.

Ela continua:

— Quer dizer, estou falando com você, sabe? Na minha cabeça, quer dizer. Estou contando tudo o que passa pela minha cabeça, porque você parece ser boa em ouvir as pessoas. Mas não quero ocupar o espaço dos seus pensamentos. Se isso fizer sentido.

Ela emite um ruído sonolento. *Hmmmm*. Depois:

— Vou te contar toda a minha história. Você é gente boa, para levar pra vida.

Gente boa, para levar pra vida, gente boa, para levar pra vida — a canção de ninar de quem se corta.

A Gasparzinho não gosta que a gente use as palavras *cortar* ou *cortando* ou *queimar* ou *esfaquear* na hora do grupo. Ela diz que não importa *o que* você faz ou *como* você faz: é tudo igual. Você pode beber, tirar pedaço, usar metanfetamina, cheirar cocaína, queimar, cortar, esfaquear, rasgar, arrancar os cílios ou trepar até sangrar, e é tudo a mesma coisa: *automutilação*. Ela diz: se alguém te *machucou* ou fez você se sentir *mal*, *indigna* ou *imoral*, em vez de dar o passo *racional* de perceber que essa pessoa é *babaca* ou *psicopata* e deveria levar um *tiro* ou *ser enforcada*, e que você deveria *ficar longe dela*, nós *internalizamos* nossos abusos e começamos a nos *culpar* e a nos *punir* e, *estranhamente*, quando você começa a se *cortar* ou *queimar* ou *trepar* porque se sente uma *porcaria* e *indigna*, seu corpo começa a liberar esta merda de sensação boa chamada *endorfina* e você se sente *chapada pra cacete*, e o mundo é como algodão-doce na melhor e mais colorida feira festiva do mundo, só que *ensanguentado* e *cheio de infecções*. Mas a parte mais ferrada é que, quando começa a se *automutilar*, você *nunca* pode deixar de ser uma *aberração assustadora*, porque todo o seu corpo agora é um campo de batalha marcado e *carbonizado*, e ninguém gosta *disso* em uma garota, *ninguém* vai amar *isso*, e então todas nós, cada uma, estamos *ferradas*, por dentro e por fora. Lavar, enxaguar, *repetir* a merda toda.

Estou tentando seguir as regras. Estou tentando ir aonde devo ir, quando devo ir, e me sentar como uma boa menina, ainda que não diga nada porque minha garganta está cheia de pregos. Estou tentando seguir as regras porque não as seguir significa arriscar ser mandada pra fora.

Quando foi que doutor Dooley me disse que dois meninos vieram deixar minha mochila? Esses meninos, uma, duas vezes, eu acho, me salvaram. E quando foi que ele falou que eles mandaram me pedir desculpa? Andei pensando nisso.

Evan e Dump. Será que se desculparam por terem me salvado do homem na passagem subterrânea que tentou mexer comigo? Será que se desculparam porque, quando o inverno ficou frio pra cacete aqui em Mim-ne-sô-tá, eles NÃO puderam levar nós três para viver com Frank Maldito? Eu estava doente. Não podíamos mais morar na van. Evan precisava das drogas dele. Dump seguia Evan aonde ele ia. Eles se desculparam por eu não ter feito o que Frank Maldito pediu? (O que ele queria que todas as garotas da Casa da Semente fizessem, se quisessem ficar.) Eles se desculparam por não me terem deixado morrer no sótão da Casa da Semente?

Desculpadesculpadesculpadesculpadesculpadesculpa.

Cortei essa palavra fora também, mas ela continua crescendo, mais dura e cruel.

Louisa não vem para o grupo. Ela se encontra com a Gasparzinho durante as noites. Louisa pode fazer ligações à noite; ela se apoia na parede da sala da recreação, gira a corda do aparelho entre os dedos, a ponta da sapatilha de glitter esfregando o carpete com delicadeza. Louisa pode ir e vir quando bem entender, ela não precisa de um passe diário. Ela sussurra no escuro:

— Preciso te contar: você não é igual à gente, sabe? Olha em volta. Esses lençóis, essa cama, os remédios, os médicos. Tudo aqui grita dinheiro. Você está ouvindo?

A cama range conforme ela se mexe, apoiada no cotovelo para olhar para mim. À meia-luz, seus olhos têm forma de ovo, com sombras embaixo.

— Você precisa se preparar, é isso que eu quero dizer.

Mas deixo suas palavras resvalarem, suaves e quentes. Ela se vira. Dinheiro, dinheiro. Não quero pensar de onde ele vem ou deixa de vir.

Só quero que ela volte a dormir, para que eu possa comer o sanduíche de peru que escondi embaixo da cama.

A PORTA PARA A SALA DO GRUPO SE ABRE COM UM BARULHO. A Gasparzinho entra, sentando-se ao lado de Sasha, que se retorce e sorri para ela como um filhotinho. Gasparzinho está vestindo uma calça marrom e os tamancos tipo holandês. Usa uma bandana vermelha como faixa no cabelo amarelado. Brincos de lua, bochechas rosadas, ela é um maldito arco-íris.

Eu me pergunto como ela era no ensino médio. Deve ter sido uma boa garota, do tipo que segura os livros junto ao peito, sempre com o cabelo penteado, morde os lábios quando faz prova. Deve ter estado no anuário, ou no clube de matemática, talvez no de debate.

Mas tem que haver outra coisa, algo por baixo da superfície pura da Gasparzinho que não conseguimos ver, uma mágoa escondida, um segredo tenro ou coisa do tipo, porque, senão, por que ela dedicaria toda a merda da vida dela a ficar com *a gente*?

Ela entrega papéis e marcadores, e nós ficamos tensas. Quando temos que escrever, sabemos que a hora do grupo vai ser barra-pesada. Ela nos faz colocar as canetas e os papéis no chão, e fazer nossa respiração de sanfona. Não consigo me concentrar. Estou de olho no relógio na parede; posso sair mais cedo. Hoje vou tirar meus curativos. Só de pensar nisso, sinto um frio na barriga.

A Gasparzinho diz:

— Quero que vocês escrevam o que costumam dizer antes de se automutilarem.

Blue resmunga alto, passa a língua pela boca, flexiona os pés descalços. Ela nunca usa sapatos. Anéis prateados brilham em três de seus dedos dos pés. Do outro lado do círculo, ela parece tão nova quanto qualquer uma de nós, mas de perto, no refeitório ou na sala da recreação, dá para ver os pés de galinha no canto dos olhos. Faz muito tempo que não desenho, quase nunca vou para a aula de artes, e olhar para Blue é difícil porque ela me faz ansiar pelos meus lápis e gizes de cera. Tem *alguma coisa* nela que quero colocar no papel.

Não escrevo nada no começo, só faço algumas linhas finas com o marcador vermelho e então olho de soslaio para Blue, para desenhá-la, com suavidade, sem força. É uma sensação boa, meus dedos segurando o marcador, me acostumando com seus olhos de gato, os lábios cheios. É um pouco estranho, o papel pressionado nas minhas coxas, mas é como se meus dedos nunca tivessem se esquecido do que devem fazer. Como se estivessem esperando até que eu voltasse.

A boca da Blue é tão carnuda. Meus lábios são meio finos. Ellis diria *você tem que realçar*. Segurava meu queixo entre os dedos, pressionava o batom frio na minha boca. Mas nunca funcionou. Nunca combinou muito comigo. Eu não via alguém com uma boca bonita. Via alguém que tinha batom no rosto.

Meu cérebro começa a andar em círculos, em círculos, mesmo enquanto continuo a desenhar Blue. Algumas coisas estão acontecendo e não quero pensar nelas, não agora. Palavras acontecendo, como *desculpa*, *sótão*, *passagem subterrânea* e *me machucar*.

Sasha funga. Francie pigarreia.

Minha caneta escreve. FORA. COLOQUE PARA FORA. CORTE TUDO FORA. Faço um enorme X vermelho em cima do desenho do rosto de Blue, amasso o papel, enfio no meio das coxas.

— Isis. — Gasparzinho cruza as mãos, espera Isis começar a ler o que estava na folha.

Isis cutuca o nariz, o rosto ficando vermelho.

— Tá bom — diz, enfim. Começa a falar, tão baixinho que é quase um sussurro: — Porra, por que você não aprende? Isso vai te ensinar. — Ela fecha os olhos com força.

A Francie diz:

— Ninguém. Espaço. Se importa. — E rasga o papel no meio.

O corpo de Sasha está tão quente de chorar que exala um calor estranho, e eu afasto um pouco minha cadeira. Sinto Blue me olhando.

Sasha olha para seu papel e lê, engasgada:

— Sua. Gorda. De. Merda.

Blue se levanta em um pulo, atravessa o círculo e arranca o papel do meio das minhas coxas. Ela me encara do meio do círculo.

Gasparzinho olha para ela, inexpressiva:

— Blue. — Um aviso.

Blue desamassa o papel, alisando-o. Enquanto o examina, um sorriso surge em seu rosto, devagar.

— Sou eu? Ficou muito bom, Sue Quietinha. Eu gosto desse X na minha cara.

Ela mostra o papel para o grupo.

— Ela me apagou. — Blue amassa o papel de novo e joga no meu colo. Eu o deixo cair no chão. Quando está voltando para seu lugar, ela diz para Gasparzinho: — Ela conseguiu falar melhor do que eu. É bem isso que se passa na minha cabeça quando me *automutilo*. Preciso me apagar.

Gasparzinho se vira para Sasha, mas, antes que possa começar, Blue a interrompe:

— Sabe, doutora, isso é muito injusto.

— O que é injusto? — Gasparzinho olha para Blue. Sinto meu rosto esquentar. Olho para o relógio. Só mais alguns minutos até que eu possa ir embora, tirar estas ataduras.

— Ela nunca é obrigada a dizer nada. Todo mundo tem que falar, colocar tudo pra fora e o caralho, e ela não precisa falar merda nenhuma. A gente deve ser um showzinho de comédia pra ela.

— O grupo é voluntário, Blue. Se um membro não quer falar, ele não é obrigado. Em Char...

— Conta pra todo mundo o que você escreveu no seu papel, Sue Quietinha — ordenou Blue. — Não quer? Tá bom, eu conto. Ela escreveu *Fora. Fora, corte tudo fora.* Cortar o quê, Sue? Anda. Está na hora de pagar o preço.

Frank Maldito usava anéis de prata pesados, caveiras de aparência malévola que estava sempre lustrando em sua camisa até que brilhassem com perfeição. Os dedos, sempre manchados e chamuscados pelos isqueiros, se cravavam no meu pescoço, me erguendo do chão do sótão. Evan e Dump faziam sons de gatinho atrás dele, mas eram só meninos que precisavam de drogas. Estava gelado do lado de fora. A neve veio de surpresa em abril, e se transformou em granizo congelante. Era o pior tipo de clima para se estar do lado de fora: água gelada que congelava seu rosto descoberto e transformava os dedos em duras cascas de osso.

Eu deveria saber, quando Frank Maldito nos cumprimentou na porta, que ele não me deixaria ficar de graça. Eu deveria ter olhado mais de perto para o rosto das meninas no sofá rasgado enquanto Evan e Dump me carregavam para dentro. Em meu estupor, meus pulmões como cimento, os olhos embaçados, pensei que elas só estivessem chapadas, os olhos enevoados. Agora sei que seus olhos estavam mortos.

Faz logo, Frank Maldito disse naquela noite, meu fôlego desaparecendo no aperto de seus dedos. *Faz logo, que nem as outras meninas. Senão eu mesmo vou fazer.*

Se você fosse uma menina e estivesse na Casa da Semente, e quisesse ficar na Casa da Semente, havia um quarto no andar de baixo em que tinha só colchões. Frank colocava as meninas naquele quarto. Homens vinham até a casa e pagavam para Frank, e então entravam naquele quarto.

FORA. CORTE TUDO FORA. Cortar as lembranças do meu pai. Cortar as lembranças da minha mãe. Cortar a saudade de Ellis. Cortar o homem na passagem subterrânea, cortar Frank Maldito, os homens lá embaixo, as pessoas na rua com muitas pessoas dentro delas, cortar a fome, a tristeza e o cansaço, até não ser ninguém, não ser bonita e não ser amada, cortar tudo fora, até ficar cada vez menor e menor até que eu não seja mais nada.

Era isso o que se passava na minha cabeça no sótão, quando peguei o vidro quebrado do meu kit da ternura e comecei a me cortar em pedaços pequenos. Faço isso desde sempre, há anos, mas agora vai ser a última vez. Vou mais longe do que Ellis já foi. Não estragaria tudo como ela fez: eu morreria, não acabaria em uma meia-vida.

Daquela vez eu tentei tanto morrer.

Mas estou aqui.

A música na minha cabeça faz meus olhos ficarem nublados. Mal consigo ver Blue com seu rosto bajulador e seus dentes horríveis, mas, enquanto caminho em direção a ela, posso praticamente sentir o gosto de esmagar aquele rosto no chão da sala. Meu corpo está estranhamente pesado e leve ao mesmo tempo, e um pouco de mim está indo embora, flutuando para longe — a Gasparzinho chama isso de *dissociação* —, mas continuo indo na direção de Blue, mesmo quando ela meio que ri, nervosa, e diz:

— *Tô* ferrada. — E se levanta, alerta.

Jen S. se levanta. Ela suplica:

— Por favor, não.

Na rua, onde morava, eu chamava isso de emoção da rua. É como se uma descarga de energia percorresse todo o meu corpo. Significava que eu poderia cerrar os punhos e lutar com duas mulheres mais velhas pelo saco de dormir esquecido à beira do rio. Significava que eu poderia fazer muita coisa só para sobreviver à noite e viver outro dia interminável de caminhada, mais caminhada e mais caminhada.

A voz de Gasparzinho é uniforme e clara.

— Charlie. Mais um conflito e não vou poder te ajudar.

Eu paro. Charlie. Charlie Davis. *Charlotte*, disse Evan, os olhos brilhantes, bêbado, manchas do meu sangue na sua bochecha, naquela noite no sótão. *Que nome lindo*. Ele beijou minha cabeça, de novo e de novo. *Por favor, não nos deixe, Charlotte*.

Meu pai me ensinou a contar as horas ao dizer quanto tempo restava.

— O ponteiro longo está aqui, e o ponteiro curto aqui. Quando o ponteiro curto está *aqui* e o ponteiro longo *aqui*, é hora da mamãe voltar para casa. — Ele acendia um cigarro, satisfeito consigo mesmo, e balançava-se na cadeira.

Os ponteiros do relógio de parede da sala do grupo me dizem que é hora de tirar as ataduras.

Eu cambaleio, a estúpida botinha se enroscando no tapete, e vou até a porta. Deixo que ela bata atrás de mim quando saio.

É UM DOS ENFERMEIROS DIURNOS, VINNIE, QUEM AS REMOVE, as mãos grandes rachadas e metódicas. Está frio na enfermaria, e muito limpo. O papel enruga embaixo de mim quando me sento na maca. Olho para os potes de vidro cheios de cotonetes grandes, as garrafas de álcool, as gavetas rotuladas com capricho. Vinnie tem uma bandeja prateada com tesouras, pinças, clipes e cremes.

Ele faz uma pausa antes de começar a tirar os curativos dos meus braços.

— Você quer que chame alguém? A doutora Stinson vai terminar com o grupo em quinze minutos. — Ele quer dizer a Gasparzinho.

Ele dá seu sorriso especial, aquele em que abre a boca e mostra todos os dentes. Cada dente é emoldurado, como uma pintura ou uma fotografia, em ouro. Sinto uma vontade repentina de tocar um daqueles dentes brilhantes.

Vinnie ri.

— Gostou dos meus dentes maneiros? Custou caro para ter esse sorriso, e também custa caro para *conseguir* esse sorriso, se é que você me entende. Quer esperar a doutora ou não?

Balanço a cabeça, *Não*.

— Sim, isso mesmo. Você é uma menina corajosa, Davis.

Com cuidado, ele desenrola a gaze de cada braço. Vinnie tira o algodão comprido do meu braço esquerdo. Tira o algodão comprido do meu braço direito. Faz um *barulho* úmido e macio quando ele os joga na lixeira de metal. Meu coração bate um pouco mais rápido. Ainda não olho para baixo.

Vinnie se aproxima enquanto pinça e corta os pontos. Ele tem um cheiro suave e doce ao mesmo tempo, como óleo de cabelo e café. Encaro as luzes do teto com tanta vontade que nuvens escuras se formam embaixo dos meus olhos. Há uma mancha em forma de rim em um dos painéis, da cor de manteiga aquecida por muito tempo em uma panela.

— Estou te machucando? — pergunta ele. — Estou fazendo o melhor que posso, menina.

Há um som semelhante a água pingando. Vinnie está lavando as mãos. Ergo os braços.

Eles estão pálidos e enrugados por terem ficado cobertos por tanto tempo. Virando-os, olho para as cicatrizes vermelhas e viscosas que vão dos meus pulsos até o cotovelo. Toco nelas com cuidado. Vinnie cantarola. É uma música animada, com cadência.

Sou só mais um dia para ele, mais uma garota horrível.

— Vamos? — Ele esfrega creme entre as palmas das mãos e as ergue.

Posso ver as antigas cicatrizes por baixo das novas. Minhas cicatrizes são como uma represa ou algo assim. O castor continua empurrando galhos novos na represa para se juntarem aos velhos.

Assinto para Vinnie. O creme está quentinho nas mãos dele e a sensação é boa na minha pele.

Na primeira vez que me cortei, a melhor parte foi depois: esfregar o ferimento com uma bola de algodão, secá-lo com cuidado, inspecioná-lo, nessa posição e naquela, embalando meus braços de um jeito protetor junto à barriga. *Pronto, pronto.*

Eu me corto porque não sei lidar. Simples assim. O mundo se torna um oceano, o oceano me lava, o som da água é estrondoso, a água afoga meu coração, meu pânico se torna tão grande quanto planetas. Preciso de alívio, preciso me machucar mais do que o mundo pode me machucar, e então consigo me consolar.

Pronto, pronto.

Gasparzinho nos disse:

— É contraintuitivo, certo? Que se machucar faça você se sentir melhor. Que de algum jeito você possa se livrar da dor causando dor a si mesma.

O problema é: *depois.*

Por exemplo, agora, o que está acontecendo agora. Mais cicatrizes, mais danos. Um círculo vicioso: mais cicatrizes = mais vergonha = mais dor.

O som de Vinnie lavando as mãos na pia me traz de volta.

Olhar para a minha pele faz meu estômago revirar.

Ele se vira.

— Hora do próximo. Tem certeza de que não quer mais ninguém aqui?

Balanço a cabeça e ele me joga um lençol, me diz para voltar para a mesa de exame, faz sinal para que eu baixe o short. Faço isso rápido sob o lençol, sem respirar, mantendo o tecido apertado sobre minha calcinha lisa. Minhas coxas formigam, arrepiadas por causa do quarto frio.

Acho que não tenho medo de Vinnie, mas acompanho com cuidado os movimentos de suas mãos, trazendo minha emoção das ruas à tona, só para garantir. Quando era pequena e não conseguia dormir, esfregava o lençol entre o indicador e o polegar. Faço isso agora com a calcinha, a calcinha rosa suave, novinha em folha, deixada na minha cama estreita com um cartãozinho. Eram sete pares, um para cada dia da semana. Elas não tinham buracos nem manchas, e tinham o mesmo cheiro da embalagem de plástico em que vieram, não o fedor do mijo ou da menstruação. Pensar na calcinha, sentir o algodão limpo nos meus dedos, faz algo se mexer dentro de mim, como pedras caindo depois que uma delas é arrancada do monte, um gemido, um assentamento, uma exalação de ar...

— A. Enfermeira. Ava. Comprou. Essa. Calcinha. Pra. Mim.

Não sei por que sussurro isso. Não sei de onde veio. Não sei por que as palavras se formaram agora, não sei por que *essas* palavras. Minha voz soa rouca pela falta de uso. Pareço um sapo coaxando. É uma frase longa, minha primeira em não sei quantos dias, e sei que ele vai registrar isso obedientemente: *C. Davis falou uma frase completa enquanto removia as bandagens. C. Davis falou sobre não ter roupas íntimas. A paciente não costuma falar voluntariamente; mutismo seletivo.*

— Foi muita gentileza dela. Você agradeceu?

Balanço a cabeça.

Quando me cortei no sótão, estava de camiseta, calcinha, meias e botas. Havia tanto sangue que Evan e Dump não sabiam o que fazer. Eles me envolveram em um lençol.

— Você deveria agradecer.

Vim para Creeley com roupas de hospital e chinelo. A enfermeira Ava encontrou roupas para mim. Comprou calcinhas novas para mim. Eu deveria agradecê-la.

A gaze e os algodões das minhas coxas parecem bandeirolas manchadas enquanto Vinnie as levanta e as joga no lixo. Ele puxa e prende com a pinça.

Acontece a mesma coisa nos meus braços: não dói quando ele remove os pontos, mas minha pele arde, formiga, quando ele puxa a pinça para cima e para fora.

De repente acontece de novo, só que desta vez me lembro como é me cortar, e me cortar *fundo*. O jeito como preciso enfiar o vidro, bem fundo, de uma vez, para perfurar a pele e arrastar, arrastar com força, para fazer um rio em que valha a pena se afogar.

Ah, como dói fazer esse rio. A dor é aguda e obscura ao mesmo tempo; cortinas se abrem e fecham em seus olhos; respiração ofegante saindo das narinas.

Dói pra cacete, dói, dói, dói. Mas, quando o sangue chega, tudo fica mais quente e calmo.

Vinnie me encara. Estou respirando rápido demais. Ele sabe o que está acontecendo.

— Acabei. — Ele me observa com atenção enquanto me sento. O papel delicado embaixo de mim se rasga.

Escadas. As cicatrizes em minhas coxas parecem os degraus de uma escada. Calombo, calombo, calombo, enquanto passo os dedos dos joelhos até o alto da coxa. As mãos cheias de creme de Vinnie são muito escuras em contraste com minha palidez. A sensação é boa. Quando ele termina, faz sinal para que eu ajeite meu short e me entrega o tubo de creme azul e branco.

— Passe isso duas vezes por dia. Essa merda vai coçar pra caramba agora que está ao ar livre. Vai repuxar e irritar um pouco.

Abraço o tubo. Ainda sinto as mãos dele nas minhas pernas, a delicadeza de seus dedos na minha feiura. Eu meio que quero as mãos dele de volta, talvez ao meu redor desta vez. Talvez tão leve em mim que eu poderia apoiar a cabeça nele, e ficar ali por algum tempo, respirando-o, nada de mais, coração batendo coração batendo coração batendo, como era com meu pai. A pressão aumenta atrás dos meus olhos.

Limpo o rosto, ignorando minhas mãos trêmulas. Quente. Meu corpo está começando a esquentar. Sinto medo. Vinnie limpa a garganta.

— Tá todo mundo na aula de artes, menina. Quer que eu te acompanhe até lá?

— Quarto. — Abraço o tubo quente. — Quarto.

Vinnie parece triste.

— Tudo bem, querida. Tudo bem.

Louisa não está no quarto. Elas estão todas na aula, curvadas sobre palitos de picolé pegajosos, sacos de botões e fios, resmas de adesivos de estrelas brilhantes.

Meus olhos estão cheios de água, e enterro a cabeça no travesseiro para que ninguém me ouça. Meu corpo está tão, tão dolorido das feridas. Quero Ellis, a Ellis que enxugaria meus cortes e roubaria vinho do pai para que pudéssemos chorar juntas em seu quarto, bebendo da garrafa e ouvindo nossa música, observando a luz noturna em forma de sistema solar girar e brilhar no teto. Porque, quando você está ferido e alguém te ama, essa pessoa deveria te ajudar, certo? Quando você está magoado e alguém te ama, te beija com ternura, leva a garrafa até sua boca, acaricia seu cabelo com os dedos, certo? Gasparzinho ficaria orgulhosa de mim pelo meu pensamento racional.

Estou em um lugar cheio de garotas cheias de saudade e não quero nenhuma delas. Eu quero aquela que não posso ter, aquela que nunca mais vai voltar.

Onde posso colocá-los, estes mortos, estes vivos, estas pessoas que pairam sobre mim como fantasmas? Ellis disse uma vez:

— Você era novinha demais para perder um pai.

Há pouco mais de um ano, Mikey gritou comigo ao telefone:

— Ela nunca se cortou, isso não era coisa dela. Por que ela se cortou? Você estava *bem ali*. — Mas ele estava a quilômetros e estados de distância na faculdade, e não sabia o que havia acontecido entre mim e Ellis. Foi a última vez que conversamos; depois disso, eu estava na rua, me tornando um fantasma.

Minha mãe está viva, mas também é um fantasma, seus olhos fundos me observando de longe, seu corpo muito imóvel.

Muita gente que nunca mais vai voltar.

Quando me canso, quando meu corpo fica com aquela sensação de esgotamento de tanto chorar, me levanto e cambaleio pelo corredor claro demais até a enfermaria. Vinnie estava certo, as cicatrizes não param de coçar.

Toda a parte de fora do meu corpo está pegando fogo e a parte de dentro, vazia, vazia. Não posso cortar, mas preciso que algo seja tirado de mim, preciso de alívio.

Vinnie abre seu sorriso dourado trás do balcão da enfermaria. Todos os enfermeiros têm fotos grudadas na parede do cubículo atrás do balcão. Crianças, montes delas, gordinhas, magras, adolescentes carrancudos e cachorros, muitas fotos de cachorros. As filhas de Vinnie devem ser aquelas com vestidos brancos de babadinho, cabelos escuros, muito escuros, iguais aos dele.

Aponto para o meu cabelo, aquela confusão desgrenhada. Fico enjoada só de sentir o cheiro, de repente. Quero que tudo vá embora, essa última parte de estar do *lado de fora*.

— Tirar — digo, a voz rouca.

Vinnie ergue as mãos.

— Não, não. Espere até ter direito ao seu passe diário, menina. Daí você vai pode ir com as outras no cabeleireiro ou coisa do tipo. Não vou tocar no cabelo de ninguém.

Bato com o punho no balcão, me debruçando nele.

— Agora. Tem que ser *agora*.

— *Puta madre* — diz ele, baixinho.

Ele aponta para a enfermaria.

— Vem, vem. E não vai chorar. Só tem um jeito de lidar com um cabelo desse.

No refeitório, Isis é a primeira a falar, a boca pequena se abrindo, macarrão com queijo escorregando para o prato.

— Puta merda, Chuck, olha só você.

Blue começa a rir, um som profundo e contagiante que assusta a Francie, que se senta ao lado dela e nunca come. Francie sorri também. Blue diz:

— Eu te odeio, Sue Quietinha, mas ficou bem melhor assim. Até parece humana.

Até Vinnie assobiou enquanto passava o barbeador elétrico pelo meu couro cabeludo, o cabelo caindo no chão em mechas pesadas.

— Uma cara! A menina tem uma cara! — brincou.

Eu me olhei no espelho da enfermaria, um espelho de verdade, comprido, atrás da porta. Mantive o foco acima dos ombros, olhando só para o rosto, mas não por muito tempo, porque comecei a me sentir triste de novo ao me ver.

Elas ficam em silêncio quando começo a comer. Não deveria ser estranho mostrar suas cicatrizes para um grupo de meninas que não são nada além de cicatrizes, mas é. Olho fixamente para o prato.

Vou vasculhar os achados e perdidos em busca de uma camisa de manga comprida depois do jantar. Me sinto exposta e gelada. Sinto falta do cardigã mostarda surrado que eu sempre usava quando saía de casa. Ele me mantinha escondida e segura. Sinto falta de todas as minhas roupas. Não das roupas das ruas, mas as roupas antigas, as camisetas de bandas, calças xadrez e gorros de lã.

Isis engole em seco.

— Puta merda, Chuck, o que você usou? Você se jogou com tudo nessa porra.

Isis tem a cara franzina e nervosa de um terrier. Ela torce os laços desgrenhados das tranças entre os dedos. As outras esperam. No fim da mesa, Louisa abre um sorriso fraco para mim.

Eu amava me cortar com o pote de conserva. Tinha que enfiar com força, porque o vidro era grosso. Os potes de conserva não quebram como outros vidros; os pedaços são curvos, brilhantes e duros. Deixavam cortes largos e profundos. Era fácil lavar e guardar os pedaços grossos de vidro, colocando no saquinho de veludo e escondendo no meu kit da ternura para quando eu precisasse de novo.

Pensar nisso me faz sentir arrepios de expectativa, como me senti na enfermaria, o que é *inaceitável*, Gasparzinho diz, um *gatilho*, e vejo algumas das meninas, como Sasha, pálida com seus olhos azuis como o oceano, começando a franzir a testa. Blue e Jen S. esperam, os rostos inexpressivos, o garfo redondo no ar.

Acho que quero contar para elas, acho que quero falar. Sinto uma agitação no peito, e acho que tenho algumas palavras talvez, apesar de não ter certeza de em que ordem colocar, o que elas significariam, mas abro a boca...

Da ponta da mesa, Louisa fala. A voz rouca e profunda; a banda em que ela cantava se chamava Acabou o Amor.

— Vidro. — Louisa remexe o jantar. Ela é cheia de frescura para comer; um pouco disso, um pouco daquilo, e nunca fica por muito tempo. — Ela usava vidro. O café da manhã dos campeões desesperados. — Ela dá de ombros, andando suavemente até a lata de lixo com seu copo de papelão, prato de plástico e garfo redondo.

O clima ao redor da mesa fica tenso por alguns instantes, enquanto cada menina pensa e se lembra de seus utensílios favoritos. Então o clima fica mais leve.

Isis volta a comer.

— Da pesada, Chuck.

Olho fixamente para o meu monte lustroso de macarrão, a única vagem no prato, a poça amarronzada de purê de maçã.

— Meu nome não é Chuck, Isis. É Charlie. *Charlie Davis.* — Minha voz não soa rouca agora. É mais sonora do que nunca.

Jen S. comenta:

— Uau. *Alguém* sabe falar.

Blue assente, olhando para mim.

— As coisas — ela diz, bebendo café, pensativa — vão ficar bem interessantes por aqui.

GASPARZINHO SORRI PARA MIM.

— Quantas mudanças — comenta. — Falar. Cortar o cabelo. Tirar os curativos. Como você se sente?

Me estico para pegar os papéis na mesa dela, a caneta azul, mas ela diz:
— Não.

A tartaruga está parada no tanque, como se esperasse por mim também. O corpo pequeno boia na água. Será que ela gosta do barquinho no fundo, com o buraco grande o bastante para que consiga nadar ali? Será que ela gosta da pedra grande em que pode se erguer e se deitar? Será que sente vontade de sair?

Puxo o moletom que encontrei nos achados e perdidos para mais perto, fecho o capuz em volta do rosto.

Feio, digo para ela, minha voz abafada e o rosto escondido pelo capuz. *Feio. Ainda está feio.*

Não é que eu nunca tenha notado que Jen S. desaparecia toda noite assim que Barbero adormecia no sofá da sala da recreação. Quer dizer, ela me contava.

— Vou ao banheiro — ela anunciava, o longo rabo de cavalo caindo sobre o ombro enquanto se inclinava para ver o que eu estava fazendo no computador. — Estou com dor de barriga. Pode ser que demore um pouco.

Ou:

— Só vou dar uma volta pelos corredores. Estou me sentindo um pouco sufocada. Se comporte. — E então ela ia embora.

Por mais estranho que pareça, eu estava ficando envolvida com essa coisa de aula. Tinha terminado doze unidades até então, o que me colocava no meio de um último ano mítico. Era um pouco satisfatório clicar em ENVIAR e esperar que Jen S. voltasse e fizesse a avaliação com a senha secreta. Pelo jeito a escola é bem mais fácil sem os outros alunos, os professores babacas e toda aquela merda que acontece lá.

Então estou esperando por ela, e esperando, e meio que observando Barbero roncar no sofá, quando penso que pode ser que ela não tenha ido fazer o que disse. Mas, antes que eu possa pensar no que ela esteja fazendo, penso no que eu poderia estar fazendo enquanto ela está fora e Barbero, em coma.

Levo apenas alguns minutos. Abro outra janela, crio uma conta do Gmail, vasculho meu cérebro para encontrar o último endereço de e-mail dele de que me lembro, anoto, esperando que dê certo, e abro a caixa de mensagem. Não falo com ele há mais de um ano. Talvez ele esteja lá, talvez não.

E aí, escrevo.

Espero, cutucando o queixo. Sinto um pouco de frio na cabeça, agora que não tenho mais cabelo. Ajeito o capuz do moletom. Mas ele tem que estar ali, porque não está escrito *Michael está offline* nem nada do tipo.

E então ele está.

pqp é vc msm

Sim

Vc tá bem

Não. Sim. Não. Tô num manicômio

Eu sei, minha mãe me disse que sua mãe contou pra ela

Tô usando roupa da merda do achados e perdidos

Eu tô num show

De quem?

Firemouth Club, chama Flycatcher vc conhece o Firemouth? Vc ia gostar deles

Meus dedos pairam sobre o teclado. **Tô com saudade.**

Nada. Sinto um aperto na barriga. Um pouco da velha sensação começa a voltar: o quanto eu gostava-de-verdade de Mikey, como fiquei confusa porque ele queria Ellis, apesar de ela não gostar dele desse jeito. Mas Ellis não está mais aqui. Mordo o lábio.

Olho de novo para Barbero. Uma das pernas dele está apoiada no chão.

Michael está digitando... então surge: **Vou pedir pra minha mãe levar algumas roupas da T pra vc**

A irmã dele, Tanya. Deve estar na faculdade agora. A casa de Mikey sempre foi quentinha. No inverno, a mãe dele fazia pães grandes e macios, e panelas enormes de sopa fumegante.

No chat aparece *Michael está digitando.* Ele não disse que estava com saudade nem nada do tipo. Respiro fundo, tento abafar a voz que rosna na minha cabeça, dizendo *você é suja e nojenta, sua idiota. Por que alguém ia querer você?*

Em maio tenho um show na 7th Street Entry com uma banda q estou trabalhando. Fico dois dias lá. Vc pode colocar meu nome pra visita ou coisa assim?

Sim! Abro um sorriso enorme. Me sinto tão leve que parece que meu corpo é feito de penas, só de pensar em ver Mikey. Mikey!

Michael está digitando: **Tenho que ir, show vai acabar tenho aula amanhã ñ acredito q é vc qual seu número?**, e corro para o telefone na parede da sala, onde o número está escrito com caneta permanente preta, junto com PROIBIDO FAZER LIGAÇÕES DEPOIS DAS 21H. PROIBIDO FAZER LIGAÇÕES ANTES DAS 18H. Volto correndo, repetindo o número na minha cabeça, quando minha botinha fica presa em uma cadeira de plástico e eu caio no chão. Barbero se levanta em um piscar de olhos, o mais rápido que já o vi se mover, arrancando os fones de ouvido. Ele gira ao redor.

— Cadê a Schumacher? Cadê a porra da Schumacher?

Enquanto tento me levantar, ele está ocupado lendo o que há no computador.

Ele pressiona uma tecla com o dedo gordo e a tela do computador escurece. Mikey desaparece.

— Volte para a toca, coelho. Preciso ir caçar sua amiga.

Barbero e a enfermeira Ava encontraram a Jen S. na escada de emergência. Não estava com dor de barriga nem passeando. Louisa me conta mais tarde naquela noite que ela estava dando para o doutor Dooley.

Estou embaixo do lençol. Quando pisco, meus cílios roçam o tecido. Resmungo para Louisa.

— Faz teeeeeempo que eles tão trepando — sussurra Louisa —, me admira não terem sido pegos antes.

No final do corredor, há uma intensa movimentação: telefonemas sendo feitos, a Jen S. chorando na enfermaria. Louisa diz:

— É uma pena, de verdade. Ela vai ser expulsa, e ele, demitido. Ou talvez ele não seja demitido, só leve uma advertência. Ele é só um residente. Eles sempre ferram com tudo. — Ela faz uma pausa. — Espero que a Jen não ache que isso significa que vão ficar juntos lá fora, porque não vai acontecer.

Ela tira o lençol do meu rosto.

— Você é muito novinha, então não entende direito. — Ela ainda não tirou a maquiagem. Tem máscara de cílios borrada debaixo dos olhos.

— Ele escolheu a Jen porque ela é fácil. A gente é fácil, não é? Porra, eu também já achei que tinha encontrado a pessoa certa.

Faço uma tentativa e digo:

— Talvez... ele goste dela de verdade. — Ele poderia, certo? Doutor Dooley é gato, não precisa ir atrás de meninas ferradas. Pode ter quem ele quiser.

Os olhos de Louisa estremecem.

— Os caras são estranhos, pequena. Você nunca sabe o que vai despertar o interesse deles. — Ela cobre meu rosto com o lençol de novo e deita em sua cama. Sua voz está abafada agora, como se também estivesse debaixo dos lençóis. — Eu deixei um cara... Achei ele tão lindo e tão gentil... que deixei ele tirar fotos de mim. Então ele foi e vendeu num site de pervertidos na internet.

Ela está chorando? Hesito. A Jen S. está chorando lá fora agora e ouço Sasha começando a se mexer em seu quarto, um som baixo como um miado.

Este lugar está cheio de garotas que choram.

Louisa está chorando. Todo mundo na porra do corredor está chorando, menos eu, porque já não tenho mais lágrimas. Jogo os lençóis de lado e desço da cama. Mikey estava *tão* perto e eu o perdi. Eu o perdi.

Louisa resmunga:

— Eles deveriam contar, assim que você entra aqui, que essa parte do desejo acabou. Depois do que nós fizemos, ninguém vai amar a gente. Não de um jeito normal.

A mão dela serpenteia por baixo do lençol, oscilando no ar. Eu me aproximo de seus dedos fechados. As unhas estão pintadas de um azul brilhante, com pontinhos vermelhos. Um soluço fica preso em sua garganta.

— Você precisa entender, pequena. Você entende como vai ser?

Faço o que as pessoas dizem que deve ser feito quando alguém está ferido e precisa de ajuda, para que saiba que é amado. Eu me sento na beirada da cama de Louisa, em cima da colcha da Hello Kitty. Ela é a única que tem sua própria colcha, fronhas e uma coleção de chinelos felpudos espreitando debaixo da cama. Tiro o lençol rosa e branco que cobre o rosto dela, devagar, só o suficiente para fazer carinho no seu cabelo, na confusão maravilhosa que ele é.

Penso em Jen S. mais tarde, quando o corredor está silencioso, depois que ela foi levada de volta ao quarto para fazer as malas, para esperar. Ela estava transando com doutor Dooley esse tempo todo. Aonde será que eles iam? Será que usavam a enfermaria, espalhando o papel amassado pelo chão? Será que transavam na mesa ou era sempre nas escadas? Será que os degraus eram frios? Do que será que falavam? Os dois são tão altos e bonitos, rostos bem formados e sensuais. Imagino os dois se roçando e a parte interna das minhas coxas fica quente. E então Mikey surge em minha mente, os dreads loiros macios e nunca fedidos, sorrindo para mim e para Ellis da velha espreguiçadeira no seu quarto, deixando a gente ir à loucura e colocar a música o mais alto que quisesse. Eu nunca fiquei com Mikey, mas teria tentado, quer dizer, eu queria muito, mas ele amava Ellis. Os meninos com quem eu ficava tinham cheiro de vidro queimado e raiva. A pele era manchada de sujeira, tatuagens e espinhas. Moravam em garagens ou carros. Eu sabia que aqueles meninos nunca continuariam por perto. Eram lisos; iam embora depois de fazermos alguma coisa em um quarto sujo nos fundos de um show ou no banheiro do porão de alguém em uma festa.

Ellis tinha um namorado. Ele tinha dentes de lobo e um casaco preto comprido e transava com ela no porão da casa dos pais dela no tapete rosa macio enquanto eu ouvia do outro lado da sala, aninhada em um saco de dormir. Ele dava presentes para ela: pulseiras de prata, meias transparentes, bonecas russas cheias de pílulas azuis redondas. Quando ele não ligava, ela chorava até sentir dor na garganta. Quando ela mencionava o nome dele, Mikey desviava o olhar, e dava para ver o maxilar dele ficar tenso, o rosto sombrio.

Pensar em corpos se encaixando me deixa triste e com fome de alguma coisa. Eu rolo e pressiono o rosto no travesseiro, tento esvaziar a mente, ignoro a coceira das minhas cicatrizes. Louisa suspira inquieta em seu sono.

Não quero acreditar que ela esteja certa.

A mãe da Jen é robusta, com bochechas grandes e lábios finos. O pai dela é gordo, o zíper da jaqueta esportiva se esticando na região da barriga. Os pais dela estão parados no corredor, nos observando apreensivos. Em pouco tempo o enfermeiro Vinnie nos leva para a sala da recreação e tranca a porta. Não teremos permissão para nos despedir de Jen. As meninas ficam perambulando pela sala, tirando cartas e jogos da caixa, colocando-os com a ajuda de Vinnie na mesa redonda. Blue está na janela. O cabelo loiro-escuro está preso em um coque bagunçado hoje; o brilho fraco da tatuagem de andorinha na nuca. Depois de algum tempo, ela murmura:

— Lá vai ela.

Corremos para a janela. No estacionamento, o pai de Jen enfia duas malas verdes no porta-malas de um Subaru preto. O dia está cinzento e parece frio. Ele se enfia no banco do motorista, o carro afundando sob seu peso. Jen, mais alta do que a mãe, parece um canudo dobrável. A mãe dá um tapinha no braço dela e abre a porta de trás, deixando Jen se enfiar na frente, ao lado do pai.

Ela não olha para trás nenhuma vez.

O carro se mescla ao trânsito, desaparecendo ao longo do quarteirão de cafés e bares, lojas de bugigangas do Oriente Médio e o lugar onde vendem vinte e dois tipos de cachorro-quente. Mikey trabalhou lá em um verão; sua pele exalava molho picante e chucrute.

O céu está cheio de nuvens escuras. Tem havido muitas tempestades ultimamente, o que não é nada comum em abril. O som da voz de Blue me traz de volta.

— Coitado do Bruce — diz baixinho, apontando para fora da janela.

Barbero está parado em um canto do estacionamento. Ele não está de uniforme hoje: veste um moletom azul-claro e uma camisa de colarinho, calça jeans e tênis branco, como qualquer outro cara na rua.

— Ah — digo. Então: — *Ah*.

Ele gostava da Jen. O nome dele é *Bruce*.

Ele usa pequenos óculos de armação de arame que o fazem não parecer tão... *idiota*... mas meio... legal. Blue e eu observamos enquanto ele enxuga os olhos, entra no carro dele, laranja, velho e pequeno, e vai embora.

— Tadinho do Bruce — murmura Blue.

Corpos se encaixam. E às vezes não.

Isis remexe as peças do jogo de formar palavras. As unhas dela são ainda mais roídas que as minhas. A língua se move no canto da boca.

— Quase acabando, Chuck. — Ela arranca uma peça do tabuleiro. — Quase.

Eu brinco com minha camiseta tie-dye e saia florida de hippie. A mãe de Mikey de fato veio me trazer algumas roupas velhas de Tanya, que sobraram da fase em que ela era mais riponga: camisetas tie-dye e saias de tecido fino, esvoaçantes, sandálias de amarrar e xales de vovó. Mas também trouxe alguns suéteres velhos, e vesti agora o melhor deles: um cardigã azul com estampa de losangos e botões prateados redondos. Não pude falar com a mãe do Mikey. Quem não está na lista de visitantes não pode entrar, e eu não tenho uma lista porque quebrei as regras. Além disso, nem sei quem viria me ver a não ser Mikey, mas ainda faltam algumas semanas até chegar esse dia. Gasparzinho me prometeu que ia colocar o nome dele na lista. Fora isso, eu sei que só tem mais um nome na lista: o da minha mãe. Mas não espero que ela venha, e a Gasparzinho não toca no assunto.

Quando o telefone toca na sala da recreação, todas olham em volta, à procura de Barbero. O telefone só toca aqui depois que a ligação foi aprovada lá embaixo, verificada na lista principal. Todos que ligam precisam estar em uma lista aprovada pelo médico, de acordo com os critérios dele.

Ainda assim, não temos autorização para atender sozinhas.

— Ele deve ter ido cagar — comenta Blue, dando de ombros.

O telefone continua tocando. Francie cutuca Sasha.

— Atende.

— Atende *você*. — Sasha volta a jogar Lig 4. Ninguém gosta de jogar com ela; ela rouba.

Blue se levanta do sofá.

— Malditas fofoletes choronas — reclama ela. É assim que nos chama de vez em quando: Malditas fofoletes. *A gente podia ser tão fofa, vocês não acham?*, ela disse um dia durante a hora do grupo. *Se não tivesse essas caras de zumbi!* Ela ergueu os braços. As cicatrizes a fazem parecer uma boneca de pano costurada de um jeito horrível.

— Recanto das Doidas. Quem está falando, por favor? — Ela torce o fio do telefone entre os dedos.

Então larga o telefone, que bate na parede, *bang*, e fica pendurado pela corda branca.

— É a sua mãe, Sue Quietinha. — Ela volta para o livro, acomodando-se no sofá verde e duro.

Eu paro de respirar. Isis está empurrando as peças do jogo e resmungando baixinho. Francie está ocupada assistindo a um filme.

Minha mãe. Por que ela ligaria? Ela sequer veio me ver.

Vou devagar até o telefone. Pressiono o aparelho no ouvido e me afasto das garotas, virada para a parede, o coração acelerado.

— Mãe? — sussurro, esperançosa.

A respiração é forte e áspera.

— Nããão, Charlie. Adivinha só! — A voz percorre meu corpo.

Evan.

— Fingi que era sua mãe! O nome dela estava em algumas coisas na sua mochila. — Ele faz uma pausa, rindo, e de repente muda para uma voz melosa e aguda. — Olá, preciso falar com minha filha, por favor, a srta. Charlotte Davis.

Eu não digo nada. Não sei se estou aliviada ou decepcionada.

— A gente teve que pegar seu dinheiro, Charlie. — Ele dá uma tosse catarrenta. — Sabe como é.

Os tubinhos de filme fotográfico vazios na mochila, aquela que ele e Dump deixaram aqui. Os tubinhos em que eu guardava o pouco dinheiro que conseguia.

Evan é asmático, e o fato de usar drogas e morar na rua não ajuda muito. Eu já o vi todo encolhido, ofegante, o rosto ficando roxo, com a calça mijada se esforçando para não desmaiar. A clínica gratuita só dá inaladores para asma para aqueles que fazem exames médicos, e eles não examinam quem está chapado, só que Evan passa a vida toda chapado. Ele é de Atlanta. Não sei como chegou até aqui.

Me aproximo da parede para que as meninas não consigam me ouvir. A voz de Evan me leva de volta para lugares sombrios. Tento manter a respiração uniforme e me concentrar no momento, como diz Gasparzinho.

Com cuidado, respondo:

— Eu sei.

Continuo:

— Não tem problema.

Digo:

— Obrigada por trazer minha mochila.

Ele tosse de novo.

— Você tava toda ferrada no sótão, sabe? Eu e o Dump quase cagamos nas calças. Todo aquele sangue, sabe?

Devolvo:

— Sei.

Ele fala tão baixo que quase não consigo ouvir:

— Foi o Frank Maldito? Ele... ele acabou indo atrás de você? Foi por isso que você fez?

Raspo a parede com o pouco de unha que me resta. Frank Maldito, os olhos pretos e os anéis. A Casa da Semente e a porta vermelha por onde garotas desapareciam. Ele tinha caixas de cereais açucarados nas prateleiras, cerveja e refrigerante na geladeira, e remédios em caixas especiais trancadas. Tinha a pele imunda, mas dentes que brilhavam como pérolas.

Os homens que iam à Casa da Semente para o quarto com a porta vermelha tinham olhos famintos, olhos com dentes que se moviam por você, testando, provando. Foi por isso que me escondi no sótão por tanto tempo. Feito um rato, tentando não respirar para que ninguém me notasse.

Respondo:

— Não. Não, ele não veio.
Evan suspira, aliviado.
— Ah, sim, que bom, beleza.
— Evan — chamo.
— Oi?
— Mas ele é parte do *motivo*. Sabe? Tipo, a gota d'água. Tudo. Você entende?
Evan fica quieto. Então diz:
— Sim.

Eu me pergunto de onde ele está ligando — o magrelo Evan com pulmões ruins e a calça rasgada, o casaco esportivo engraçado com estampa xadrez.

Pergunto como ele me encontrou.

Ele responde que é para cá que mandam todas as garotas malucas. Ele diz:

— Dump e eu descolamos uma carona até Portland.

Na noite em que me salvaram na passagem subterrânea, Dump quebrou uma garrafa na cabeça do homem. Aconteceu muito rápido. Vi os olhos apavorados de um menino aparecerem por cima do ombro do homem e depois a garrafa no ar, brilhando em contraste com as luzes amareladas. Passei dias tirando os estilhaços de vidro do cabelo depois disso.

Dump ficou hipnotizado com o vidro que brilhava nas palmas de suas mãos. Quando olhou para mim, seu sorriso era como um corte profundo e curvo. Os pedacinhos de vidro ensanguentados brilhavam na ponta das suas botas pretas.

O homem que mexeu comigo estava no fundo da passagem subterrânea, um amontoado de roupas escuras e imóveis. Evan me envolveu com seu casaco.

Ele comenta:

— Eu só queria ter certeza de que você estava bem e tal, sabe?

Eles disseram *Puta merda. A gente precisa cair fora daqui.* Eles disseram *Porra, sua maluca, você não pode sair por aí sozinha.*

— Você até que era legal, sabe? Mesmo sendo uma doida. — Risadas e tosses.

Eles me arrastaram a pé até uma van e me colocaram na parte de trás. Não tinha bancos; o piso estava úmido e pedaços de carpete manchado cobriam os buracos de ferrugem. Evan e Dump pareciam tensos, olhos arregalados, mãos trêmulas. *A gente matou aquele cara?*

Fiquei com eles por sete meses.

Evan vai morrer na rua, algum dia em algum lugar. Já vi o que ele é capaz de fazer pra se manter chapado. Já vi a tristeza nos olhos dele quando acha que ninguém está reparando.

— Então, é que, na verdade, eu também queria te contar, hã, tipo, desculpa e tal, mas eu peguei seus desenhos. — Evan pigarreia. — Sabe aquele gibi que você fez? Não sei, eu gostei dele. É legal, tipo, me ver lá. Como se eu fosse famoso ou alguma coisa assim. Leio um pouco todo dia.

Meu caderno de desenho, *ele* está com o meu caderno de desenho. Dump dizia *Vê se me dá um superpoder bem maneiro, tipo visão de raio X ou essas coisas, tá? Quero enxergar por baixo da roupa da mulherada.*

Meu coração acelera.

— Evan, preciso que você me devolva ele. Por favor?

Ele tosse e fica quieto.

— Vou tentar ver se a gente consegue ir aí, mas sei lá, a gente vai embora daqui a pouco. É que, tipo, eu gosto muito desse livro. Não sei. Me faz sentir que eu *existo*, me vendo ali.

Evan, eu digo, mas apenas na minha cabeça.

— Quando sair, vem pra Portland, tá? Vai até a orla e pergunta por mim. A gente manda bem junto.

Respondo:

— Claro, Evan.

— Vou nessa. — O telefone fica mudo.

Isis está mordiscando uma das peças. Cruzo as mãos no colo. Essas mãos são minhas. Elas já pegaram comida do lixo. Já brigaram por um lugar para dormir e por cobertores sujos. Já tiveram uma vida totalmente diferente desta aqui, com jogos em uma sala aquecida, enquanto a noite avança para longe de mim, do lado de fora da janela.

Isis pergunta:

— Como está a sua mãe? Deve ter sido estranho, hein?

Ela formou *bola*. Levou dez minutos para formar *bola*.

Apoio as mãos nas coxas e as seguro. A pressão nos meus ossos é boa. Ele está com meu caderno, mas eu tenho comida e uma cama.

— Ela está ótima. — Minha voz é leve, controlada. — Vai viajar de férias. Para Portland.

Quando falei para a Gasparzinho que estava feio, sabe o que ela disse? Ela disse *ESTÁ feio ou VOCÊ se sente feia, Charlie? Porque existe uma diferença, e eu quero que você pense em qual deve ser essa diferença. Vai ser crucial para a sua cura.*

Eles exigem demais de você neste lugar.

Na hora do grupo, Gasparzinho pergunta para nós: quem são nossos amigos? Temos uma comunidade? Alguém com quem conversar, que nos faça sentir seguras, lá fora?

Ela questiona: *Quem guarda os seus segredos?*

Sabe, eu sei quem eu sou. Quer dizer, eu não *SEI* sei, porque só tenho dezessete anos, mas eu sei, tipo, quem eu *sou* quando estou com outras pessoas, ou quando elas estão olhando para mim, e me enfiando em alguma categoria na cabeça delas. Se você tiver uma fotografia da sua turma, aposto que consegue me achar. Não vai ser difícil. Quem é a garota que não está sorrindo? Que parece estar sozinha, mesmo que esteja entre outras duas crianças porque elas estão um pouco afastadas? E usa roupas meio... sem graça? Sujas? Largas? Meio que *nada*. Você pelo menos se lembra do nome dela? É fácil identificar as garotas que têm tudo na vida. Não preciso nem as descrever para você. Você também consegue achar as garotas que vão se dar bem pela inteligência. Pode achar aquelas que vão se dar bem por serem duronas, ou atléticas. E então tem eu, aquela, a criança desgrenhada (quer dizer, *pobre*) que nunca acerta nada, que se senta sozinha no refeitório, e desenha o tempo todo, ou é empurrada no corredor, ganha apelidos feios, porque é assim que é vista, e às vezes ela se irrita, e distribui socos, porque o que mais poderia fazer? Então, quando a Gasparzinho pergunta *quem guarda os seus segredos?* Eu penso *ninguém*. Ninguém até Ellis. Ela era minha única chance e *me* escolheu.

Pode ser que você não saiba como é essa sensação, porque se acostumou a ter amigos. Pode ser que tenha uma mãe e um pai, ou que pelo menos um deles não esteja morto, e nenhum dos dois te bata. Ninguém se senta longe de *você* na foto da sala. Então não sabe como é se sentir tão sozinho todo dia, todo maldito dia, que parece que o buraco negro dentro de você vai te engolir, até que um dia essa pessoa, essa pessoa linda de verdade, começa a estudar na sua escola e ela parece não *se importar* que todos a encarem em seu vestido de veludo preto, as meias arrastão, as enormes botas pretas, o cabelo roxo e desgrenhado, e a boca vermelha, vermelha. Ela vem até a porta do refeitório no primeiro dia e nem entra na fila para pegar a bandeja, só olha para aquele maldito zoológico do almoço da turma mais velha e de repente vem na sua direção, sorrindo com a boca vermelha e grande, a mochila preta enorme em cima da mesa, e ela tira Pixy Stix e Candy Buttons e entrega pra você, *você* (que congela, o lápis pairando acima do caderno de desenho porque aquilo só pode ser uma piada, algum plano dos atletas, mas *não*), e ela está dizendo: "Nossa senhora da bicicletinha, você é a única pessoa normal nessa porra *desse* inferno. Preciso muito chapar. Quer ir ficar chapada depois da aula? Meu Deus, amei seu cabelo. E sua camiseta. Você comprou aqui ou na internet? *O que* você está desenhando, é *divino* pra cacete". Era assim que ela descrevia as coisas que amava: divino. *Essa maconha é divina. Charlie, essa banda é divina.* E foi como se o mundo estivesse coberto de ouro a partir daquele momento. Ele brilhava. Quer dizer, ainda era uma merda, mas era uma merda melhor, entende? E eu descobri segredos. Descobri que, por baixo da maquiagem branca pesada, havia muitas espinhas, e ela chorava por causa disso. Ela me mostrou as embalagens de comida processada no seu armário e me mostrou como vomitava depois de comer demais. Ela me disse que o pai teve um caso com a tia e foi por isso que eles se mudaram, e que seus pais estavam *lidando com isso*. E o nome dela não era de fato Ellis, era Eleanor, mas ela decidiu tentar algo novo quando se mudou. Mas, meu Deus, não diga na frente da mãe dela, porque o nome da avó dela era Eleanor e ela tinha morrido fazia pouco tempo, e a mãe teria um *treco*, um *treco* de verdade, e ah, caramba, Charlie, seus braços. Você fez isso? É lindo. Me dá um pouco de medo, mas é lindo. Conheci um cara chamado Mikey ontem na Hymie's. A loja de discos. Você já foi lá? Claro que sim, olha pra você. Ele convidou a gente pra ir na casa dele. Quer ir? Ele tem, tipo, uns olhos azuis *divinos*.

E no quarto dela, com as paredes azuis fortes, vários pôsteres e o teto tipo o sistema solar, eu podia contar qualquer coisa para ela, e eu contava. *Charlie, Charlie, você é tão linda, divina pra cacete.* A mão dela na minha. Ellis usava pijama de flanela branca com caveiras pretas.

E foi isso. A pessoa que guardava os meus segredos.

Uma vez, quando estava no quinto ano, eu tive uma professora. Ela era muito legal, até mesmo com os alunos da sala que faziam bullying. Nunca gritava. Me deixava em paz, de verdade, nunca me fazia sair para o recreio se eu não queria, ou ir para a educação física. Ela me deixava ficar na sala desenhando enquanto corrigia as provas ou olhava pelas grandes janelas quadradas. Um dia ela disse:

— Charlotte, eu sei que as coisas estão muito difíceis agora, mas vão melhorar. Às vezes demora um pouco para encontrar aquele amigo especial, mas você vai encontrar. Ai, Deus, acho que só tive um amigo de verdade, de verdade mesmo, quando estava no ensino médio. — Ela tocou o coraçãozinho de ouro na corrente em volta do pescoço.

Ela estava certa. De fato eu encontrei uma amiga especial. Mas ninguém me disse que ela ia se matar.

Toda noite, Louisa rabisca em um de seus cadernos com a capa preta e branca. Quando termina, ela tampa a caneta, fecha o caderno e se debruça na beira da cama para que seu cabelo caia como uma cachoeira e eu possa ver seu pescoço, sem cicatrizes e pálido, levemente coberto de penugem. Ela desliza o caderno para debaixo da cama, diz boa-noite e cobre o rosto com a colcha. Hoje, espero até ouvir sua respiração estável durante o sono antes de sair da minha cama e ficar de joelhos no chão.

Eu espio debaixo da bainha da colcha. Embaixo da cama dela há dezenas e dezenas desses cadernos, todos os seus segredos empilhados de maneira ordenada, em fileiras em preto e branco.

Preciso fazer uma *correção*. Não quero enganar ninguém. Digo que a Ellis se matou, mas ela não *morreu* morreu. Ela não está enterrada, não posso visitar um cemitério e jogar margaridas na grama bem-cuidada ou marcar uma data no calendário. *Havia drogas, havia o menino lobo*, e ela se afastou para bem longe de mim, o lobo tomando todo o coração dela, ele era tão ganancioso. E, quando o lobo terminou, ele lambeu as patas, ele a deixou *esquelética*, minha Ellis, minha amiga *robusta* e *calorosa*, ele levou toda a luz dela. E, depois disso, acho que ela tentou ser que nem eu. Tentou arrancar toda a sua vida, tentou ficar menor, mas ela *fez besteira*. Como Mikey disse, ela *não era* de se cortar. Imagino o quarto dela *encharcado* de sangue, *rios*, os pais lutando contra *a corrente* para chegar até ela. Mas tinha *tanto, entende*? Uma *pessoa* não pode *perder* tanto *sangue,* você só pode *privar* o cérebro de *oxigênio* por um determinado tempo, senão você pode sofrer *hipóxia cerebral* depois do *choque hemorrágico*, que esvaziou minha *amiga* e deixou apenas o *corpo*. Os pais a *mandaram* para algum lugar, um lugar parecido com este onde estou, mas muito, muito longe, a estados de distância, e a *protegeram* em sua nova casa cheia de *lençóis macios, caminhadas diárias e penosas* e *baba*. Sem tinturas de cabelo para Ellis, sem transar, sem drogas, sem iPod, sem coturnos, sem meia arrastão, sem vomitar, sem corações partidos, sem *mim*. Só *dias* de *nada*, de calças de velcro e *fraldas*. E assim *não consigo não consigo não consigo* fazer o que deveria fazer: *tocar* nela, fazer tudo *melhorar,* afastar o cabelo desgrenhado de seu rosto, sussurrar *desculpadesculpadesculpadesculpadesculpa*.

Tenho que fazer alguma coisa senão vou explodir.
Conversar com Evan, encontrar Mikey, esperar que ele venha me visitar, pensar em Ellis, eu sinto *tanta* saudade dela.

Encontro todas elas na aula de artes, curvadas sobre as longas mesas de plástico, a srta. Joni andando a esmo, murmurando em sua voz profunda e calorosa. Ela usa turbantes roxos e camisas quadriculadas vermelhas. Quando vim para a aula de artes pela primeira vez e fiquei ali sentada, sem fazer nada, ela disse:

— Ficar sentada também é bom, querida. Pode ficar sentada aí o quanto quiser.

Eu não fiquei sentada só porque não queria colar estrelas brilhantes em papel colorido ou misturar tintas aquosas, fiquei sentada porque meus braços doíam. Meus braços doíam até a ponta dos dedos e estavam muito pesados com os curativos.

Eles ainda doem. Mas hoje, quando a srta. Joni diz:

— Eu e a doutora Stinson conversamos — e me passa um lindo bloco em branco de papel e um pedaço de carvão novinho em folha, eu agarro com vontade. Pequenas faíscas de dor sobem e descem pelo antebraço. Minhas cicatrizes ainda estão sensíveis e esticadas, e vão ficar assim por muito, muito tempo, mas não me importo. Eu respiro com dificuldade. Trabalho pesado. Meus dedos se encarregam. Já faz tanto tempo, mas eles sabem o que fazer.

Eu a desenho. Eu os desenho. Encho meu papel com Ellis e Mikey, Evan e Dump, até DannyBoy. Preencho cada pedaço de papel até ter um mundo inteiro de *saudade*.

Quando olho para cima, todo mundo se foi, exceto a srta. Joni, que acendeu as luzes. Está escuro do lado de fora. Ela toma café em um copo de isopor e mexe em seu celular rosa.

Ela ergue o rosto e sorri. Então diz:

— Melhor?

Assinto.

— Melhor.

Estou animada para encontrar com a Gasparzinho hoje. Quero contar o que aconteceu na aula de artes, o que desenhei e o que o desenho significa para mim. Acho que ela vai ficar feliz com isso. Mas, quando abro a porta, ela não está sozinha. A doutora Helen está com ela.

A tartaruga está escondida dentro do navio afundado.

A doutora Helen se vira quando entro na sala e diz:

— Ah, Charlotte, por favor, sente-se aqui. — E dá um tapinha na cadeira marrom em que sempre me sento. Olho para Gasparzinho, mas seu sorriso não é tão simpático quanto costuma ser. Parece... menor.

A doutora Helen é muito mais velha que a Gasparzinho, com rugas em volta dos olhos e um blush escuro demais para sua pele.

— Eu e a doutora Stinson andamos avaliando seu progresso, Charlotte. Fico feliz em ver que você evoluiu bastante em tão pouco tempo.

Não sei se devo responder, ou sorrir, ou o quê, então não digo nada. Eu meio que começo a beliscar minhas coxas por cima da saia florida, mas Gasparzinho percebe e franze a testa, então eu paro.

— Você passou por tanta coisa, e ainda tão jovem, eu só... — E depois disso ela para, o que é estranho, meio que cerra o maxilar e continua, um pouco ríspida, para Gasparzinho: — Você não vai ajudar nisso, Bethany?

E ainda estou absorvendo o nome de Gasparzinho, *Bethany Bethany Bethany*, então demoro um pouco para entender o que ela está me dizendo.

Eu digo:

— O quê?

Gasparzinho repete:

— Nós estamos te dando alta.

A doutora Helen fala, então, sobre um tipo especial de internação psiquiátrica que permitiu que eu fosse tratada no hospital, e sobre minha mãe ter que se encontrar com um juiz e assinar papéis, porque "você era um perigo para você mesma e para outras pessoas", e seguro-saúde e minha vó, em quem não penso há muito tempo. Todas as palavras meio que batem em meu cérebro enquanto meu coração se transforma em uma coisa cada vez menor e eu pergunto da minha mãe, mas acabo gaguejando. Mordo a língua até sentir um leve gosto metálico de sangue.

Gasparzinho continua:

— Sua mãe não está trabalhando no momento, então não tem como custear a cobertura. Pelo que entendi, sua avó pagou parte da estadia, mas não pode continuar pagando por causa dos problemas de saúde e financeiros dela.

— Aconteceu alguma coisa com a minha avó?

— Não sei — responde Gasparzinho.

— Você conversou com a minha mãe?

Gasparzinho assente.

— Ela... ela falou alguma coisa de mim?

Gasparzinho olha para a doutora Helen, que diz:

— Estamos trabalhando o máximo possível para encontrar recursos para ajudar você. Aliás, Bethany, em que pé anda a vaga na casa do Palace?

Quando Gasparzinho não responde, a doutora Helen folheia a pilha de papéis em seu colo.

— Há uma casa de recuperação que pode ter uma vaga para você, talvez no mês que vem já. Eles são especialistas em dependência de substâncias, mas essa é uma das suas subcategorias. Você vai precisar ficar com sua mãe antes disso, claro, já que não pode ficar aqui. Ninguém quer que você volte para onde estava antes, ninguém.

Onde estava antes: ou seja, sem-teto. Ou seja, enfiada no lixo. Ou seja, com frio, doente, e Frank Maldito e os homens que transam com meninas.

Olho para a tartaruga. Suas pernas tremem, como se ela estivesse dando de ombros para mim: *O que você espera que eu faça? Sou uma maldita tartaruga presa em um tanque.*

Do lado de fora, o céu está ficando escuro e cinza. Frank Maldito. Um centro de recuperação. Estão me enviando de novo lá para fora.

Pareço um bebê quando falo de novo, o que me deixa ainda mais furiosa.

— Ainda está *frio* lá fora.

A doutora Helena argumenta:

— Vamos fazer o que estiver ao nosso alcance, mas não existe nenhuma possibilidade de reconciliação a longo prazo com a sua mãe, nem mesmo com aconselhamento psicológico? Ela concordou em acolher você até que surja uma vaga no centro de recuperação. Pra mim, isso quer dizer alguma coisa, ela está tentando.

Olho para Gasparzinho, desesperada. Acho que os olhos dela são a coisa mais triste que já vi em muito, muito tempo.

Muito, muito devagar, ela balança a cabeça de um lado para o outro.

— Não vejo outra opção, Charlotte. Eu sinto muito.

Uma vez minha mãe bateu em meu ouvido com tanta força que passei uma semana ouvindo o apito de trens. Eu me levanto e vou até a porta. Gasparzinho diz:

— Não estamos abandonando você, Charlotte. Nós pensamos em todas as opções possíveis, mas não tem...

— Não. — Abro a porta. — Obrigada. Vou para o meu quarto agora.

Gasparzinho me chama, mas não paro. Minhas orelhas são um enxame de abelhas. Nossos dormitórios ficam no quarto andar, na Ala Dinnaken. Passo por Louisa, entro no banheiro e fico ali por um tempo. Ela diz meu nome.

Então, entro no chuveiro e bato a testa na parede até as abelhas morrerem.

Quando Gasparzinho vem correndo, ela me agarra pela cintura e me puxa para me fazer parar. Pego seu lindo pelo amarelo de passarinho com as mãos e puxo com tanta força que ela grita e se afasta. Eu deslizo para o chão, sangue quente escorrendo para a boca.

Digo *desculpadesculpadesculpadesculpadesculpadesculpa*.

Sinto mechas plumosas de seu cabelo nas minhas mãos. Nunca serei bonita ou normal como a Gasparzinho, e, ao perceber isso, ao me dar conta disso, tudo vem à tona, tudo que ela sempre me perguntou.

Eu digo a ela:

— Depois que meu pai morreu, minha mãe se fechou e virou uma coisa horrível e não tinha mais música na casa, não tinha mais toques, ela era só um fantasma que se mexia e fumava. A gritaria começava por eu atrapalhar, pela ligação da escola, por eu pegar dinheiro da bolsa dela, por eu ser *eu*. Ela gritou por anos. Quando cansou de gritar, começou a bater.

Gasparzinho enxuga meu rosto com um pano enquanto falo. Louisa segura o batente da porta. As garotas se amontoam atrás dela, empurrando, tentando dar uma olhada.

Eu digo:

— Faz muito tempo que ela me bate.

Eu digo:

— Comecei a bater de volta.

Eu digo:

— Por favor, não me mande de volta para a rua.

Eu conto a ela sobre o homem na passagem subterrânea, que quebrou meu dente e me quebrou, e dói demais, mas eu conto tudo, todas as palavras horríveis no meu coração — sobre Ellis, sobre o Frank Maldito.

Eu paro. Os olhos dela estão cheios de lágrimas. Falei demais. Dois assistentes abrem caminho entre a multidão de garotas. Há pequenas manchas de sangue na raiz do cabelo de Gasparzinho, pequenas manchas vermelhas em meio ao amarelo. Eles a ajudam a se levantar e ela não me diz nada, só se afasta mancando.

Uma linha do tempo

Uma menina nasce.

O pai a ama. A mãe ama o pai.

O pai está triste.

O pai bebe e fuma, se balança e chora.

Ele vai para dentro do rio.

A mãe se fecha em um punho.

A menina está sozinha.

A menina não serve para este mundo.

Ninguém gosta da menina.

Ela tenta.

Mas só sai besteira da sua boca.

Menina burra. Menina malvada.

Médicos: Dê remédios para ela.

Menina preguiçosa. Menina se entope de remédios.

Mãe bate na menina. Menina se encolhe.

Menina fica quieta. Quieta em casa. Quieta na escola. Uma ratinha quieta.

Menina ouve rádio. Menina encontra a música. Menina descobre um mundo.

Menina põe os fones. Mundo vai embora.

Menina desenha e desenha e desenha. Mundo vai embora.

Menina encontra faca. Menina fica menor, menor, ainda menor. Mundo vai embora.

Menina deve ser ruim, então menina se corta. Menina malvada. Mundo vai embora.

Menina conhece menina. Menina Bonita! Elas observam planetas se movendo no teto.

Elas guardam dinheiro para Paris. Ou Londres. Ou Islândia. Tanto faz.

Menina gosta-pra-valer de um menino, mas ele ama a Menina Bonita.

Menina Bonita conhece menino lobo. Ele a preenche, mas a torna pequena.

Menina Bonita está ocupada o tempo todo.

Menina revida e bate na mãe. São como moinhos com as mãos. Menina na rua.

Menina fica na casa da Menina Bonita, mas menino lobo esquece as drogas.

Pais Bonitos estão bravos. Menina Bonita mente e culpa a menina pelas drogas.

Menina na rua. Menina volta para casa.

Menina Bonita manda mensagem de novo e de novo *Tem algo errado e está doendo*

Menina coloca os fones. Menina enfia o celular debaixo do travesseiro.

Menina Bonita sangra demais.

Menina fica confusa, confusa demais, mágoa, culpa.

Menina quebra o nariz da mãe.

Menina na rua.

Mundo vai embora.

Estou ficando aqui, mas não sei por quanto tempo. Fui dispensada das sessões individuais com a Gasparzinho. Minha papelada e o dia da alta estão sendo decididos. Eles conseguem a aprovação de um juiz para uma estadia de emergência enquanto fazem um acordo com minha mãe e com o centro de recuperação.

Gasparzinho ainda é gentil comigo, mas há algo mais entre nós agora, uma distância que faz meu coração doer. Peço *desculpa* de novo, mas Gasparzinho só balança a cabeça com tristeza.

Vinnie verifica os pontos na minha testa toda manhã, estalando a língua. Blue me chama de Frankenstein em um sussurro de filme de terror. Eu vou para onde devo ir. À noite, finjo fazer minhas aulas on-line. Tentei enviar uma mensagem para Mikey quando Barbero estava ocupado ou tirando uma soneca, mas a única resposta é uma aba de bate-papo vazia. Observo os faxineiros somalianos à noite, passando pelas janelas do prédio ao lado, puxando os carrinhos com produtos, esfregões e panos.

O céu parece de cartão-postal agora, as nuvens menos pesadas de chuva, o sol um pouco mais forte a cada dia. Se eu olhar mais longe, entre os prédios altos e prateados, consigo ver o terreno infinito da universidade e, além disso, o vento serpenteante do rio que leva a St. Paul, à Casa da Semente e a estar com fome, suja, ferida e esgotada de novo, porque não tenho para onde ir.

Sasha está fazendo pipoca. Vinnie trouxe potinhos de temperos em pó: manteiga, pimenta-caiena, parmesão. Ele fez brownie em casa e Francie está ajudando a congelar. O telefone do quarto toca. Estou passando pelos canais, um por um, até ouvir meu nome. Vinnie balança o telefone para mim.

Eu ouço a respiração do outro lado da linha antes de dizer alô, tímida.

— Charlie, você não me colocou na lista! — É o *Mikey*.

Quase derrubo o telefone. Agarro o aparelho com as duas mãos para não tremer.

— Eu disse que vinha! Era pra você me colocar na lista de visitantes ou algo assim. Só vou ficar mais um dia aqui. Fico até o show de hoje à noite e vamos embora de manhã.

— Eu coloquei você na lista! — Minha mente está a mil. Será que a Gasparzinho se esqueceu? Ou será que tiraram o nome dele porque vou embora? — Onde você tá? Preciso de você. Eles...

— Desliga, Charlie. Tem uma janela? Estou no estacionamento da frente!

Eu desligo, corro para a janela e pressiono o rosto no vidro. Algo laranja chama minha atenção. Ele está parado no estacionamento, acenando com um cone de trânsito laranja no ar. Quando me vê, ele deixa o cone cair.

De algum jeito, Mikey parece o mesmo. Ele parece franco e preocupado. E seguro.

A chuva cai levemente, as gotas brilhando nos seus dreads. Ele parece mais forte, apesar de ainda ser pequeno. Mikey estende as mãos, como se questionasse *o que aconteceu?*

O vidro está frio na minha testa. Vinnie está jogando pescaria com Sasha e Francie no canto. Blue está no sofá, cantarolando para si mesma.

Meu rosto está encharcado pelas lágrimas enquanto o observo na chuva que cai, a boca aberta, as bochechas vermelhas.

Vinnie diz, enfático:

— *Charlie.*

Blue se mexe no sofá. Ela se junta a mim na janela.

— Um menino. — A respiração de Blue faz um círculo nebuloso no vidro. — Um menino de verdade.

Sasha e Francie jogam as cartas no chão.

A primeira vez que Ellis me levou para a casa dela no outono do nono ano, depois de nos conhecermos cerca de uma semana antes, ela não titubeou quando encontrou um menino mais velho lá, no porão, lendo gibis com uma mão e enfiando a outra em um saco de pretzels salgados. Símbolos anarquistas feitos com marcador permanente cobriam seus tênis. Ele olhou para Ellis, com a boca cheia de pretzels, e sorriu.

— Sua mãe me deixou entrar. Quem é essa?

Ele estava vestindo uma camiseta do Black Flag. Antes que pudesse me conter, eu cantei:

— *I'm about to have a nervous breakdown.*

Ele largou o gibi.

— *My head really hurts* — respondeu ele. E esperou, os olhos brilhando.

— *If I don't find a way out of here!* — gritei, assustando Ellis no bar. Ela olhou para mim.

O menino riu e gritou de volta:

— *I'm gonna go berserk!*

Cantamos o resto da música enquanto Ellis vasculhava a geladeira dos pais. Ela estava um pouco irritada, dava para perceber. Não gostava desse tipo de música. Gostava de coisas góticas e melancólicas, como Bauhaus e Velvet Underground. Ninguém mais na nossa escola sabia recitar a letra de "Nervous Breakdown", disso eu tinha certeza.

Mas ela não deveria ter se preocupado. Mikey sempre a amou mais.

— Ah — Sasha e Francie dizem em uníssono enquanto se reúnem na janela.

Arregaço as mangas do meu suéter e pressiono os braços na janela. Será que ele consegue ver minhas cicatrizes lá de baixo?

Mikey cobre o rosto com as mãos. Eu me lembro desse gesto. Ele sempre ficava assim quando Ellis e eu fazíamos alguma coisa que o sobrecarregava. *Gente*, dizia ele, cansado, *para com isso*.

Vinnie para ao lado de Blue e resmunga alto, soltando um *merda*.

— Meninas — reclama ele. — Malditas meninas e meninos.

Ele bate no vidro com força, fazendo Sasha pular para trás.

— Vai embora! — ele grita para Mikey através do vidro. Para si mesmo, resmunga: — Não me obrigue a ligar para alguém, rapaz.

Ele se vira para mim.

— Você! Abaixa esses malditos braços.

— É que nem naquele filme! — exclama Francie. Estou esperando que Mikey tire as mãos do rosto. Sua camiseta está encharcada da chuva.

Sasha começa a chorar.

— Ninguém nunca veio me ver — lamenta.

Vinnie murmura *merda* de novo enquanto aperta os botões do seu pager. Os dedos de Blue estão no meu ombro.

— Cala a boca. — Francie está ficando agitada. — Ninguém nunca vem *me* ver também. — Ela cutuca o queixo com as unhas, fazendo manchinhas de sangue surgirem.

Blue diz, baixinho:

— Olhem.

Mikey abriu a bolsa carteiro e está usando um marcador para rabiscar avidamente em um caderno apoiado nos joelhos. Ele o segura. Aperto os olhos para enxergar através do vidro, através da chuva.

NÃO.

Ele joga o papel, que flutua até cair no chão molhado, parando perto do tênis. Ele rasga outra página do caderno.

VÁ.

O enfermeiro Vinnie bate o pager na janela enquanto o choro de Sasha aumenta.

Francie briga com ela.

— *Cala* a boca — ordena, dando um beliscão que só a faz chorar ainda mais.

— Tem uma situação acontecendo aqui. — Vinnie está ao telefone.

Mikey está com dificuldade para mostrar o próximo papel; está preso na espiral do caderno. Dois assistentes hospitalares surgem no estacionamento. Eles gritam para Mikey, que ergue a cabeça ao mesmo tempo que o papel se solta, voando ao sabor do vento. Ele corre atrás, escorrega em uma poça e cai. Blue prende a respiração. Nós olhamos uma para a outra. Os olhos dela brilham.

— Chocada — sussurra ela. — Simplesmente chocada.

Ela entrelaça os dedos nos meus, que pressionam o vidro.

Blue comenta:

— Isso é outro nível de dedicação, Sue Quietinha. Você sabe disso, não?

Os homens, que, na verdade, são universitários que trabalham aqui nos finais de semana e têm braços fortes e cabelos cortados, enfiam as mãos sob as axilas de Mikey e o puxam para cima. Ele luta com eles, o tênis escorregando na poça. Suas lágrimas são de um menino confuso e envergonhado. Eles o colocam no chão, as expressões mudando de aborrecimento para curiosidade. É estranho vê-lo, pequeno com seus dreadlocks malucos e suas roupas de brechó, ao lado dos dois atendentes estourando os uniformes brancos ofuscantes. Eles têm quase a mesma idade, mas estão a anos-luz de distância.

— Seus merdinhas! — grita o enfermeiro Vinnie. — Seus dois merdas. Não deixem, não permitam que ele faça isso!

Os atendentes dão de ombros para Vinnie, furioso atrás da nossa janela do quarto andar.

Mikey levanta o papel encharcado.

MORRER.

Não vá morrer. A tinta sangra na chuva.

Sasha bate a cabeça com força no vidro. Vinnie a puxa para longe, dando tapinhas carinhosos em seus braços, tão perto quanto ele ousa chegar. A enfermeira Ava, que segura qualquer um, que não se preocupa com as regras, entra na sala e deixa Francie se apoiar nela, seus soluços abafados pela blusa branca da enfermeira. Blue e eu observamos enquanto os universitários limpam a chuva dos braços descobertos e apontam o queixo para Mikey. Ao lado deles, ele parece ter dezessete anos de novo. Mas ele tem vinte e um agora e veio até aqui para me ver. Quero quebrar a janela, voar até o estacionamento e deixá-lo me abraçar. *Outro nível de dedicação,* disse Blue. Talvez Mikey possa me amar agora, se pudermos ser só nós dois.

Meu corpo se enche de esperança.

Ele enxuga o rosto, coloca o caderno molhado de volta na bolsa. Levanta a mão para mim.

Tchau.

Os meninos o empurram para fazê-lo andar. Ele se arrasta pela calçada molhada e desaparece.

Tudo está acontecendo depressa demais.
Eu encaro o computador. Estou na página da minha aula on-line, apesar de não ter intenção nenhuma de estudar. Vou embora de manhã, voltar para a casa da minha mãe. Vai levar algumas semanas até que surja uma vaga no centro de recuperação.

Ellis franziu os lábios para Mikey e para mim quando terminamos de cantar a música do Black Flag. Ela se afastou e colocou um disco no toca-discos. Assim como eu, ela tinha um aparelho e discos de verdade, muitos deles, não aquela confusão de CDs de sempre ou um iPod ou celular cheio de música como os outros. Tinha álbuns azuis emoldurados nas paredes e pôsteres enormes do Velvet Underground e The Doors. Um sofá surrado e manchado ficava encostado no painel de madeira; o bar era uma parede de tijolos falsos com três banquinhos altos e uma geladeira que fazia barulho. O teto do porão era baixo, o ar, úmido e mofado. Eu gostava do espaço pequeno e confortável. Tinha um ar de tranquilidade, ao contrário do apartamento da minha mãe, que ela mantinha às escuras, com revistas e cinzeiros cheios por todo lado. Ellis colocou três latas de cerveja em cima do bar.

Eu me perguntava por que ela tinha me escolhido para ser amiga dela: eu com meu cabelo ruivo e preto cortado de qualquer jeito, meus cardigãs furados e jeans rasgados escondendo coisas que Ellis ainda não sabia. Eu estava acostumada a ser deixada de lado na escola, a ignorar as palavras horrorosas rabiscadas no meu armário, a cerrar os dentes quando era empurrada no banheiro, mas ela me encontrou, de algum jeito, essa criatura de vestidos de veludo, meias-calças listradas e coturno com plataforma, pó branco no rosto e batom roxo escuro. Vi o garoto mais velho observar Ellis. Havia uma intensidade no rosto dele que, ao mesmo tempo, me interessava e me decepcionava.

Ellis tomou um gole de cerveja como um urso, limpou a boca e balançou a cabeça, o cabelo recém-pintado de preto balançando contra as bochechas cheias de pó.

— Mikey mora nesta rua mesmo, mas estuda em uma escola pública liberal maluca.

A batida insistente dos Smiths, aquele som inteligente e dinâmico ao qual eu não podia resistir, apesar de preferir músicas que sufocavam meu cérebro e invadiam meu coração, elevou-se nas linhas iniciais: *I left the North/ I traveled South...*

O menino mais velho, Mikey, se levantou, jogou o gibi para o lado e agarrou as mãos de Ellis. Eles pularam, cantando em uníssono: *I found a tiny house/ And I can't help the way I feel.* Ellis e Mikey estenderam as mãos para mim, o rosto de Ellis corado e eufórico.

No caminho para a casa dela naquela tarde, ela me disse:

— O único jeito de sobreviver a um dia de merda é saber que eu posso ir pra casa e encher a cara depois.

A cerveja girava quente no meu estômago; a música se enterrou na minha pele. O porão cheirava a painéis de madeira velha, pipoca estragada e tapete felpudo cor-de-rosa sujo. Durante anos ninguém tinha me querido. Durante anos eu havia sido empurrada, ridicularizada, e agora, agora, eu tinha duas pessoas bonitas que me escolheram. *A mim.*

Eu deixei eles me puxarem.

Em frente ao computador, balanço a cabeça para afastar os pensamentos. Que se foda. O que eles poderiam fazer comigo agora? Olho para Barbero, que dá de ombros e olha para o iPod. Ele não é mais o mesmo desde que Jen S. foi embora. Faço login no e-mail e abro o bate-papo, o coração acelerado. *Por favor, esteja on-line, por favor.*

Um toque e *Michael está digitando,* e então:

Desculpa por ter perdido a cabeça no hospital. Não quero que você termine como a E. Vou embora amanhã cedo para três semanas de shows em vários lugares. Vou tentar ligar de novo no hospital.

O apartamento úmido da minha mãe em Edgcumbe, o segundo andar de uma casa inclinada com a lateral quebrada e uma lata na sacada cheia de bitucas e lixo. Não tenho escolha. Tenho que arriscar.

Mikey, eu escrevo. **Me salva, por favor.**

SONHO COM MOSCAS, ENXAMES DELAS POUSANDO EM MIM, mordendo minhas roupas. As moscas são os demônios das pessoas que vivem do lado de fora. Elas pousam, grudam no fedor, se alimentam de você, te deixam doente. Eu acordo, golpeando a esmo, e ouço:
— Pare.
É Blue, ajoelhada ao lado da minha cama, empurrando minhas mãos que golpeiam o ar para tirá-las do caminho. Parte do rosto está coberta pelo cabelo.
— Presta atenção. Preciso te contar uma coisa.
Ela me diz:
— Eu fugi do meu pai uma vez. Consegui chegar em Indiana, entre tantas opções. Aquela maldita Indiana.
Ela comenta que estava viciada em crack e trabalhando em uma rede de supermercados. Então acrescenta:
— *Meu corpo todo estava elétrico, tipo, só conseguia pensar em sair dali, voltar pro meu apartamento de merda e me cortar e em como ia me sentir melhor, como ia conseguir esquecer aquele trabalho de merda.*
Ela trabalhava cada vez mais rápido, tentando colocar todas as caixas de cereal nas prateleiras, organizadas e com preços carimbados. Suando, usou o avental roxo para enxugar o rosto e foi quando começou a ouvir risadas.
— Tipo, o próprio supermercado estava rindo de mim. As caixas de cereal, o carimbo dos preços, a porra do carrinho de carga, as luzes. As coisas *no* supermercado estavam rindo da minha cara de idiota. Tipo, agora até os objetos *inanimados* sabiam que eu era uma babaca ferrada. — O rosto dela está borrado e os olhos estão úmidos. — E foi quando eu soube, naquela hora, que ia voltar pra casa e me matar. E. Olha. Eu. Aqui.
Da outra cama, ouço a respiração de Louisa. Ela está acordada, ouvindo.

Blue fixa os olhos úmidos em mim e respira fundo.

— A moral da história, Charlie, é esta: não deixe o cereal devorar você. É a porra de uma caixa de cereal, mas ela vai te devorar viva se você deixar.

Gasparzinho diz:

— Fico muito incomodada por você ir embora com seu kit. Por mais que esteja vazio.

Estou sentada na ponta da cama. Minha mochila, com o kit vazio dentro, está aos meus pés. Louisa me deu a mala dela, uma coisa quadrada e antiquada que ela cobriu com caveiras e rosas de estêncil. Ela deu de ombros.

— Ainda vou ficar aqui por um bom tempo mesmo.

Ela deu um sorriso fraco que me preocupou, mas se limitou a acariciar as pontas do cabelo. Deu um passo para frente e depositou um beijo suave na minha bochecha. Louisa sussurrou:

— Queria que você tivesse ficado mais tempo. Eu tinha tanta coisa pra contar. Sei que você iria entender.

Eles me devolveram tudo. Está tudo guardado na mala: minha câmera instantânea, minhas meias, minha bolsinha com carvão e lápis. A srta. Joni também me deu um caderno de desenho novinho em folha, superlegal, que ela deve ter comprado com o próprio dinheiro, o que me fez sentir um pouco culpada.

Gasparzinho está sentada à minha frente, em uma cadeira dobrável que pegou emprestada da sala da recreação. Os médicos não podem se sentar na cama dos pacientes.

Seus enormes olhos azuis são gentis. Ainda me sinto muito mal pelo que fiz com ela.

Gasparzinho levanta as mãos e delineia a forma do meu corpo no ar. Quando seus dedos alcançam minhas botas, ela afirma:

— Você é dona de si mesma, Charlie. De cada pedacinho seu. — Ela faz uma pausa. — Você entendeu o que vai acontecer, né?

Engulo em seco.

— Vou voltar a morar com minha mãe.

Gasparzinho me deu um pedaço de papel com os telefones do centro de recuperação, um grupo de apoio, um número de linha direta, o endereço de e-mail dela. O papel está enfiado no fundo da minha mochila.

— Sem drogas, sem bebida, sem silêncio. Você tem que se esforçar, Charlotte, para vencer seus velhos hábitos. Coisas velhas, velhos hábitos são confortáveis, mesmo quando sabemos que vão nos causar dor. Você está saindo para o desconhecido.

Puxo a mochila para o colo e a abraço. Não consigo olhar para Gasparzinho. Me concentro na qualidade duvidosa do tecido da mochila. *Mamamamamama.*

Gasparzinho comenta:

— O cabelinho tá crescendo. — E sorri para mim. Eu não respondo nada.

Ela tenta de novo.

— Você está parecendo uma fazendeira, Charlotte. Uma fazendeira careca e muito perturbada.

Olho para o macacão da irmã de Mikey, a camiseta do Dead, o casaco surrado que a mãe dele colocou na caixa. Mexo os pés dentro das botas. Sentia falta das minhas botas, da sensação pesada e concreta delas. Quando Vinnie as trouxe para mim, fiquei segurando-as por muito tempo.

Não dizemos nada no corredor quando passamos pela porta fechada da sala da recreação. Consigo ouvi-las murmurando lá dentro. Assim como Jen, elas não podem se despedir de mim. Conforme o elevador desce, o calor no meu estômago se transforma em uma bola enorme. Minhas palavras começam a escapar de novo. As portas se abrem.

Ela está à mesa, segurando um maço de papéis e um envelope. E está toda de cinza: jaqueta cinza com zíper, jeans cinza com um buraco no joelho, tênis cinza, gorro de tricô cinza.

A única cor em minha mãe está em seu cabelo.

Ainda é como fogo, um vermelho profundo que ela prendeu em um rabo de cavalo não muito apertado.

Meu cabelo é loiro-escuro, enfiado sob o gorro de lã vermelho da irmã de Mikey, só um pouco dele desde que cortei o cabelo de antes, o ninho tingido de preto.

Minha mãe não sorri, mas eu não esperava que sorrisse. Só por um minuto, porém, vejo algo, um lampejo de *alguma coisa* passar rapidamente por seus olhos.

E então some.

Dentro dos bolsos, minhas mãos tremem. Eu cerro os punhos, tão apertado quanto consigo. Faz quase um ano que não a vejo.

Gasparzinho é toda profissional, caminhando na direção da minha mãe.

— Obrigada por ter vindo, Misty. — Ela olha para trás e faz sinal para que eu vá em frente. — Charlie, está na hora.

Quanto mais perto chego, mais fora de mim eu me sinto. Estou fugindo — aí está de novo, o que Gasparzinho chama de *dissociação*. Se ao menos minha mãe sorrisse, ou me tocasse, ou alguma coisa assim.

Ela olha para mim por apenas um minuto, antes de se virar para a Gasparzinho.

— Foi bom te conhecer pessoalmente. Obrigada por tudo. Com Charlotte e tudo mais.

— De nada. Charlie, se cuida.

Gasparzinho não sorri, nem franze a testa, apenas toca meu braço e me dá um empurrãozinho antes de voltar para os elevadores.

Minha mãe começa a caminhar até as portas do hospital, o rabo de cavalo frouxo batendo na jaqueta. Sem olhar para trás, ela diz:

— Vamos?

Lá fora, o céu é uma colcha de nuvens fofas. Os tênis baratos da minha mãe chiam na calçada.

— Estou sem carro agora — diz com o queixo encostado no peito, acendendo um cigarro enquanto caminha. Eu me pergunto como ela chegou ao hospital, se alguém a deixou ali. Ela sempre odiou pegar ônibus.

Está quente; a ponta do nariz dela brilha. Já dá para perceber que vou passar calor com o sobretudo. Quando chegamos à esquina, olho para trás e lá estão elas, me observando pela janela do quarto andar, aglomeradas como bonecas, as mãos de Blue no vidro.

Minha mãe vira a esquina.

Tenho que correr para alcançá-la. Começo a dizer o que eu e a Gasparzinho ensaiamos. Tento fazer parecer crível, porque sei qual é a alternativa.

— Vou seguir as regras, mãe. O que você quiser. Arranjar um emprego e tudo o mais, ok?

Ela para tão de repente que eu bato em seu ombro. Estou quase tão alta quanto ela agora, o que não quer dizer muito. Nós duas somos baixinhas.

Ela estende o envelope.

— Aqui, isso é pra você. Passagem de ônibus, certidão de nascimento, essa merda toda.

Eu não entendo.

— O quê?

Não pego o envelope, então ela pega minha mão e me força a segurar.

— Não consigo fazer mais do que isso, Charlotte. Você tem tudo de que precisa aí, tá bom?

— Eu pensei... pensei que estava indo para casa. Com você.

Enquanto ela fuma, vejo como suas mãos estão secas, rachadas. Ela dá uma última tragada no cigarro, então o amassa com os tênis.

Dou uma olhada rápida para ela, para a ligeira protuberância na ponte de seu nariz. O nariz que quebrei com uma panela. Sua boca treme enquanto ela observa os carros passando na rua. Ela não vai olhar para mim e eu não posso olhar para ela por muito tempo.

Há tanta coisa partida entre nós. Meus olhos ficam marejados.

— Seu amigo Mike veio ontem à noite. Todos nós sabemos que não vai dar certo, você comigo, ou você em algum maldito centro de recuperação para adolescentes. Essa não é você, Charlotte. Não sei o que você *é*, mas não sou *eu*, e tenho certeza de que também não é uma casa com hora pra chegar. A mãe do Mike comprou uma passagem de ônibus para o Arizona. Você vai ficar no apartamento dele. Mike falou que vai te ajudar.

Ela procura outro cigarro no bolso.

— Ele deixou uma carta. Você vai ficar sozinha por um tempo, até ele voltar de viagem. Parece que ele é *roadie* de alguma banda. Mike é do bem, Charlotte. Tente não estragar tudo.

Então Mikey tomou uma atitude depois de receber minha mensagem. Não vou morar com minha mãe. Vou entrar em um maldito ônibus. Para o maldito deserto. Longe, muito longe do Frank Maldito, do maldito rio, de tudo isso.

Estou tão feliz, tão assustada e tão confusa que não sei o que fazer.

Devagar, com as mãos trêmulas, abro o envelope e dou uma olhada na passagem de ônibus, na antiga identidade, na certidão de nascimento. Há uma carta dobrada — deve ser de Mikey — e algo que faz meu coração disparar.

Um monte de dinheiro preso com elástico em um plástico. Eu encaro o dinheiro, me dando conta aos poucos do que se trata.

— Como... como você conseguiu isso?

Minha mãe dá uma tragada longa no cigarro.

— A mãe da Eleanor encontrou faz algum tempo. Eles estão vendendo a casa e se mudando para o oeste. Para ficar mais perto dela. Ela está em Idaho, sabe?

Paris, Londres, Islândia. Tanto faz, qualquer lugar. Ellis e eu cortávamos a grama das pessoas, ajudamos a sra. Hampl, em Sherburne, a limpar a garagem. Isso foi difícil e levou muito tempo. Ela era tipo uma escritora e tinha todo tipo de arquivo com recortes de notícias e revistas antigas. Tentamos de tudo para ganhar dinheiro.

— Judy achou que você deveria ficar com isso.

Deslizo-o para o bolso do casaco e seco os olhos rapidamente. Não quero que ela me veja chorar.

Algo fica preso na minha garganta — *desculpadesculpadesculpa desculpaestoucomsaudades* —, mas fica ali, escondido e quieto. Minha mãe diz:

— Preciso ir agora, Charlotte. Tenho um compromisso.

Ela começa a se afastar, mas se vira de repente, me envolvendo em um abraço tão apertado que não consigo respirar, tão apertado que vejo anéis vermelhos em volta das nuvens fofas, e então ela pressiona a boca junto à minha orelha.

Ela sussurra:

— Você acha que isso não me dói?

Então ela vai embora, e meu corpo fica frio, frio, enquanto fico ali, na esquina da Riverside com a Twenty-Second, o vazio do mundo tão grande e tão pequeno ao mesmo tempo. É uma longa caminhada até a estação Greyhound. Eu nem sei que horas são.

Olho para o bilhete. Partida: Minneapolis, Minnesota; Destino: Tucson, Arizona. Folheio o resto, os nomes das cidades em que vamos parar são um borrão diante dos meus olhos. O deserto. Quando pedi a Mikey para me salvar, ele não disse nada por um tempo, então, por fim, escreveu *Deixa comigo*, e desconectou.

Eu vou para o deserto. Vou pegar um ônibus sozinha por Deus sabe quantos estados para ficar com Mikey quando nunca estive em lugar nenhum em toda a minha vida. E como vou chegar à rodoviária? Que horas são? Olho para o hospital e me pergunto se devo voltar, mas percebo que não posso. Eles acham que saí com minha mãe. E o que vou fazer quando chegar lá? Quanto tempo Mikey ficará fora? Quanto tempo vou ficar sozinha lá?

As coisas estão acontecendo rápido demais e não consigo respirar. Estou com muito calor com este sobretudo de lã.

— Quer carona, garota difícil?

Eu me viro, a van branca com o logotipo do hospital parada ao meu lado. Vinnie joga o cigarro pela janela.

— Entra aí.

Na van, ele diz:

— Só sei que estou indo buscar uns anoréxicos no passe diário do Mall of America, entendeu? Não estou transportando uma menor de idade para longe de seu responsável legal, para um local não revelado. — Ele dá partida na van. — Coloca o cinto! Não preciso de nenhuma menina morrendo neste carro maldito. Para onde?

Eu digo a ele. Não falamos nada até chegarmos à estação Greyhound. Há algumas pessoas dentro, cercadas por malas e caixas, sacolas de papel e plásticas. Ele procura algo no bolso de seu casaco preto e coloca algumas notas na minha mão.

— Não quero ver você aqui nunca mais, menina Charlie.

Eu assinto, meus olhos marejados.

— Tudo e todos que estão ferrados podem ser consertados. É o que eu acho. — Ele olha para a rodoviária. — Agora, você entra aí, menina, e quando entrar naquele ônibus, se sente na porra da frente, não atrás. A parte de trás é encrenca. Fique longe. Não aceite cigarro de ninguém se oferecerem, não beba nada a não ser que venha da máquina. Fique assim. No lugar. — Ele se abraça. — E, quando você chegar aonde está indo, vai ser sol e dias ensolarados para sempre, certo? Não me pergunte como, mas eu sei. Tenho meu jeitinho de saber coisas sobre vocês, garotas. Agora vá. — Ele estende a mão por cima de mim e abre a porta com um cutucão.

Ele cheira a cigarro de morango e leite aquecido, como as ruas e como uma casa.

Eu o respiro profundamente, para o caso de ele ser a última pessoa gentil que vou conhecer pelos próximos dias, e então saio da van, arrastando a mala de Louisa e minha mochila.

DOIS

*Bom, eu faço qualquer coisa neste mundo todo-poderoso de Deus
Se você só me deixar te seguir por aí.*
— Bob Dylan, "Baby, Let Me Follow You Down"

O ônibus é um monstro enorme e pesado, carregado de tristeza e ar bolorento. A cada cidade em que para, somos expelidos para fora por vinte minutos, duas horas, três, não importa, é sempre a mesma coisa: um restaurante de beira de estrada, uma loja de conveniência, lixo nos banheiros, lixo na sarjeta. Escondo no fundo do bolso o dinheiro que Vinnie me deu e uso só para comprar chocolate, refrigerante e batatinhas e, uma vez, um sanduíche de salada de ovo com a data de validade apagada. O gosto de chocolate na minha boca é como uma explosão de alegria.

Não falo com as pessoas sentadas ao meu lado. Elas entram, fedendo a cigarro ou sujeira, e descem na parada seguinte. Quando chegamos ao Kansas, o ônibus quebra no meio da noite, em uma cidade em que, em pleno maio, ainda é Natal: guirlandas murchas na fachada de lojas escuras, luzes cintilando na vitrine do posto de gasolina. A mulher ao meu lado aninha o queixo na gola grossa do casaco de pele falsa e murmura *Abençoado seja* conforme saímos do ônibus para ficar largados no estacionamento de uma lanchonete lacrada com tábuas. Os homens no fundo do ônibus vão para um beco continuar com o jogo das tampinhas enquanto o motorista anda de um lado para o outro à espera de ajuda. Eu me sento no meio-fio, longe de todos, ainda passando calor no sobretudo. Segundo o que está escrito na minha passagem, vamos passar por seis estados antes de chegar ao Arizona, o que vai levar um dia, vinte e uma horas e quarenta e cinco minutos. O motorista diz que não sabe quanto tempo vai demorar até chegar outro ônibus.

Entro em um dos cubículos do banheiro para chorar, lágrimas quentes caindo na lapela do casaco, enquanto olho para o dinheiro que Ellis e eu ganhamos. Finalmente estou indo para algum lugar, talvez um lugar melhor, mas ela não está comigo, e isso dói. *Tudo* dói de novo, uma dor aguda e assustadora na minha pele assustadora. Eu me esforço para pensar em Mikey, e no quanto vai ser bom estar com ele, e que talvez agora a gente possa ser mais do que só amigos.

Chegamos ao meio da noite. O grito repentino e alegre do motorista, *Tuuuuucsooooon* preenche o ônibus e faz diversas pessoas acordarem assustadas. Eu me junto à fila sonolenta de pessoas saindo para o ar quente e melancólico.

Alguns passageiros têm pessoas os esperando, e eu os vejo se abraçarem e se beijarem. Não tenho ninguém, então pego o envelope de Mikey para não me sentir sozinha.

Li a carta muitas vezes enquanto estava no ônibus, só para lembrar que aquilo estava acontecendo mesmo, que eu estava caindo fora de verdade.

Charlie! Vai dar tudo certo, eu garanto. Desculpa, vou demorar um tempo pra voltar, então você vai ficar sozinha. Não se preocupe, a proprietária é bem legal, é artista, sabe que você vai pra lá. Ela se chama Ariel, e se precisar de qualquer coisa pode pedir pra ela. Sua mãe disse que tinha dinheiro pra te dar, então você deve conseguir comprar comida sem problema. Esse é o endereço do meu apê e um mapa pra você saber onde fica o mercado e essas coisas. CHARLIE: não vejo a hora de te ver. — Mike

Ergo o papel de dentro do caderno até o rosto para ver se ainda consigo sentir um pouco do cheiro de Mikey e ajudar a diminuir o ritmo do meu coração, mas não sinto nada. Respiro fundo, tentando me acalmar.

Olho para o mapa, sem conseguir entender onde estou, para onde devo ir e o que as setas de Mikey significam. As ruas estão vazias, mas mantenho a cabeça erguida.

Evan dizia que você não tem que ter medo do que não consegue ver, mas sim do que está bem à sua frente, à vista de todo mundo.

A tensão me faz ranger os dentes enquanto atravesso uma passagem subterrânea, me obrigando a não pensar *naquela noite*. A alça da mala de Louisa parece fazer um buraco na palma da minha mão. O casaco é pesado demais para um tempo como esse. Estou suando, mas não quero parar só para tirar. Passo por alguns bares e lojas. O céu aqui é como um pano denso e escuro com estrelas brancas pálidas, e dá vontade de colocar o dedo.

A carta de Mikey tem três páginas. *Você vai ver uma casa com um monte de pássaros prateados ENORMES no jardim. 9th Street. 604 E. Ela mora num bairro chamado Pie Allen. Eu moro na casinha roxa de hóspedes, que fica no fundo. Pode usar a bicicleta amarela e o cadeado. A Ariel deixou pra você. A chave da porta tá embaixo do vaso amarelo.*

Aquilo não parece um pássaro para mim, mas eles são luminosos, cintilantes no ar noturno, as ameaçadoras asas abertas. A casa de hóspedes fica no fundo. Encontro a chave embaixo do vaso. Uma bicicleta amarela com um cesto de palha que parece novo está presa no poste do varal. Abro a porta e procuro o interruptor na parede, piscando por causa da luz que surge de repente. As paredes de dentro também estão pintadas de roxo.

Não faço ideia do que fazer. Será que a proprietária está em casa? Será que me ouviu chegar?

As luzes daqui são diferentes. Nada de carpete bege sem fim. Não tem meninas chorando. Não tem sala secreta.

Estou sozinha. Pela primeira vez em meses e meses, estou completamente sozinha. Sem Evan, sem Dump, sem Gasparzinho e sem a irritante da Isis. Por um minuto, pontadas de pânico sobem pelo meu corpo: se acontecer alguma coisa comigo entre agora e o momento em que Mikey chegar, quem vai saber? Quem vai *se importar*? Por alguns instantes, volto para *lá*: aqueles dias horripilantes na rua antes de Evan e Dump me encontrarem, quando todo dia era feito de taquicardia e as noites duravam anos, esperando no escuro até que acabassem, me sobressaltando a cada som que ouvia, tentando encontrar um lugar seguro para me esconder.

Existe o estar sozinha e existe o estar *sozinha*. São coisas totalmente diferentes.

Respire, Charlie. Respire, do jeitinho que Gasparzinho ensinou. Enfio os dedos por baixo do enorme casaco e belisco minhas coxas também, torcendo para a dor colocar minha mente de volta no lugar. Pouco a pouco, o pânico diminui.

Meu estômago ronca alto. Grata por ter outra coisa para pensar, reviro a geladeira pequena encaixada em um canto. Vejo algumas garrafas de água e bananas maduras demais. Como uma e bebo uma garrafa de água quase em um gole só. Também encontro dois pedaços de pizza em uma caixa de papelão pequena. Estão tão duros e velhos que quebram quando os enfio na boca, mas não me importo. Estou morta de fome. Devagar, meu pânico diminui um pouco mais, a exaustão tomando seu lugar.

O bairro é tranquilo. Que horas são? Vejo um baú enorme no canto e decido empurrá-lo para a frente da porta, só por precaução. Meu corpo está todo dolorido por causa da viagem e minhas pernas, bambas. Desligo a luz. Apesar de me sentir grudenta de tanto suor, não tiro o casaco. Tirá-lo me faria sentir ainda mais exposta agora. Preciso de uma armadura de proteção, só para garantir.

Eu me acomodo no colchão dobrável, o colchão do *Mikey*, no chão. Sinto as coisas se erguendo de mim, desaparecendo no silêncio à minha volta. Não ouço a tristeza das muitas garotas que moram no mesmo corredor. Frank Maldito está longe, muito longe, e as mãos dele não conseguem me achar aqui. Tenho um pouco de dinheiro na mochila. Meu corpo fica mais e mais leve.

Depois de meses e meses lutando contra ele, consigo senti-lo finalmente, me puxando para me acomodar cada vez mais no casaco, no colchão: o sono. Enterro a cara no travesseiro e é ali que enfim sinto o cheiro de Mikey, algo com um toque de canela. Inspiro o mais fundo que posso, permitindo que ele preencha cada vazio meu e me embale até dormir.

Quando acordo, a luz do sol está entrando pela única janela da casa. Olho em volta, meio grogue, e tiro o casaco ensopado. Depois de quase dois dias no ônibus, consigo sentir o cheiro do meu corpo.

Levo alguns minutos para perceber que a casa de hóspedes não passa de uma garagem malfeita e reformada: as duas portas na parede dos fundos, que levam para o beco, foram soldadas de um jeito estranho, as janelas quadradas cobertas com cortininhas azuis. A cozinha não passa de uma pia embutida em uma bancada em cima de um armário velho de metal.

Tem um ventilador de teto e ar-condicionado em uma das paredes. O chão é de cimento e o banheiro é um armário antigo com uma privada e um chuveiro de plástico.

Me arrasto para fora da cama e vou até o banheiro. Faço xixi e ligo o chuveiro. A água jorra de repente e, então, um filete fino começa a cair. Eu o desligo. Ainda não estou pronta para tomar banho. Não estou pronta para olhar para mim mesma e tocar meus novos estragos. Tocá-los vai fazer tudo se tornar mais real. E minhas cicatrizes ainda doem. Elas vão ficar sensíveis por muito, muito tempo.

Em Creeley, a maioria só usava um pano molhado e ensaboado para limpar as axilas, a bunda e as partes, como Isis dizia, porque, quando alguém decidia tomar um banho de verdade, uma enfermeira precisava estar por perto, para o caso de você decidir, sei lá, se afogar na água do chuveiro ou coisa do tipo. E ninguém queria uma plateia na hora de ficar pelada, então a maioria preferia a outra opção.

Coloco o macacão de volta e saio do banheiro; passo as mãos pelo balcão da cozinha. É de madeira compensada revestida com verniz, cartões-postais de cidades estrangeiras por baixo. Alguns deles estão virados, com mensagens rabiscadas: *A: me encontre na fonte, amor, quatro da tarde, que nem no ano passado.* "A" deve ser a proprietária do apartamento, Ariel. Olho para os cartões-postais, as imagens, a caligrafia confusa. Uma pequena história se desenrolando sob meus dedos.

Espalho o dinheiro que Ellis e eu juntamos. *Sobrevoar o oceano*, disse Ellis, os braços abertos, girando pelo quarto. *Ir para Londres, Paris, Islândia, tanto faz.* Todos os lugares que pareciam românticos para morar. *Beber expresso no rio Sena vai ser* divino *pra caralho, Charlie. Você vai ver.*

Novecentos e trinta e três dólares e só uma de nós saiu viva. Semiviva.

Passo muito tempo encarando o dinheiro antes de o enfiar bem lá no fundo, embaixo da pia, atrás da cafeteira meia-boca que só faz uma xícara de café.

Preciso achar alguma coisa pra comer.

O sol está tão forte quando saio no quintal que vejo manchinhas escuras, então destranco a porta de novo e reviro uma das gavetas da mesa até encontrar óculos escuros dourados com detalhes pretos, algo que uma garota esqueceria sem se importar. Mikey tinha namorada? Mikey *tem* namorada? Não quero pensar nisso agora.

O mapa que ele desenhou está cheio de setas e anotações: *loja de conveniência, três quarteirões* →; *Fourth Avenue (brechós, cafés, bares, lugares para comer, livros) seis quarteirões* ↑; *universidade sete quarteirões* ←. Sinto o rosto e os braços esquentarem enquanto caminho pela calçada até a loja de conveniência. É estranho pensar que poucos dias atrás eu estava em meio à geada e ao céu cinzento, e agora, aqui onde estou, o sol está por toda parte e nem preciso usar jaqueta.

O ar está fresquinho dentro da loja; é como estar debaixo d'água em uma piscina clara e funda. O cara atrás do balcão tem enormes alargadores pretos nas orelhas. Ele ergue os olhos de seu livro imenso enquanto tropeço pelos corredores, pegando garrafas, caixas de gaze, protetor solar, fita adesiva, creme. O ar-condicionado faz o suor secar rápido no meu rosto. Deixa uma sensação áspera e grudenta. Pego uma garrafa de vidro com chá gelado no refrigerador.

Preciso reabastecer meu kit da ternura, por precaução. Não quero me machucar; quero seguir as regras de Gasparzinho, mas preciso dessas coisas.

Só para garantir.

Eu pago e enfio tudo na mochila.

Do lado de fora, na calçada, abro o mapa de Mikey. Tem uma mercearia chamada Food Conspiracy no fim da rua, então vou naquela direção.

É uma cooperativa que parece vender produtos naturais e ser cara, tocando uma música sussurrada. Não sei o que devo pegar. Nem cheguei a ver os utensílios que Mikey tinha na cozinha. Coloco uma caixa de biscoitos de água e sal e um pedaço de queijo picante na cesta de arame.

A loja fervilha com movimento. Duas senhoras ripongas apertam as peras. Um cara alto coloca o curry do bufê de saladas em um pote. Eu, que enfiava as mãos na lixeira e enchia a cara de macarrão com queijo que parecia de papelão com um garfo redondo, estou *fazendo compras* agora.

Quando chego ao caixa, sinto um medo repentino de não ter dinheiro suficiente. Estou usando o dinheiro do Vinnie. Cheguei a contar quanto ele me deu? Olhei os preços de toda essa merda que enfiei na cesta? Esqueci que comida pode ser caro. Blue surge em minha mente. *Não deixe o cereal devorar você.*

O cereal está me devorando. O cereal está me comendo viva.

As pessoas estão me olhando enquanto procuro as notas no bolso? Estão sim. Ou não? Meus dedos tremem. Enfio a comida na mochila e não espero pelo troco.

Lá fora, os sons de carros e de pessoas são motosserras nos meus ouvidos. Fecho bem os olhos.

— Não flutue — dizia Gasparzinho quando estávamos estressadas, quando a pressão em nosso cérebro duelava com a pressão em nosso corpo e começávamos a dissociar. — Não se atreva a ir para longe. Fique aqui comigo.

Ando longe demais na direção errada e acabo dentro da passagem subterrânea, os carros passando rapidamente.

O concreto cheira a mijo. Minhas botas pisam nos cacos de vidro. Ele surge em minha mente.

Os carros passam e fazem sombras distorcidas nas paredes grafitadas. Eu estava toda encolhida, tentando dormir, a garganta sufocada de catarro e o corpo ardendo de febre. Sempre ficava doente durante todo aquele tempo em que morei na rua. Agora sei que aquilo era pneumonia.

A primeira coisa que senti foi a mão dele na minha perna.

Tento me lembrar: o que a Gasparzinho dizia, o que a Gasparzinho dizia.

Pare. Analise. Respire.

Na passagem subterrânea escura e úmida, cubro as orelhas com as mãos e fecho os olhos, prendo a respiração e solto o ar devagar. Os carros lançam um ar quente e rançoso nas minhas pernas; eu me concentro nisso. Pouco a pouco, o fogo começa a apagar, as serras se afastam, a lembrança desaparece.

Abaixo as mãos, me viro e ando quatro quarteirões sem parar, até a Fourth, passando por cada ponto no mapa de Mikey: Dairy Queen, uma cafeteria onde homens jogam com peças brancas em uma mesa na calçada, bares, restaurantes, lojas vintage, livraria feminista. Mais uma vez vou longe demais e preciso voltar, enfim chegando à Ninth Street e praticamente correndo de tanto desespero para chegar à casa de hóspedes roxa.

Coloco o baú de Mikey na frente da porta para manter o mundo lá fora.

Tenho que achar um jeito de acalmar a escuridão dentro de mim. Primeiro pego a garrafa de vidro com chá gelado e bebo tudo de uma vez. Encontro uma toalha de rosto desbotada no minúsculo banheiro de Mikey e a enrolo na mão. Fecho os olhos.

E então quebro a garrafa no chão de cimento.

São como milhares de pequenas possibilidades, todas lindas, espalhadas no cimento, brilhando. Escolho os cacos mais compridos e grossos e os enrolo com cuidado no tecido em que estavam minhas fotos. Coloco as fotos em um saquinho. Mikey tem uma pá de lixo e uma vassoura debaixo da pia. Varro o resto do vidro e jogo no lixo.

Pego meu kit da ternura e arrumo tudo: coloco com cuidado todos os rolos de gaze, os cremes, a fita, o vidro enrolado no linho, lado a lado, até que tudo se encaixe com perfeição.

Por enquanto isso é tudo de que preciso. Eu só preciso saber que está ali, que está pronto. Por precaução. Não quero me cortar. Não quero mesmo. Dessa vez quero ser melhor do que isso.

Mas preciso que ele esteja ali. Isso me faz sentir mais segura de alguma forma, por mais que eu saiba o quanto é errado. Gasparzinho pode me mandar respirar, ela pode me mandar comprar elásticos para estalar nos pulsos toda vez que eu entrar em pânico ou sentir vontade de me cortar, e eu vou tentar tudo isso, mas ela nunca chegou a dizer o que iria, ou *poderia* acontecer se nada disso... funcionasse.

Enfio o kit embaixo de algumas camisetas no baú de Mikey.

Engatinho pelo chão e abro as fechaduras da mala de Louisa.

Olhar para dentro da mala me acalma. Não cheguei a colocar roupas ali. As roupas da irmã de Mikey couberam na minha mochila. Na mala, guardei todo o resto: o caderno de desenho, canetas e blocos de papel que a srta. Joni me deu; os saquinhos com carvão, embrulhados com tanto cuidado em papel-toalha. Minha câmera.

Abro o caderno de desenho, tiro um pedaço de carvão do papel-toalha e dou uma boa olhada na casa de Mikey.

Paredes pintadas de roxo cobertas com pôsteres de bandas e listas de música. O colchão solitário de Mikey com um travesseiro preto e um cobertor azul e branco gasto. Uma mesa frágil com uma cadeira de madeira. Um toca-discos antigo, caixas de som altas, as prateleiras de LPS e CDS que as cercam. Engradados vermelhos de leite empilhados dos quais escapam camisetas, cuecas samba-canção e calças de trabalho azuis desgastadas. Uma escova de dentes branca descansando em um copo de lata no balcão da cozinha. As coisas que Mikey acumula ao acaso por *existir*.

Começo por aí. Desenho o lugar em que estou. Eu me coloco neste novo começo, cercada pelo conforto da vida mais fácil de outra pessoa.

Durante dois dias, durmo e desenho, como as bolachas e o queijo e bebo todas as garrafas de água até que elas acabam e eu tenho que encher na torneira.

No terceiro dia, coloco os fones de ouvido de Mikey enquanto desenho. Morrissey canta para mim, a voz doce, quando ouço uma batida seca. Tiro os fones, o coração acelerado, quando a porta se abre. Mikey? Ele voltou? Levanto com dificuldade.

A mulher que aparece é alta, as mãos magras agarrando cada lado do batente da porta. Tem o cabelo branco e liso, logo abaixo da orelha. Estou de macacão, mas meus braços estão expostos, a camiseta de manga curta, então os coloco atrás das costas. Estou decepcionada por ver que não era o Mikey — meu coração desacelera.

Ela semicerra os olhos para mim.

— Não estou enxergando nada. Esqueci os óculos em casa. Michael me mandou uma mensagem. Ele quer saber se você está bem. Caso você não tenha percebido, sou a dona daqui.

Há um tom áspero em sua voz, algum tipo de sotaque que não consigo identificar. Ela tem o tipo de rosto enrugado que as pessoas chamam de marcado. O tipo que parece bonito, intimidador e ligeiramente assustador. Eu sempre me pergunto como essas mulheres eram quando crianças.

Assinto com cautela. Sempre tomo cuidado com pessoas que não conheço, ainda mais quando são adultas. Você nunca sabe como eles vão se comportar.

— Michael não disse que você era muda. Você é muda? — Os anéis turquesa em seus dedos estalam contra o batente da porta. — Então, você está bem ou não?

Assinto de novo, engolindo em seco.

— Que palhaçada.

Ela se move com rapidez, as mãos ao meu redor para agarrar meus pulsos. Ela vira meus braços para que as linhas salientes fiquem visíveis. Por instinto, fico rígida e tento puxar as mãos para trás, porém ela aperta mais. As pontas dos seus dedos estão cheias de calos.

Ela emite um som semelhante a um rosnado.

— Essas meninas de hoje. Uma decepção do caralho. O mundo já causa tanto sofrimento. Pra que perseguir a merda da dor?

Respiro alto pelas narinas, entrando em pânico. *Me solta, porra*, surge em minha mente como uma bola de fliperama e sai boca afora. Fico surpresa com o som da minha própria voz e ela também parece ficar, porque abre as mãos e solta meus braços.

Esfrego os pulsos e penso em cuspir nela.

— A garotinha tem garras. — A voz dela soa estranhamente satisfeita. — Ponto pra você.

A porta roça meu ombro; na minha cabeça, estou fechando a porta na cara dela. Eu me afasto para não fazer isso de verdade. Quem é essa vaca?

— Eu sou Ariel. Olha só. — Ela pressiona um pedaço de papel no meu peito. — Tenho uma amiga na avenida principal. Ela tem uma loja. E está precisando de ajuda. Pode dizer que vou levar ela para uns *appletinis* na sexta-feira.

Quando chega na metade do quintal, ela se vira, protegendo os olhos.

— Arrume um trabalho, amiga do Michael. Encontre um lugar pra morar. Pode ficar aqui por duas semanas, não mais que isso.

Levo duas horas para criar coragem e sair de casa. Passo essas duas horas andando de um lado para o outro na casinha de hóspedes, falando sozinha, esfregando os braços, inspirando e expirando. Ir até a loja e pedir um emprego significa *falar*. Significa abrir a boca e torcer para as palavras certas saírem. Significa deixar as pessoas me olharem, de cima a baixo, olhar meu macacão e minha camiseta comprida, o cabelo engraçado, tudo. Certo? Não é assim que funciona essa coisa de emprego? Você precisa dizer de onde é, onde já trabalhou, o que gosta de fazer e essa besteira toda.

Minhas respostas: de lugar nenhum, em lugar nenhum, fazer merda e me cortar.

Isso não vai acabar bem.

Mas a alternativa é dizer para aquela mulher intensa que mora na casa da frente que não fui encontrar a amiga dela, e talvez ser expulsa antes de Mikey voltar. A alternativa é terminar exatamente onde eu estava.

E eu prometi a mim mesma que seria melhor do que isso.

Enfim saio correndo pela porta da maldita casa de hóspedes e a tranco antes que decida continuar andando lá dentro.

Encontrar a loja foi mais rápido do que achei que seria. Se chama Swoon. Já é quase fim da tarde e está muito quente. Pela janela, vejo duas mulheres em minivestidos prateados andando entre as prateleiras de roupas, ajeitando os cabides e rindo. Glitter prateado brilha nas pálpebras delas; os tênis brancos são parecidos. As garotas que trabalham nessa loja são bonitas e descoladas, não garotas com cicatrizes usando macacão. Eu *não* vou conseguir um emprego aqui.

Olho de um lado para o outro na rua. Um restaurante italiano, um brechó, uma livraria, a cooperativa, um café chique.

Nem celular eu tenho. Como alguém vai me ligar se eu preencher um formulário? E a manga curta? As garçonetes sempre usam manga curta. Quem vai me contratar com meus braços do jeito que estão? O nó no estômago começa a apertar. Estou no meio dos exercícios respiratórios quando ouço uma voz suave dizer:

— Posso ajudar?

Com exceção de Ariel, não falo com ninguém há quatro dias. Uma das garotas brilhantes da Swoon está parada na porta, com o rosto para fora.

— Eu só... meu amigo... me falaram que vocês estavam contratando, mas... — Nossa, minha voz. Eu pareço tão... *tímida*.

Ela me olha de cima a baixo.

— Sem ofensa, mas nós somos mais vintage. Você é mais... grunge. Sabe como é?

Olho para ela como se dissesse *eu sei*, porque não temos que fingir. Essas garotas e eu? Estamos a quilômetros de distância em termos de aparência. Eu mudo de assunto.

— Você... quer dizer, você sabe de mais alguma coisa por aí? Tipo, mais a minha cara, ou algo assim? Eu preciso muito de um emprego.

Ela franze a boca.

— Hum. Quase todos os lugares legais da avenida fecharam. Espera aí. — Ela grita de volta para a loja. — Darla! A garota aqui está procurando emprego. Sabe de alguma coisa?

A outra garota põe a cabeça para fora. Eu me sinto desorientada só de olhar para elas, com os cabelos, lábios brancos e vestidos que combinam.

Darla sorri.

— E aí. — Assim como a amiga, ela me olha de cima a baixo, mas não de um jeito ruim. Elas trabalham em uma linda loja de roupas vintage. Eu entendo. Estão acostumadas a classificar as pessoas pelo que vestem.

— Ah, sim, quer saber? Tenta no Grit. É um café que fica aqui na rua, perto do DQ. Acho que alguém pediu demissão ontem. Você é a cara do True Grit. Peça pra falar com o Riley.

A outra garota dá uma cotovelada em Darla.

— Riley. Ah, *claro*. Riley *West*. — Ela arrasta a sílaba como se o sabor fosse delicioso: *Weessssst*.

— Deixa de fogo, Molly.

Molly revira os olhos para mim.

— Riley é meio que gostoso — explica.

Darla comenta:

— Mais ou menos. Quando está em um dia bom. E não são muitos que ele tem. Enfim, é só falar que te indiquei, tá? E compre um chapéu ou uma coisa do tipo, garota. Seu rosto está começando a ficar vermelho.

Elas riem e voltam para dentro da loja antes que eu possa perguntar sobre Riley, sua gostosura ou garotas pegando fogo. Espero que ele esteja em um dia bom, seja lá o que isso queira dizer.

Subo a rua, nervosa, me preparando para ter que falar de novo. E se não der certo? Ergo a mão para o rosto. Darla disse que estou ficando vermelha. Era tudo que eu precisava: ficar queimada de sol.

Mas eu me distraio com as cores brilhantes por toda parte. As laterais dos prédios estão repletas de murais: esqueletos dançantes com cartolas pretas bebem vinho em jarras, os ossos brancos frouxos e moles. Jimi Hendrix e Jim Morrison olham para a rua, os Beatles andam descalços por uma parede. Para onde quer que olhe, vejo algo diferente e legal.

Alguns garotos punks com roupas pesadas de couro estão jogados nos bancos de madeira em frente ao Dairy Queen, mordiscando casquinhas confeitadas. Só tem uma garota no meio, que não está comendo nada, só fuma e cutuca as unhas pretas. Os garotos punks me olham quando passo.

Na porta ao lado, vários homens mais velhos estão sentados em mesas de ferro forjado, encarando tabuleiros quadrados com pedras brancas e pretas perfeitamente redondas. Eles mordem os dedos e tomam goles lentos de canecas brancas lascadas. Atrás dos jogadores, apoiado em uma janela de vidro opaco, uma placa néon piscando e ligeiramente torta indica que ali é o TRUE GRIT. Cafeteiras e samambaias em vasos enfeitam o parapeito da janela, permitindo que você veja por entre as letras. Os acordes tristes de uma música saindo da caixa de som acima da janela e do lado de fora chegam até mim devagar: Van Morrison.

Então, nos sentamos nas nossas próprias estrelas e sonhamos com o jeito que éramos/ e o jeito que queríamos ser...

A porta de tela da cafeteria se fecha atrás de um cara magro de avental manchado de molho vermelho e gordura. Ele acende um cigarro, os olhos se movendo sobre os tabuleiros do jogo. Nuvens de fumaça sobem na frente do seu rosto.

A música me mantém presa na calçada. Meu pai colocava esse álbum para tocar sem parar quando eu era pequena, sentado na sala dos fundos da casa na Hague Avenue, a cadeira de balanço rangendo para a frente e para trás. Era uma casa de madeira clara com um quintal pequeno e quadrado e uma chaminé caindo aos pedaços. Quando ouço a música, sinto uma saudade tão grande que quase choro.

— Sonhando acordada, querida? — A voz tem um sotaque, é leve, e me faz voltar para a realidade.

Os homens que estão nas mesas riem. O cara de avental inclina a cabeça para mim. A barba por fazer cobre seu rosto. Rugas de expressão marcam os olhos.

Sou pega de surpresa ao ver que ele estava prestando atenção em mim. Os olhos, muito escuros, observam com curiosidade meu rosto.

Sinto alguma coisa dentro de mim. É elétrica e dourada. Ele percebe quando isso acontece, ou deve sentir, e abre um sorriso gigante, uma risada sacana. Minhas bochechas ficam vermelhas.

Um dos garotos punks grita:

— Ele não é britânico de verdade!

— Não — confirma um homem de rosto estreito em uma das mesas, apoiando a cabeça na palma da mão —, ele é um babaca americano, com certeza.

— Ah. — O homem de avental apaga o cigarro na calçada. Ele fala sem sotaque agora, a voz preguiçosa e satisfeita. Ainda exibe o mesmo sorriso. — Aceita um café? Expresso? Bagel? *Enchilada?* — Ele aponta para a cafeteria. Ele pronuncia *en-rri-lhada*.

Camisa xadrez com botões prateados, a saliência do isqueiro no bolso. Ele se sente confortável consigo mesmo. Por que está prestando atenção em *mim*?

— O gato comeu a língua dela, Riley. — A garota punk tem um sorriso torto e sem vida. Gostei do cabelo rosa dela.

Estão todos chapados pra caramba.

— Ela nunca conheceu ninguém famoso antes.

Riley. Riley *Wesssssst*. Aquele que faz a Molly da Swoon pegar fogo. Agora meio que consigo entender o porquê. Ele deve estar em um "dia bom".

— *Semi*famoso — corrige outro punk, cuspindo no chão.

— Semifamoso *na área* — brinca um dos jogadores, acenando.

A garota punk dá uma gargalhada.

— Semifamoso na área na *cabeça* dele, nessa *rua*. — Os punks caem na risada. O cara de avental olha para eles bem-humorado.

Um menino punk supermagro diz:

— Riley, cara, você tá acabado. Tá com cara de *velho*.

Dou uma olhada para ele. Riley. Talvez ele não tenha notado como meu rosto está vermelho? É verdade; o rosto dele parece destruído, um pouco pálido demais. Ele olha para os punks com desdém.

— Cacete, tenho vinte e sete anos, crianças, e a vida não tá fácil, então estou de boa. — Ele acende outro cigarro, girando o isqueiro dourado. Quando ergo os olhos para ele, seu rosto se abre naquele sorriso aberto.

E, por algum motivo, eu retribuo o sorriso, a sensação elétrica vibrando dentro de mim.

E agora estamos sorrindo feito bobos um para o outro. Ou Riley está sorrindo para mim como ele sorri para qualquer coisa com peitos, e sou eu que sorrio feito boba porque eu sou uma idiota boba.

Porque, se ele me conhecesse mesmo, se ele pudesse me *ver*, o que pensaria? Uma vez, quando fomos ao desfile do Grand Old Day, na esperança de pegar carteiras que deixaram cair e cerveja pela metade, Dump nos fez parar e observar a equipe de dança feminina passar com as calças roxas apertadas e blusinhas douradas brilhantes. Evan percebeu que eu também as observava. Após um tempo, ele disse:

— Você até que é bem bonita, Charlie, sabia? — Ele sorriu. — Debaixo de toda essa sujeira e essa merda toda.

Fiquei olhando para ele, sem saber o que dizer. Antes era sempre Ellis quem chamava a atenção, por razões óbvias. E os garotos com quem fiquei? Não havia necessidade de conversa-fiada ou flores com eles. Mas o que Evan disse... me fez sentir bem por dentro.

Dump olhou para nós. Ele examinou meu rosto com atenção.

— É. Seus olhos são bonitos. São bem azuis, tipo o oceano ou coisa do tipo. Não precisa ficar preocupada.

Agora, Riley inclina a cabeça para mim.

— E aí, Garota Estranha? Quer falar alguma coisa?

É verdade. Um emprego. Estou aqui para perguntar do emprego. Eu falo de uma vez.

— Darla me mandou aqui. Da Swoon. Ela disse que pode ser que você esteja precisando de alguém.

— Darla me conhece muito bem. — Ele sorri, soprando um anel de fumaça. — Preciso de uma pessoa, é claro. Acho que você serve.

Os homens nas mesas riem. Sinto o rosto esquentar de novo.

— Para um *trabalho*. Preciso de um maldito emprego.

— Ah, claro, claro, claro. Isso. Bom, olha só, eu sou só um peão aqui. Minha irmã é a dona do bar e só volta depois de amanhã. Eu não...

— Gil se demitiu — comenta um dos jogadores nas mesas. — Lembra? O incidente?

Riley ri, zombeteiro.

— Ela não quer lavar pratos.

— Quero sim — respondo rapidamente —, eu quero.

Riley balança a cabeça.

— Você iria ganhar mais como garçonete em algum outro lugar.

— Não, eu não gosto de pessoas. Não quero servir comida.

Os homens riem e Riley sorri, apagando o cigarro. De dentro, eu ouço:

— Riley! *Riley*! Pedido *pronto*! Cadê você, porra?

— Parece que o meu tempo aqui acabou. Senhores. — Ele cumprimenta os jogadores, depois se vira para mim. — Tudo bem, Garota Estranha. Volte amanhã de manhã. Seis da manhã. Não vou prometer nada.

Ele pisca para mim e acrescenta:

— É assim que as pessoas se magoam, sabe? Quando você acredita em promessas.

A porta verde bate atrás dele. Fico ali parada, pensando (esperando?) que os jogadores, ou os punks, ou qualquer um, falem comigo, mas ninguém fala. Eles só voltam ao que estavam fazendo antes de eu aparecer. Eu me pergunto se todos em Creeley esqueceram de mim. Começo a caminhar para casa.

Um trabalho. Lavando pratos. Respiro fundo. Já é alguma coisa.

Quando volto para a casa de Mikey, as luzes de Ariel estão apagadas, então decido sentar um pouco no quintal. Encontro uma extensão e a conecto na única luminária de Mikey, arrastando-a para fora e colocando-a no chão. Arrumo o caderno de desenho e os carvões ao meu redor. Tiro as botas e meias e torço o nariz com o cheiro. Já faz mais de uma semana que não lavo nada. Não é de admirar que todos na cooperativa estivessem olhando para mim: estou fedida. Cheiro minhas axilas. Vou ter que tomar banho. Mas não agora. Já passei mais tempo sem me limpar.

De algum lugar, não muito longe, vem o som de guitarras e tambores, a guinada barulhenta e o silêncio repentino de uma banda ensaiando.

Ouço com os olhos fechados, os dedos dos pés se enfiando no solo arenoso. O baixista se irrita e muda, inseguro com seus dedos; o baterista está fora do ritmo. O cantor está irritado porque todo mundo está meio esquisito. A voz falha quando ele tenta acertar as notas, acompanhar o ritmo. A banda para de repente, o baixo se esvaindo com malícia; o cantor grita *um dois três* e eles começam de novo, se esforçando para manter o ritmo em meio ao barulho. Isso me faz sentir ainda mais falta de Mikey; ele sempre levava Ellis e eu para ver os amigos da banda ensaiarem em garagens e porões. Parecia elétrico e real, ficar vendo um cara tentar descobrir um acorde várias vezes, ou uma garota batendo forte na bateria. Ellis sempre ficava entediada rápido e pegava o celular, mas assistir e ouvir enquanto uma coisa era criada poderia me alimentar por dias.

Com o tempo, dedos e vozes se unem, a música acontece; a canção dentro da música desperta.

Ah, eu não quero ser
seu caso de caridade
quero fazer você ver
quem sou de verdade
Pode fazer isso por mim?
Vai levar um minuto ou três
Ah, pode fazer isso por mim?

Os rostos que vi durante o dia surgem em minha mente, se organizando como dominós: os jogadores, os punks com olhos enevoados e lábios rachados nos bancos da Dairy Queen, Riley na cafeteria, com avental sujo e atitude de ninguém-tá-nem-aí.

Em Creeley, estaríamos reunidas na sala da recreação a esta hora, um tumulto de garotas com iPods e romances que os médicos nos deixavam ler. Estou com saudade de Louisa. Com quem estará falando agora, no escuro, em nosso quarto? Já fui substituída?

O som do meu carvão no papel é como um cachorro cavando em silêncio uma porta, suas unhas metódicas e insistentes.

O rosto do meu pai aparece devagar enquanto desenho. O formato de seus enormes olhos escuros, o cabelo cor de areia. Os ossos do ombro que eu podia sentir através de sua camiseta, quando subia no seu colo. Eu gostaria de poder me lembrar do som da voz dele, mas não consigo.

Às vezes ele não me deixava entrar na sala onde se balançava na cadeira e então eu me sentava do lado de fora com nosso cachorro alaranjado, enterrando o rosto em seu pelo, ouvindo Van Morrison através da porta.

Eu gostaria de poder me lembrar do que aconteceu com nosso cachorro. Um dia ele estava lá, e no outro dia não estava mais. Igual meu pai.

Onde deveriam estar os dentes, desenho frascos de comprimidos minúsculos. Me arrependo na mesma hora. Parece estranho e errado.

Ele era fumaça e desespero. Tinha olhos amendoados e escuros, bastante gentis. Mas, quando olhei mais de perto, vi algo mais, algo tremendo ao fundo.

Riley, da cafeteria, também tem olhos assim. Só de pensar nele, um calor assustador se alastra pelo meu corpo.

Quando vou dormir, no entanto, mais tarde na mesma noite, afasto Riley de meus pensamentos. É o cheiro de Mikey no travesseiro e no cobertor que me conforta, como uma promessa, uma coisa boa tangível que vai acontecer logo. Eu me encaixo em seu cobertor como se fosse o corpo dele, enchendo meus pulmões com o cheiro do seu suor, a oleosidade da sua pele. Eu o seguro perto de mim o máximo que consigo. Não posso deixá-lo partir.

Fico do outro lado da rua em frente à cafeteria por uns bons dez minutos. Estou acordada desde as quatro da manhã, embora tenha encontrado um pequeno despertador de viagem no baú de Mikey e o ajustado para as cinco, reunindo coragem para vir até aqui. São quase seis e a Fourth Avenue está começando a ficar movimentada, lojas abrindo os portões, pessoas carregando mesas para a calçada.

O sinal de néon TRUE GRIT está torto, o U piscando e apagando.

Atravesso a rua e respiro fundo. Quando estou prestes a bater na pesada porta da frente da cafeteria, a porta de tela verde alguns metros abaixo se abre, aquela de onde Riley saiu ontem.

E lá está ele, já fumando. E sorrindo.

— Garota Estranha — diz, amável. — Este é o primeiro dia do resto da sua vida. Bem-vinda. Entre.

Uma mulher com cabelo rosa e pontas descoloridas surge em uma bicicleta azul. Ela olha para nós com curiosidade. É mais velha, atarracada, com um moletom rasgado e uma saia longa com franjas.

— E aí, R? O que tá pegando? — Ela dá um sorriso simpático para mim enquanto prende a bicicleta no suporte.

— Ela vai lavar louça por um tempo, Linus. Ei — diz ele, olhando para mim. — Acho que não sei seu nome, Garota Estranha.

— É Charlie — digo baixinho. — Charlie Davis.

Ele estende a mão.

— Hum, prazer, Charlie Charlie Davis. Eu sou Riley Riley West.

Hesito, mas pego a mão dele. É quente. Não toco em ninguém desde que acariciei o cabelo de Louisa. Meu corpo se inunda com um calor súbito e eu afasto a mão.

— Certo — acrescenta ele, alegre. — Voltando ao assunto, beleza? Pratos sujos, café, funcionários ingratos e a longa e lenta marcha para a morte.

Linus ri.

*

Passamos pela porta verde, que Riley diz ser a entrada dos funcionários. Há um relógio de ponto cinza de aparência industrial na parede e espaços lotados de cartões de ponto. Linus entra na frente e em poucos minutos ouço os grãos de café sendo moídos e o ar fica espesso, quase doce, com o cheiro de café fresco sendo preparado.

Riley me mostra como colocar a louça na máquina, quais botões apertar, onde as bandejas de pratos estão empilhadas, onde enxaguar e guardar as caixas utilitárias. A área de lavar louça e a da cozinha são úmidas e quentes, os tapetes escorregadios por causa da água, sabão e restos de comida viscosos. A pia está cheia de panelas, frigideiras, pratos com crostas. Riley franze a testa.

— Acho que as meninas não limparam direito ontem à noite.

Linus passa por nós para pegar alguma coisa na área da grelha.

— Bem-vinda ao hospício, garota — diz ela, sorrindo, e volta para o balcão da frente. Ela começa a mexer nos CDs.

Riley me joga um avental sujo e começa a cortar pimentões e cebolas, jogando-os em um pote de inox. Eu passo o avental pela cabeça e tento amarrá-lo atrás. É muito grande, então tenho que enrolar os cordões e amarrar na frente.

Pelo canto do olho, vejo Riley fazer uma pausa enquanto espera para ver o que Linus vai colocar. Ela aperta um botão e pronto, "Astral Weeks" começa, melancólica e triste. Ele assente, como se aprovasse, e começa a jogar pão na grelha.

Eu me viro para a pia, olhando para as pilhas de pratos e panelas. Abro a torneira. *Você veio para isso,* digo a mim mesma. *Agora está aqui. Trabalhe.*

Em mais ou menos uma hora, Linus destranca a porta da frente. Não precisamos esperar muito para que as pessoas comecem a aparecer, um enxame de vozes e fumaça de cigarro. Alguns acenam com a cabeça para mim, mas falam sobretudo com Riley e Linus. Eu não me importo. Nunca me importei em só ouvir. Eu sou melhor nisso do que em falar mesmo.

Passo a manhã colocando pratos na máquina, esperando, abrindo a máquina e colocando os pratos nos lugares certos para a cozinha e os garçons. Para colocar os pratos na cozinha, tenho que passar por trás de Riley e me esticar para alcançar as prateleiras. A cozinha é pequena e tem uma abertura para a parte em que lavo os pratos. Há uma grelha, fritadeira, forno, geladeira de inox de duas portas, balcão para tábuas de cortar e uma pequena ilha.

Ouvindo Riley falar com os garçons, aprendo o escasso cardápio do True Grit e quem trabalha lá. Muitos deles parecem estar em bandas ou na escola. O zumbido forte e crepitante da máquina de café expresso é um ruído de fundo eterno. Estou ficando com sede, mas tenho medo de pedir qualquer coisa. Será que preciso pagar se eu beber alguma coisa? Eu não trouxe dinheiro. Tudo o que Ellis e eu ganhamos tem que ser gasto em um lugar para morar. Quando acho que ninguém está olhando, pego um copo e bebo água da torneira da pia. Mas logo meu estômago começa a roncar, e ter que jogar restos de comida no lixo se torna uma tarefa dolorosa. Penso em pegar alguns sanduíches comidos pela metade e faço uma anotação mental para descobrir onde escondê-los.

Em certo momento, quando volto com mais pratos e talheres, Riley não está preparando comida. Está olhando para mim com atenção, o que faz minha pele formigar de vergonha.

— De onde você é, Garota Estranha?

— Minnesota — respondo com cuidado. Passo por Riley para colocar alguns pratos na prateleira perto de seu ombro. Ele não abre espaço para mim, então minhas costas roçam a frente de seu corpo.

— Ah. Interessante. Mim-ne-sô-tá. Podicrê. Toquei no Seventh Street Entry uma vez. Você já foi lá?

Eu balanço a cabeça. Os punks disseram que ele era semifamoso. O Seventh Street Entry é um clube onde bandas legais tocam no centro de Minneapolis. O Riley é... ou *foi*... de uma banda?

— Aposto que você mudou para cá por causa de um menino, hein? — Ele sorri malicioso.

— Não — respondo, minha voz queimando de raiva. *Não é bem assim*, penso. *Talvez. Sim?* — Isso é da sua conta?

— Você é bem estranha, sabia?

Fico em silêncio. Essa atenção toda está me fazendo pirar. Não sei dizer se ele está sendo legal de verdade ou tentando zoar comigo. Às vezes é difícil descobrir. Por fim, gaguejo:

— Não tô nem aí.

— Pode falar comigo, Garota Estranha. Eu não mordo, tá bom?

Linus coloca um recibo de pedido na polia.

— *Agora* não morde mesmo.

Riley joga um pedaço de pão nela, que se abaixa.

Às quatro e meia, Riley diz que posso ir. Tiro o avental e o coloco na lava-louças, exatamente como ele me mostrou. A camiseta de manga comprida me faz suar, e arregaço as mangas para me refrescar.

Riley está prestes a me entregar o dinheiro quando diz:

— Ei, ei, calma, espera aí. O que é isso?

Olho para baixo, horrorizada, e puxo as mangas rapidamente, cobrindo os braços.

— Nada — murmuro. — Só arranhões de gato. — Pego o dinheiro e enfio no bolso do macacão.

Riley murmura:

— Espero que você se livre desse gato. É um gato horrível esse aí, Garota Estranha. — Sinto seus olhos em mim, mas não olho para o rosto dele. É isso. Me ferrei. Impossível ele me deixar trabalhar aqui agora.

— Com certeza — respondo, afobada. — Hoje. Agora mesmo, na verdade. — Ando depressa até a porta dos fundos.

Ele grita:

— Volte amanhã às seis e fale com a Julie. Vou falar bem de você!

Grata e surpresa, olho para trás. Posso voltar outro dia, o que significa talvez voltar outro dia depois disso. Eu sorrio, mesmo sem querer, e ele meio que ri de mim antes de voltar para a grelha.

Estou dolorida e cansada. O cheiro de comida molhada está impregnado nas roupas e na pele, mas tenho dinheiro no bolso e mais trabalho amanhã. Compro um pão e um pote de manteiga de amendoim na Food Conspiracy do outro lado da rua.

De volta à garagem de Mikey, me deito na cama enquanto a luz se apaga lá fora, meu corpo coberto de suor seco, comida velha e água com sabão. É bom descansar depois de ficar de pé o dia todo, levantando caixas pesadas e bandejas de pratos. Como devagar um sanduíche de manteiga de amendoim, depois outro. O primeiro dia de trabalho não foi tão ruim. As pessoas pareciam de boa. Riley tem jeito de ser legal e muito fofo. É alguma coisa, pelo menos. Quando termino o segundo sanduíche, começo o banho precário e tiro a roupa. A água cai fria no meu corpo e eu estremeço. Olho em volta. Não tem xampu nem sabonete. Tomo cuidado para não me olhar muito de perto, mas não funciona, e vejo um pouco do estrago nas coxas. Entro em desespero.

Eu sou Frankenstein. Eu sou a Garota Cicatriz.

Inclino o rosto em direção à ducha e de repente a água muda para quente, muito quente, de uma vez. Finjo que essa súbita pontada de calor é o motivo pelo qual estou chorando.

Acordo com a porta de tela de Mikey batendo. Eu me sento e esfrego o rosto devagar.

Só coloquei uma camiseta e calcinha depois do banho. Devo ter apagado, cansada do dia longo no True Grit. Procuro meu macacão, me virando para que Ariel não consiga ver as cicatrizes nas minhas coxas. Estou cansada de todo o peso que carreguei hoje. Fazia meses que não usava os músculos desse jeito.

Ariel está curvada, mexendo no meu caderno, fazendo um som semelhante ao de uma abelha faminta. Ela para no desenho do meu pai. Sou superprotetora com meus desenhos e com ele, então puxo o caderno, pressionando-o junto ao peito. Ela dá de ombros e se levanta.

— Frascos de remédios. Uma escolha interessante, mas que distrai demais. Em retratos, são os olhos que explicam a pessoa, que abrem uma janela. Se você coloca toda a história nos dentes dele, com esses frascos aí, fica fácil demais. Já entregou tudo de bandeja. Por que alguém ia querer saber mais? A gente precisa analisar o rosto todo, precisa de tempo pra pensar. Entende?

Analisar o rosto todo, tempo para pensar. Antes que eu possa perguntar o que ela quer dizer, Ariel acrescenta, animada:

— Vem. Vamos tomar café da manhã. Eu amo comer coisa de café da manhã no jantar, e você? Aposto que tá morrendo de fome.

Coloco um moletom com capuz e calço minhas botas depressa. Não vou recusar um jantar grátis. Apesar de ter comido antes do banho, estou com fome de novo. Acho que tenho muito espaço para preencher por dentro. Fico com água na boca enquanto atravessamos o quintal. Olho para cima. As estrelas são pontinhos perfeitos e brancos.

A casa dela é arejada e confortável. O piso de cimento tem grandes círculos azuis e pretos. É como pisar em bolhas esmagadas, o que é legal, e eu gosto.

Nunca estive em uma casa com tantos quadros, e fico sem fôlego. As paredes de cor creme da sala de estar de Ariel são cobertas com pinturas grandes e pretas. Algumas delas têm feixes inclinados de luz cortando a escuridão, como a luz que vem de debaixo de portas fechadas ou dentre galhos de árvores altas e velhas. Alguns quadros são só tons de escuridão diferentes. Uma parte da tinta é aplicada em tantas camadas que sai da tela, formando montanhas minúsculas. Meus dedos coçam para tocar, mas tenho medo de pedir. Onde quer que eu olhe, há alguma coisa para ver, e eu adoro isso.

Ariel está parada na porta da cozinha, olhando para mim.

— Pode tocar, com cuidado.

Eu toco, apoiando com delicadeza um dedo no pequeno monte de um quadro bastante escuro. É estranho, mas a sensação de tocar é muito gostosa, e firme, quase como uma cicatriz já curada e em relevo.

Ariel pergunta:

— No que você está pensando, Charlie? Diga. Eu sempre falo para os meus alunos que o que quer que sintam a respeito da arte é verdade, porque é verdade de acordo com a experiência *deles,* não a minha.

— Eu não sei... não sei bem como dizer. — As palavras fervilham dentro de mim, mas não sei como organizá-las. Não quero parecer burra. Não quero *ser* burra.

— Tente. Minhas orelhas são tão grandes quanto as de elefantes.

Dou um passo para trás. As pinturas são tão grandes e escuras, com exceção daqueles pequenos feixes de luz.

— Elas me fazem... elas me fazem pensar em estar presa em algum lugar? Não sei, tipo oprimida, mas aí essa luz... — Eu gaguejo. Pareço burra. E olhar para tanta escuridão está mexendo com alguma coisa dentro de mim, porque, acredito, só uma pessoa muito triste poderia ter pintado isso, e o que teria acontecido para Ariel ser tão triste?

Ela está atrás de mim agora.

— Continua — incentiva baixinho.

— Essas partes que se destacam? Parece que a escuridão está tentando ir embora, porque tem aquele pouco de luz ali, e ela está virando as costas para a escuridão. É ridículo, pode falar.

— Não — responde Ariel, atenciosa. — Não é ridículo, nem um pouco. — Ela se afasta, voltando para a cozinha, e eu a sigo, aliviada por não ter que falar mais sobre as pinturas, pelo menos não agora.

A mesa da cozinha, vermelha e lustrosa, está arrumada com uma travessa furta-cor em que há morangos cortados, pedaços de abacaxi, uma tigela com ovos mexidos e uma carne vermelha que parece macia.

— Chorizo — explica —, você vai gostar.

Eu me sinto quase envergonhada do quanto estou esfomeada, com vontade de comida de verdade e bem-feita. Calculo quanto colocar no meu prato para não parecer que sou gulosa demais.

O chorizo é mais picante do que quente; tem uma textura estranha, parece salsicha amassada, e é um pouco nojento, então decido comer os ovos. Faz muito tempo que não como comida de verdade na casa de alguém. Acho que a última vez foi com Ellis e os pais dela, na mesa de jantar de madeira, que era um pouco inclinada para a direita.

Os talheres são geladinhos nos meus dedos, os pratos, resistentes e firmes. Tento comer devagar, apesar de querer enfiar tudo na boca de uma vez.

Ariel dá uma bela garfada no chorizo e nos ovos, e mastiga com elegância.

— Cadê sua família? Sua mãe?

Empilho os morangos e coloco um abacaxi em cima, como um chapéu. Encho a boca de comida de novo, só para não ter que responder à pergunta de Ariel.

— Talvez você pense que ela não se importa, mas ela se importa.

Ela vira um morango entre os dedos. Posso senti-la me observando.

— Michael me contou que você perdeu uma amiga. Sua melhor amiga. Sinto muito. — Ela olha para mim. — Isso é horrível.

O que ela diz é inesperado, assim como as lágrimas que de repente enchem meus olhos. Fico surpresa por Mikey ter contado sobre Ellis, mas não sei por quê. E também me sinto um pouco traída por ele ter feito isso. Ellis era... é *minha*.

— Não quero falar disso agora — respondo de imediato, enfiando abacaxi e morango na boca. Pisco rápido, na esperança de que as lágrimas fiquem onde estão.

Ariel lambe a gordura do chorizo dos dedos calejados e limpa cada um deles no guardanapo, enfiando a ponta do tecido no copo de água com gelo.

— A maioria das meninas da sua idade está na faculdade, transando com meninos, ganhando peso, tirando algumas notas boas e outras ruins. Mentindo para a mamãe e o papai. Colocando piercing no umbigo. Fazendo tatuagens duvidosas. — Ela sorri para mim. — Mas você não é assim, né? Michael disse que você não terminou o ensino médio, então não pode estudar garotos e trepar com livros. — Ela ri da própria piada.

— Eu *terminei* o ensino médio — respondo, na defensiva, a boca cheia de comida. — Bom, quase. Mais ou menos. Logo logo.

Ariel mordisca o abacaxi. Ela me olha fixamente, as lentes dos óculos fazendo os olhos dela parecerem um pouco maiores. Então ela faz um som no fundo da garganta, grave, parecido com um estalo baixo.

— Você guarda as pessoas dentro de você, é isso. Lembranças e arrependimentos te engolem, crescem aí dentro, e então...

Olho para ela, assustada com essas palavras estranhas. A fisionomia dela é suave quando continua:

— E aí, bum, você explode. Foi assim que você fez isso? — Ela aponta para os meus braços, escondidos embaixo do moletom.

Olho fixo para o meu prato. Bum! *Sim*.

Ela sorri de novo.

— Como você vai viver essa vida tão difícil, Charlotte?

O som do meu nome me faz erguer o rosto. Pó rosado cobre as bochechas queimadas de sol de Ariel, linhas minúsculas de batom marcam nas rugas acima de sua boca. Não consigo imaginar ter a idade dela, como ela chegou aqui, nesta casa arejada, sua vida. Já é difícil imaginar o dia seguinte. Não sei o que dizer.

Ela estende a mão por cima da mesa e acaricia a cicatriz na minha testa. Seus dedos estão quentes e por um segundo eu relaxo, afundando em seu toque.

— Você é só um bebê — diz baixinho. — Tão novinha.

Eu me levanto, trombando desajeitada na mesa. Ela estava se aproximando e eu, permitindo. A comida e a gentileza me deixaram sonolenta e acomodada. *Fique sempre ligada*, Evan avisaria. *A raposa tem muitos disfarces.*

Ela suspira, endireita os ombros e recolhe as migalhas da mesa na palma da mão. Levanta o queixo em direção à porta dos fundos: meu convite para sair.

Ao sair, bato com o quadril em uma mesa estreita. Algo brilhante espreita embaixo de uma confusão de envelopes e correspondências. Nem penso duas vezes antes de colocar no bolso do macacão. Ariel tirou um pouco de mim esta noite, por isso estou tirando um pouco dela.

Tiro o objeto do bolso e o coloco no chão da garagem de Mikey. É uma cruz vermelha, um pouco maior que a minha mão, feita de gesso e incrustada de enormes caveiras brancas com órbitas pintadas, narinas e bocas pontilhadas pintados de preto. As laterais foram mergulhadas em glitter vermelho espesso.

A cruz de caveira é extravagante, mequetrefe e maravilhosa, e me enche de dor palpável: Ellis teria adorado, teria comprado várias outras para pregar nas paredes de seu quarto pintadas de azul, onde elas dividiriam um espaço taciturno com pôsteres e recortes de Morrissey, Elliott Smith, Georgia O'Keeffe e Edith, a Boneca Solitária.

Acho um velho cachecol listrado no baú de Mikey, enrolo com cuidado a cruz nele e o coloco embaixo do travesseiro. Eu me levanto e olho em volta para o pequeno espaço da casa de Mikey, pensando no que Ariel disse, o que me oprime e me faz desejar a segurança do meu kit no baú, então vou para o minúsculo banheiro e balanço para a frente e para trás no vaso sanitário por algum tempo. Gasparzinho dizia que movimentos repetitivos, como balançar ou até mesmo pular no lugar, podem ajudar a acalmar os nervos.

Quando me sinto sobrecarregada e não consigo me concentrar em uma coisa só, quando todo o meu horror me atinge de uma vez, é como se eu fosse um daqueles tornados gigantes de desenho animado, do tipo cinza encorpado que suga tudo em seu caminho: o carteiro desavisado, uma vaca, um cachorro, um hidrante. Meu Eu Tornado pega cada coisa ruim que eu já fiz, cada pessoa com quem transei e que ferrei, cada corte que eu fiz, tudo, tudo. Meu Eu Tornado gira e gira, ficando cada vez mais imenso e lotado.

Preciso tomar cuidado. Me sentir sobrecarregada, me sentir impotente, ficar presa no tornado de vergonha e vazio é um gatilho.

Gasparzinho me disse:

— Você só pode lidar com uma coisa de cada vez. Escolha uma meta. Siga firme e forte. Quando cumprir essa meta, comece outra. — Ela me disse para começar com coisas pequenas.

Digo para mim mesma: você saiu de Creeley, independentemente de como tenha acontecido. Entrou em um ônibus. Veio para o deserto. Encontrou comida. Não se cortou nesse lugar novo. Conseguiu um *emprego*.

Repito essas frases até o tornado parar de girar. Quando Mikey chegar, tudo vai ficar um pouco melhor.

Em voz alta, digo:

— Um lugar para morar.

Tenho dinheiro. Posso arranjar um lugar para morar. É o que digo para mim mesma, uma espécie de mantra, enquanto me aconchego no colchão de Mikey e pego no sono.

Linus está esperando por mim do lado de fora da cafeteria na manhã seguinte, prendendo o cabelo rosa com um elástico. Ela projeta o lábio inferior para a frente.

— Por acaso você viu o Riley?

Quando balanço a cabeça, ela franze a testa.

— Merda. Ok. Vamos.

Ela destranca a porta da cafeteria, aperta alguns botões do alarme de segurança. Pendura as coisas em um cabide.

— Julie demorou um pouco em Sedona. Pode ser que se atrase. Não tem problema. Ela tem uma energia um pouco relaxada demais, não usa relógio como o resto do mundo. Enquanto isso, você pode me ajudar a arrumar as coisas. Ouvi dizer que o Peter Lee e o Tanner ficaram no Tap Room até fechar ontem, então eles vão se atrasar. É um bar lá no centro. Você é meio nova demais pra saber dessas coisas.

Ela tira os aventais da máquina de lavar louça, faz careta ao tocar na umidade e joga um para mim.

— Acho que Riley não te passou as informações que nós damos para os funcionários novos, então vou explicar o básico: você pode tomar café normal de graça, o quanto quiser, e quase todo tipo de bebida expresso que quiser, mas tenha consciência, porque se parecer que você está tomando demais a Julie vai começar a cobrar. Na teoria, você precisa pagar pela comida, mas de novo, não é bem assim. Tipo, se a gente anota o pedido errado? Tá me entendendo? Se quiser fumar, tem que ir lá fora, mas às vezes pode fumar no saguão. — Ela sorri, apontando além da área da grelha e dos pratos, para um corredor cheio de esfregões, vassouras e baldes. — Mas não deixe a Julie ver. O escritório dela fica lá no fundo e ela odeia cheiro de cigarro.

Ela faz uma pausa.

— E aí a gente precisa falar do Riley. Tem algumas regras que só se aplicam a ele, e ele quebra todas, mas a Julie deixa porque ele é irmão dela, e ela tem uma noção distorcida pra cacete do que é amor. Então, pra *você*, o que isso quer dizer é... às vezes ele fuma bem ali, na cozinha, quando ela não está. E às vezes ele bebe ali também. E, já que você fica lá no fundo, e eu costumo ficar aqui, é meio que seu trabalho ficar de olho nele e me avisar se isso aqui for virar um inferno. Se é que você me entende.

Ela me olha com cuidado.

— Combinado?

Assinto.

— Bom, continuando. Primeiro a gente faz a mágica acontecer.

Ela me guia até a máquina de café expresso, os potes de metal que contêm cinco tipos diferentes de café, a vitrine de comidas fumegante que dá para a área de estar da cafeteria.

— Mas *antes* de mais nada — continua ela — a gente precisa colocar música. — Ela remexe as pilhas de CDs e fitas na bancada. Tem mais CDs enfiados dentro do armário de baixo em meio a blocos de pedidos verdes, caixas de lápis e canetas, bobina da caixa registradora e uma garrafa de uísque, o que faz Linus suspirar fundo. Ela empurra a garrafa para longe, fora da vista.

Ela olha para mim.

— A gente escolhe a música de acordo com o nosso estado de espírito. Mais tarde pode escolher de acordo com o cliente, a não ser que seja alguém que a gente odeie. Hoje de manhã a gente está se sentindo bem...

Ela faz uma pausa.

— Triste. Tanta coisa não dita na minha vida. Você com certeza é nova demais para entender isso, né? — Ela pisca para mim. — Van Morrison hoje. "T.B. Sheets." Conhece? Estou meio que no clima do Morrison.

Assinto, mas fico um pouco tensa, por causa do meu pai. No entanto, quando *Da da dat da da da da da* preenche o espaço, começo a relaxar; a música é familiar e reconfortante, e tento pensar nisso como se meu pai estivesse aqui comigo, de um jeito estranho.

Ela analisa os grãos de aparência oleosa nas caixas transparentes: KONA, FRANCÊS, GUATEMALTECO, ETÍOPE, MONTANHA-AZUL,

QUENIANO. Os chás ficam soltos em prateleiras de madeira. Eles se parecem com pequenas e perfumadas pilhas de galhos. Pela enorme janela que se abre para a Fourth Avenue, vejo que outros lugares também estão abrindo, janelas sendo lavadas, estantes de produtos colocadas nas calçadas, mesas sendo levadas para fora. O dia está começando para todos na avenida, inclusive, percebo, para mim. Eu tenho um *emprego*. É meio nojento, mas é *meu*. Eu faço parte de uma coisa. Subi pelo menos um degrau na escada. Eu gostaria que Gasparzinho estivesse aqui. Ela provavelmente ia querer comemorar com um bate aqui e essas coisas bobas. E estou tão orgulhosa de mim mesma que era bem capaz de deixar.

Alguém aparece na frente da janela do True Grit, bloqueando a luz.

Linus me dá uma cotovelada para sair do caminho, fazendo o movimento do relógio para um homem de rosto sujo na calçada: batendo no pulso dez vezes, o que deve significar que ele precisa esperar mais dez minutos. Ele balança a cabeça, a aba do chapéu de palha dura sobre os olhos. O homem se inclina no bicicletário, enfiando um jornal debaixo do braço. Começa uma intrincada conversa consigo mesmo.

Linus volta a moer os grãos, gritando por cima do som dos grãos sendo esmagados.

— É o Cara dos Quinze-Minutos-Cagando. Ele vem todo dia assim que a gente abre. Traz um jornal e um balde. Passa quinze minutos cagando e depois a gente deixa ele levar pó velho de café no balde. — Ela aponta para um balde vazio de picles de vinte litros.

Eu a encaro. Tenho que gritar para soar mais alto que o moedor.

— É sério? A parte da cagada? Quinze minutos?

Ela assente.

— Sério. E, como encarregada da limpeza, faz parte do seu trabalho entrar lá depois que ele acabar e ver se tá tudo certinho. Conferir se está tudo limpo. — Ela pisca. — Mas, sabe, ele usa a borra no jardim, na Sixth, e porra, aquele jardim é lindo pra cacete. Girassóis quase da minha altura e tomates do tamanho dos meus peitos.

Eu rio sem pensar, uma gargalhada alta, e cubro a boca rápido. Linus me tranquiliza:

— Tudo bem! Pode rir. Eu sou *engraçada* pra cacete, não sou? — Ela me cutuca com o cotovelo. Tiro a mão da boca.

Sorrio de volta para ela.

— Melhor assim. Gostei. — Ela enche um pote com água e me entrega o filtro com os grãos etíopes, abaixando a cabeça para que nossos olhos fiquem no mesmo nível. Uma leve penugem escura marca o espaço entre as sobrancelhas dela.

— Julie vai amar você, não se preocupe. Ela ama pessoas ferradas e você cheira a problema. Sem querer ofender. É estranho, mas aqui isso é bom. Somos cinquenta tons de loucura aqui.

Ela enche duas canecas de café e me entrega uma.

— Agora, deixa o Cara dos Quinze-Minutos-Cagando entrar.

Por volta das oito e meia, o rosto de Linus está vermelho e ela está xingando, correndo da frente da cafeteria para a grelha, cortando bagels e jogando-os na torradeira. A equipe de garçons está atrasada; Riley ainda não chegou. Ele deveria chegar às seis para preparar os pedidos do café da manhã: os molhos de pimenta nas panelas, as batatas fritas caseiras na grelha. Linus já me pediu para cuidar das batatas e depois me xingou quando não lembrei de virá-las em intervalos regulares.

— Você vai ter que ir buscar ele — ordena ela, enfim, enfiando uma garfada de tofu mexido na boca. Meu estômago ronca enquanto a observo. Esqueci de comer antes de sair de casa.

— Ele não tem celular e eu não posso sair nem fechar o café. Julie me mataria.

Ela rabisca um endereço e direções em um papel. Me diz para chamar um dos dois caras jogando lá fora, um de rosto redondo, para servir as mesas enquanto ela cozinha.

— Pode falar que ele vai beber café de graça pelo resto do dia.

Do lado de fora, olho as instruções que ela me deu. É no centro da cidade, não muito longe, pela passagem subterrânea, eu acho. Tiro a trava da bicicleta e saio.

Ele mora na esquina de um banco de sangue, em um bangalô azul--claro que fica atrás de alguns choupos-brancos bem cheios, em uma rua de casas coloridas e carros velhos com adesivos de para-choque descascados. Na varanda da frente, passo por um cinzeiro cheio e uma única garrafa vazia de cerveja ao lado de uma cadeira de jardim com livros de bolso empilhados, as pontas dobradas.

Ninguém atende quando bato, e noto que a porta de tela não está trancada. Quando empurro a porta da frente, só um pouquinho, ela abre. Eu chamo, baixinho:

— Tem alguém aí? Você perdeu a hora...

Sem resposta. Hesito por alguns segundos, espiando pela fresta da porta. Não quero encontrá-lo pelado na cama com uma garota, mas não quero ter que voltar para Linus sem nem ter tentado. E também estou meio curiosa para saber o que Riley está fazendo. Como é a vida dele, essa pessoa que já fez parte de uma banda e agora prepara comida.

Abro a porta por completo e entro, empurrando para o lado um par de All Star preto desbotado. A sala da frente está cheia de livros empilhados no chão e enfiados em uma estante de carvalho envidraçada que vai do chão até o teto.

Tem um sofá de veludo vinho na parede oposta, embaixo de uma janela aberta sem cortinas.

Entro na cozinha e o calendário na parede chama minha atenção. Garotas pin-up dos anos 1940, cheias de curvas, com luzes no cabelo, pernas compridas, seios preenchendo o tecido das roupas de banho. A página é de novembro.

Hoje é o último dia de maio. Nos últimos quarenta e cinco dias, tentei me matar; fui colocada em uma ala psiquiátrica; atravessei o país de ônibus; arrumei um emprego lavando pratos em uma cafeteria decadente; e agora estou fuçando na casa de um esquisito que, pelo jeito, tem problema com bebida. Um esquisito gato, mas ainda assim esquisito.

Nem mesmo Ellis poderia fazer tudo isso parecer divino.

Ando por um corredor escuro e abro uma porta devagar. Um banheiro minúsculo, pintado de branco. Banheira com pés e chuveiro. Espelho sujo com armário de remédios. Fotografia de cartão-postal emoldurada de Bob Dylan na frente de um Studebaker. *Woodstock*,

1968, diz na parte inferior. Inspeciono o cartão-postal, um tanto melancólica. Meu pai adorava ouvir "Nashville Skyline". Ele me contou que Bob sofreu um acidente grave de moto e parou de beber e fumar, e era por isso que sua voz era pura e profunda no álbum. Deus estava voltando para Dylan. Foi o que meu pai me contou.

    A outra porta está entreaberta. Hesito antes de bater. Com o coração martelando, bato suavemente e a empurro com cuidado, os olhos semicerrados por precaução.

    Ele está deitado de costas na cama, ainda com a roupa de ontem: a camiseta branca manchada de comida, a calça marrom folgada. Seus braços estão atrás da cabeça e os olhos, fechados. Ele usa uma colcha dobrada como travesseiro. As roupas estão jogadas em uma poltrona de couro fofa. No chão ao lado da cama há um cinzeiro cheio e dois maços de cigarros amassados. O quarto cheira a fumaça velha e suor.

    Com o coração acelerado, respiro fundo, digo o nome dele.

    Nenhuma resposta.

    Ele está morto? Eu me aproximo, olhando para o peito dele, tentando ver se está subindo e descendo, mesmo que de leve.

    — *Riley*.

    Um odor curioso paira sobre seu corpo. Isso não é cheiro de álcool, de suor ou de fumaça. É outra coisa. Eu me abaixo e inspiro.

    De repente, ele abre os olhos e se senta.

    Antes que eu possa pular para trás, ele me agarra pelo pulso, me puxa entre as pernas e usa os joelhos para me prender. Não consigo respirar. A adrenalina dispara pelo meu corpo.

    Meu cérebro revira com imagens do rosto terrível do Frank Maldito. A respiração de Riley é quente na minha orelha. Estou lutando, mas ele me segura com muita força, mesmo quando imploro:

    — Me larga! Me larga!

    Sua voz é baixa e ligeiramente rouca.

    — Quem é você, Garota Estranha? Entrando escondido na minha casa. Veio me roubar?

    — Vai se foder. — Preciso de muito esforço para não entrar em pânico, para permanecer no momento, não flutuar. Não consigo entender por que ele está fazendo isso. Parecia tão legal. Direciono meu cotovelo e tento cutucar a barriga dele, mas ele segura meus pulsos com tanta força que minha pele começa a arder e não consigo me mexer.

— Me solta, porra. — Ofegante.

A respiração dele é quente contra minha bochecha e pescoço, e agora Frank Maldito se foi e é o homem na passagem subterrânea que surge na minha mente, uma lembrança sombria e cheia de medo que engatilha minha emoção da rua de novo, algo que achei que tivesse ficado para trás. *Não!* Eu grito.

Uso toda a força para virar a cintura, ganhando alguma vantagem, e piso na merda do pé dele o mais forte que consigo. Ele grita, abre os braços e me solta. Eu cambaleio até a porta aberta, a uma distância segura o bastante. Ele segura o pé descalço, o rosto contorcido de dor. Eu esfrego meus pulsos doloridos, olhando para ele.

— Meu Deus, eu tava brincando. — Ele faz cara feia para mim. — Você acha que eu ia fazer alguma coisa, sei lá?

— Babaca. — Estou respirando fundo, tentando forçar o ar para baixo o suficiente para apagar o tornado que começa em meu corpo. — Você é horrível. Não tem graça nenhuma. Por que você achou que seria engraçado? Levanta essa porra dessa bunda e vai trabalhar.

Continuo respirando fundo, engolindo ar, mas agora também estou soluçando, e as lágrimas escorrem pelo meu rosto, e isso é a última coisa que eu quero.

— Nossa, meu bem — diz Riley, ficando sério de repente —, me desculpa.

Seco o rosto com raiva. Inferno *maldito*. Pessoas *malditas*. Chorando na frente dele.

Riley olha para mim, os círculos sob seus olhos como meias-luas pretas. O que quer que tenha causado aquelas manchas escuras, tenho certeza de que não foi só álcool.

— Desculpa. Eu sinto muito, de verdade. Eu sou um babaca, sou mesmo. Não chora. Não queria te fazer *chorar*. — A voz dele está diferente agora, mais suave.

Olhamos um para o outro e vejo algo passar em sua expressão, muito sutil, uma tristeza, uma percepção sobre *mim* que me faz querer chorar ainda mais, porque ele *sabe*, agora ele sabe, que alguma coisa aconteceu comigo, e que não foi certo me agarrar daquele jeito.

Ele parece envergonhado.

— Linus... Linus mandou você ir trabalhar. — Eu me viro e saio correndo do quarto. Saio da casa, batendo a porta, e arranco com a bicicleta o mais rápido que consigo.

No caminho de volta para o café, enquanto passo pela passagem subterrânea da Fourth Avenue, em algum lugar naquele súbito clarão de escuridão que substitui o sol impossivelmente claro desta cidade, penso que ele sabia que Linus não poderia vir. Ele sabia que eu estaria trabalhando na cafeteria e teria que vir chamá-lo.

Ele não estava dormindo. Estava me esperando. Achei que ele fosse uma pessoa legal e agora me lembro: *As pessoas não são legais, as pessoas não são legais, você já devia saber disso.*

Paro a bicicleta. Eu poderia simplesmente voltar, voltar para a casa de Mikey, fechar a porta, empurrar o baú na frente dela, resgatar meu kit. Não voltar para o Grit. Não ter que olhar para a cara dele. Não ter que lidar com isso.

Mas, se fizer isso, vou perder o pouco que ganhei. Respiro fundo, fecho os olhos. Blue volta à minha mente. O cereal era aquilo?

Um carro buzina para mim, me fazendo voltar para a realidade. Antes que eu possa processar, estou pedalando para a cafeteria de novo.

Do lado de fora do True Grit, as mesas na calçada já estão cheias, os caras que jogavam jogos de tabuleiro olham carrancudos para as xícaras de café vazias, as pessoas se abanam com o cardápio. O zumbido alto dos clientes irrompe quando disparo pela porta de tela dos funcionários e corro para colocar meu avental.

Linus joga a espátula e xinga quando me vê sozinha.

— Merda. Eu sabia. Ele costuma ficar só bêbado, mas se está atrasado assim, tipo *tão* atrasado? Quer dizer que ele estava usando. Eu sabia.

Antes que eu possa perguntar *usando* o quê, um cara com tatuagens no pescoço irrompe pelas portas duplas e grita:

— Pedido! — E bate com a folha verde no balcão na frente de Linus. Ele corre para a frente para registrar mais pedidos no caixa enquanto Linus acelera na grelha, servindo ovos em pratos e torrando bagels. Eu me viro para a máquina de lavar louça, vapor cobrindo meu rosto. O que Linus disse sobre Riley faz eco na minha cabeça.

Antes de cair de cara no riacho íngreme em Mears Park e quase se afogar, DannyBoy tinha começado a ficar à espreita na Rice Street, procurando um homem de rosto magro em uma jaqueta preta de vinil com detalhes roxos. O que quer que DannyBoy tomasse, primeiro fazia seu rosto ficar cinza, a barriga se contrair; depois disso, ele era como um bebê.

Mas o cheiro estranho de Riley, a força com que ele me agarrou. O que quer que tenha usado não é a mesma coisa que DannyBoy usava. DannyBoy era só amor e suspiros. O que quer que Riley tomou ontem fez ele virar uma pessoa má.

A CORRERIA DO CAFÉ DA MANHÃ DIMINUIU, E ESTOU COM UMA montanha de pratos e canecas de café no momento em que a porta de tela se abre. Quando olho, vejo Riley se curvando à frente de uma mulher robusta que parece uma tenda, vestida em um tecido marrom longo e solto. Ela olha em volta, balançando a cabeça para Linus atrás da grelha, que no mesmo instante encontra um avental para cobrir sua camisa suja. Riley tomou banho: seu cabelo está menos emaranhado e a roupa, ainda que seja de novo uma camiseta branca e uma calça marrom, parecem ser uma camiseta branca e uma calça marrom *mais limpas*.

Ele olha para mim, divertido, com um brilho nos olhos.

— Bom — comenta, alegre —, parece que a sua entrevista de emprego vai ser agora.

Ele fala como se nada tivesse acontecido. Meus pulsos ainda estão com marcas avermelhadas onde ele me segurou com força.

A mulher acena com a cabeça em direção ao longo corredor e eu a sigo, sem tirar o avental úmido. No meio do corredor, me viro para encarar Riley, que está correndo atrás de mim. Eu sibilo:

— Você é um merda.

— Você não é a primeira pessoa que me diz isso, querida.

A mulher se joga em uma cadeira giratória atrás de uma mesa repleta de papéis, recibos, pastas, copos cheios de canetas e lápis e uma tigela de pedras azuis luminosas. Ela apoia a testa na mesa.

— Estou tão cansada.

Na parede acinzentada atrás dela, há um retrato emoldurado de um time feminino de softball, rostos queimados de sol, cabelos descoloridos pelo sol presos por bonés verdes. Olho para as sardas escuras formando um mapa no rosto da mulher. É fácil localizá-la na fotografia, bem à direita, com o taco apoiado no ombro, as coxas esticando a bainha do short.

Sua mão tateia a mesa em busca de algo, *tap-tap-tap*. Ela parece confusa, mas de um jeito engraçado e legal.

Riley está esticado no sofá, de olhos fechados. Não sei o que fazer, então fico parada ao lado da porta, as costas encostadas na parede.

— Você não me trouxe café — reclama para Riley.

— Você não me falou para trazer café.

— Bom, então vá pegar.

Ela levanta a cabeça e olha para mim.

— Julie. Julie Baxter. E você é? — Ela recosta a cabeça na mesa e choraminga.

Eu me pergunto por que ela e Riley não têm o mesmo sobrenome. Será que ela é casada?

— Riley? Por que você não foi pegar o meu café? — A voz de Julie vem abafada da mesa.

Riley se levanta do sofá. Ele para ao meu lado.

— Quer café?

Balanço a cabeça. Ainda estou com raiva e assustada pelo que ele fez. Seu rosto parece cansado, mas ele está meio irrequieto, saindo de um jeito engraçado porta afora. Espero Riley passar pela porta antes de me virar para Julie.

Digo, com doçura:

— Meu nome é Charlie.

Julie se endireitou na cadeira. Ela parece não me ouvir.

— Hã — comenta, com suavidade —, que estranho.

Ela olha para o teto, com a boca entreaberta. Então prossegue, olhando diretamente para mim:

— Sabe como é, o *Riley normal* nunca teria perguntado se você queria café. O *Riley normal* teria trazido o café pra você, e grandes chances de ser uma coisa bem extravagante, tipo um *mochaccino* com chantili extra e granulado de morango. Porque o *Riley normal* tem que flertar com toda mulher na face da Terra. Jovem, velha, meio-termo, gorda, magra, nem uma nem outra. Não importa. Ele teria trazido um presente bacana pra você, então você teria se emocionado e rido, e ele conseguiria mais uma aliada. Apesar de que, para ser sincera, você não me parece do tipo iludida.

Ela para e cruza as mãos.

— Não seria bem uma conquista, mas com certeza uma aliada. Ele é movido a agradar todo mundo, mesmo quando parece querer negar. Então isso é interessante. Bem interessante. Aconteceu alguma coisa entre vocês dois. — Ela rola um lápis entre as mãos. — Dá pra perceber. Minha intuição não falha.

Seus olhos castanhos analisam meu rosto, mas mantenho a expressão neutra. Não vou contar o que aconteceu. Ela pode não querer me contratar. Vou tentar ficar longe dele.

Julie abre a boca para dizer mais alguma coisa, mas Riley volta com duas canecas de café. Ela o observa do mesmo jeito atento e inquisitivo que olhou para mim.

— Que foi — protesta ele, irritado —, por que tá me olhando assim?

— Intuição. Preciso desenvolver melhor a minha tese. — Ela segura o café com vontade. — Enfim! Vamos lá, Charlie! Viu? Eu estava prestando atenção. Aposto que você achou que eu não estava. Tem uma cicatriz que parece doer muito na testa e está de macacão no deserto, duas coisas que parecem ao mesmo tempo interessantes e tristes. — Ela dá um longo gole no café. — Por que você está aqui?

Olho para Riley sem pensar, mas ele só dá de ombros, voltando a sentar no sofá, a caneca de café apoiada no peito.

Flexiono os dedos atrás das costas.

— Dinheiro?

— Não, por que você está *aqui*? — Julie fecha os olhos por alguns instantes, como se estivesse irritada.

— Tipo, por que estou neste planeta e tal?

— No Arizona. Vamos falar do planeta outro dia. Essa conversa é muito mais complexa. — Ela aperta os olhos para mim enquanto toma o café.

— Eu me mudei? De Minnesota? — O que mais devo dizer?

— Deve ser por causa de um menino — Riley ri.

— Cala a *boca* — digo, irritada. — Por que você não para de falar isso? Nem é *verdade*.

Julie interrompe:

— Então qual *é* a verdade?

E antes que eu possa me conter, porque toda a manhã foi uma merda que agora inclui esta estranha *entrevista de emprego*, eu deixo escapar:

— Eu tentei me matar, tá? Eu errei e aqui estou eu. E estou com muita fome e preciso de dinheiro. E preciso da merda de um trabalho.

— Assim que termino de falar, quero desesperadamente juntar cada palavra que disse e enfiar de volta na boca. *Esquisita*, ela deve estar pensando. Por instinto, verifico as mangas da camiseta, me certificando de que estão cobrindo meus braços.

Sinto Riley me encarando, sem parar. Preciso de todas as minhas forças para não olhar para ele.

De repente ele se levanta do sofá e sai do escritório.

Julie semicerra os olhos algumas vezes, como se estivesse tentando tirar poeira que entrou de repente. Sinto um frio na barriga. Ela vai me mandar ir embora. É impossível que queira me manter aqui agora. Começo a desamarrar o avental.

Em vez disso, ela inclina a cabeça para mim. Seus olhos são gentis e tristes.

— Tem muita *coisa* aqui, né? — Como um pássaro, a mão tremula diante do peito, perto do coração.

Ela assente para si mesma, tocando a tigela de pedras azuis em sua mesa.

— *Sim*, é isso que eu *faço*. Eu gosto de *conversar* com as pessoas. Me dá muito mais noção do que elas são do que perguntar se já trabalharam lavando pratos ou carregando comida ou limpando com o esfregão ou o que elas estudaram na escola. — Ela olha para mim, o rosto cheio de sardas, os olhos claros. — Vem aqui — pede ela.

Dou um passo à frente e ela segura minhas mãos. Seus olhos são pequenas fontes de calor. As mãos de Julie são firmes e suaves, *maternais*. Tap, tap, tap. A pele dela exala o cheiro de óleo de lavanda.

Ela fecha os olhos.

— Agora estou *sentindo* você de verdade.

Ela abre os olhos e solta minhas mãos. Enfia uma das mãos em uma das tigelas e pressiona uma pedra na minha palma, fechando os dedos em torno dela. A pedra tem um calor diferente.

— Lápis-lazúli — explica. — Elas têm uma capacidade de cura incrível, sabia? Têm o poder de abrir caminhos na confusão e na turbulência emocional. Me ajudam muito a resolver umas merdas de vez em quando. Você entende de pedras?

— Não sei nada sobre elas — respondo. Minha voz parece um fiapo. Como uma pedrinha pode ter tanto poder? Fecho os dedos em torno dela. — Você, tipo, reza pra ela ou coisa assim? — Conversar com pedras. Isso seria um prato cheio para a zoeira da Blue.

— Se você quiser. — Julie sorri. — Ou você pode só segurar, fechar os olhos e se permitir sentir a energia, e confiar que a energia da pedra vai sentir *você*.

Ela escreve alguma coisa em um bloco de anotações.

— É um conhecimento muito bonito, pedras. Você devia pensar mais nisso. Amanhã vou trazer um pouco de aloe vera pra aplicar nessa cicatriz na sua cabeça. Pode ficar com a pedra. É pra você.

Ela desliza alguns formulários sobre a mesa.

— Aqui. Você precisa preencher isso para os impostos e a folha de pagamento. Me traga amanhã, junto com seus documentos, e vamos registrar você. — Pego os papéis e dobro, enfiando no bolso do macacão.

Ela me entrega uma folha de papel, com dias e horas anotados. Quatro dias por semana, das sete da manhã às três da tarde.

— Esses são os seus horários, Charlie. Meu irmão pode ser um babaca e tanto, mas ele é meu irmão. Ele cai, eu o levanto, ele me empurra, ele cai, eu o levanto e por aí vai.

O telefone toca e ela se vira para atender.

Fico ali por alguns instantes até perceber que aquele é o sinal para eu ir embora. Ando devagar pelo corredor, a pedra ainda na minha mão. Quando vejo Riley perto da louça, limpando o balcão, desvio o olhar depressa e guardo a pedra no bolso.

Começo a colocar as canecas de café nas caixas, jogo fora os guardanapos molhados e as colherinhas tortas. Riley se aproxima e pega uma caneca, inclinando-a para que eu possa ver dentro.

— É melhor dar uma passada de água nisso, tá vendo as manchas de café? É bom deixar de molho uma vez por semana mais ou menos, com umas tampinhas de alvejante em água quente. É só encher uma das pias ou um balde vazio. Sempre que você notar, na verdade. A Julie gosta das canecas bem limpinhas.

Assinto sem olhar para ele.

Riley sussurra:

— Sou uma pessoa horrível. Mas você já percebeu isso.

Quando não digo nada, ele pressiona um dedo na minha manga, logo acima do meu pulso. Ele se inclina para mais perto de mim.

— Não precisava mentir para mim e falar que foi o gato. Eu sei bem como é estar com a mente perturbada.

— Riley! — grita o cara tatuado da estação de espera. — Conta pra gente do dia que você vomitou nos sapatos de Adam Levine!

— Ah, essa história é boa. — Linus ri muito, como um cavalo de desenho animado. Eu me viro e ela pisca para mim.

Riley acende um cigarro e traga fundo, a fumaça saindo de suas narinas enquanto ele caminha de volta para perto das louças.

— Bom, vamos lá. Vomitar não é novidade no rock 'n' roll. É meio que esperado, na verdade. Não fui o primeiro e com certeza não vou ser o último a vomitar no sr. Levine. Mas quero lembrar que a vítima da minha indecência digestiva não foi só o sapato do sr. Levine, mas ele todo. Começou assim...

Volto a lavar a louça, ainda ouvindo Riley contar sua história, seguindo o ritmo e a cadência de sua voz áspera de cigarro, mas ainda pensando no que ele disse: *Sei bem como é estar com a mente perturbada.*

Por mais que eu não queira, o que ele disse acaba me sensibilizando. Eu devia mandar fazer a porra de uma camiseta com a frase dele, porque é o lema da minha vida também. E isso quer dizer que, por mais que ele tenha sido horrível hoje de manhã, e por mais que esteja sendo legal comigo agora, e contando uma história muito divertida, ele e eu somos mais parecidos do que eu gostaria de admitir.

Meu rosto fica vermelho. Enfio a mão no bolso e aperto a pedra, querendo que ela me diga para parar de pensar o que estou pensando, mas a pedra permanece em silêncio.

Depois do trabalho, pego um pouco do dinheiro que Riley me deu e compro um saco de batata chips e um chá gelado na loja. Estou com tanta fome que abro na mesma hora, devorando tudo enquanto olho os preços dos aluguéis no quadro comunitário do lado de fora.

Não parece promissor. Fico com o coração na mão. A maioria pede três meses de caução. Se eu conseguir um apartamento de um quarto com aluguel de seiscentos dólares, isso quer dizer mil e oitocentos dólares adiantados, mais as contas. Como vou fazer para pagar as contas? Preciso pagar adiantado por isso também? Faço alguns cálculos de cabeça: com o que True Grit me pagar, não vai sobrar quase nada para o aluguel, e é bem difícil que eu tenha dinheiro para comida, gás ou eletricidade.

Ando pelo centro da cidade por um tempo até encontrar a biblioteca. Primeiro vou até o banheiro e espero uma mulher sair antes de pegar uma das garrafas de água vazias de Mikey da mochila e enchê-la com sabonete de limão do dispensador. Posso usar isso para tomar banho, mas vou precisar de uma escova e de pasta de dente. Enrolo papel higiênico no punho e coloco na mochila. Não tem mais rolos de papel na casa de Mikey.

No andar de baixo, descubro que você precisa se cadastrar para usar os computadores públicos e que o tempo é cronometrado. A jovem bibliotecária me olha com atenção quando escrevo meu nome na folha de cadastro, mas acredito que seja por causa da cicatriz na minha testa, porque sei que não estou fedendo e meus braços estão cobertos.

Eu me sento na frente do computador e pego o papel que Gasparzinho me deu. O endereço de e-mail dela foi impresso, mas ao lado dele ela escreveu, em uma caligrafia elegante e redonda, *Charlie, por favor, não hesite em entrar em contato. Quero ter notícias suas.* Ela até assinou seu nome verdadeiro. *Bethany*. Ignoro as informações sobre a casa de recuperação e o grupo de apoio, porque eram para Minnesota, e agora estou longe.

Faço login na conta de e-mail que configurei em Creeley durante meus estudos ALTERNAPRENDER. Eu nem sei o que devo dizer, então só começo a escrever.

Oi, não estou onde você pensa que estou e sinto muito por isso. Não ia dar certo com minha mãe e ela já sabia. Meu amigo Mikey mora em Tucson e estou aqui agora. Tenho um pouco de dinheiro e vou ficar na casa dele. Não é o melhor lugar do mundo, mas pelo menos não estou na rua. Também tenho um trabalho agora, lavando pratos. Deve ser para isso que eu sirvo. Eu tenho desenhado muito no meu livro. Acho que não estou com medo, mas pode ser que eu esteja. É estranho. Tudo é muito estranho. Tipo, eu não sei como viver. Quer dizer, consegui viver na rua e tudo mais, mas aquilo era diferente da vida normal — meio que era só não morrer. Não sei nada sobre contas da casa, "depósito caução" ou que comida comprar. Quase não falo com ninguém, mas já cansei de falar. Fale para todo mundo que mandei um oi e diga à Louisa que estou com saudade dela. — Charlie

Quando estou prestes a deslogar, vejo outra mensagem, soterrada entre os alertas do centro de educação on-line perguntando quando vou retomar as aulas e os de pessoas na Nigéria pedindo dinheiro.

O assunto é *Malditas fofoletes choronas*. Meu coração para. Hesito por alguns instantes, então abro a mensagem.

Ei, irmã de alma — Sasha foi futricar a mesa da Fantasmédica e achou seu arquivo. Tinha alguns e-mails daquela coisa de escola on-line que você estava fazendo — achei seu e-mail lá. A Fantasmédica tem um arquivo inteiro sobre vocêêêê. Coisa de novela — você nunca tinha falado de uma casa esquisita de sexo. Você está com a sua mãe agora? E isso tá funcionando? Tsc tsc para a Fantasmédica por deixar seu arquivo por aí, mas como você tá, porra? A Francie caiu fora — ela foi pro passe diário e não voltou mais. Louisa ainda está na mesma ladainha de sempre, escreve e escreve e blá-blá-blá. Então, como é a vida aí fora, Charlie? Ainda tenho muito tempo por aqui, mana, sem esperanças pra mim. Me dê um pouco! Isis vai embora daqui a três semanas e tá surtando. Até mais, Fofolete, me responde quando der. BLUE

O som do cronômetro me assusta e me faz largar o mouse. Uma mulher gorda com braços robustos me conduz para longe da cadeira, e quase não tenho tempo de sair da minha conta.

Vou da biblioteca até a praça. O sol está começando a se pôr, o céu em uma mistura bonita de rosa e lilás.

Por que Blue queria *me* encontrar? Ela nem *gostava* de mim em Creeley. Pelo menos é o que parecia.

Eu quero que aquele mundo continue escondido. Quero que aquele mundo continue a dois mil e quinhentos quilômetros de distância. Quero começar do zero.

Três caras imundos no gramado da biblioteca chamam minha atenção. Estão enrolando cigarros, encostados em suas mochilas escuras. Cerro os dentes. Não quero falar com eles, mas vou, porque eles vão me dar as informações que preciso.

Dois deles resmungam quando pergunto onde fica o banco de alimentos, mas o terceiro homem aponta para a rua e me diz o nome do lugar. Um dos outros diz:

— É, mas você não vai conseguir entrar, garota. Pra jantar lá tem que ficar na fila desde cedo, e ultimamente só tem bebês e mães lá. Não vai roubar um prato de comida que ia pra um bebê, garota.

Agradeço e tiro a trava da bicicleta. No caminho para casa, roubo um cobertor xadrez úmido que estava pendurado em uma cerca. Alguém deve ter deixado ali para secar. O próximo item na minha lista para começar do zero é um lugar para morar. O cobertor vai ser útil.

Na manhã seguinte, estou acordada antes de o sol nascer, desenhando à meia-luz, comendo um pedaço de pão com manteiga de amendoim. Estou desenhando a Ellis, o que me lembro dela. Ela gostava que eu falasse com ela enquanto ela tomava banho, a pele molhada e brilhante. Eu amava a pele dela, tão macia, saudável e sem cicatrizes.

Riley chega na hora para trabalhar, mas está com uma aparência péssima, o rosto pálido e os olhos escuros. Ele volta a ter um pouco mais de cor depois de beber escondido a cerveja da geladeira. Finjo que não vejo, mas acho que ele sabe que eu sei. Fico quieta a maior parte do tempo e ele também. Tenho a sensação de que é preciso ser sempre cheia de dedos com ele.

Depois do trabalho, volto de bicicleta para o centro. Encontro o abrigo e a cozinha; os homens estavam certos. Filas de mulheres de aparência resignada e crianças de olhos arregalados estão acampadas sob lonas se escondendo do sol, esperando a cozinha abrir para o jantar. Na parte de trás do prédio há cestos de roupas e utensílios domésticos embaixo de uma comprida tenda cinza. Um trabalhador do abrigo lê uma revista enquanto vasculho as lixeiras, pegando alguns pratos e xícaras manchadas de café, utensílios, uma tigela rosa lascada. Encontro um barril cheio de sacos de absorventes higiênicos, caixas de absorventes internos. A funcionária do abrigo me entrega dois rolos de papel higiênico e me diz que esse é o máximo. Ela me dá um saquinho com escova de dente, fio dental, dois preservativos, um tubo de pasta de dente, um panfleto com instruções para um fornecedor de alimentos que parece a quilômetros e quilômetros de distância, uma pilha de panfletos sobre ISTs e cupons de comida. Agradeço e ela dá um sorriso discreto. Não acho estranho vir em lugares como esse. Evan chamava de presentes de Deus. É o que é. Levo meus poucos suprimentos de volta para a casa de Mikey e desenho até escurecer completamente.

Já passa das dez horas quando vou até a Fourth Avenue e desço o beco atrás do Food Conspiracy. Tenho pensado nisso desde que vim para a cooperativa pela primeira vez — que este seria o lugar ideal para frutas e legumes jogados fora. Ainda sou contra usar o dinheiro que Ellis e eu ganhamos. Se eu gastar aquilo, vai ser para encontrar um lugar para morar, e o dinheiro que recebo do Grit não é muito. Meu estômago está começando a doer por causa de tantos sanduíches de manteiga de amendoim. Preciso de outra coisa.

Encho rapidamente a mochila com maçãs machucadas, pêssegos amassados, aipo mole demais. Quando estou fechando o zíper, noto que tem alguém na entrada do beco, me observando e balançando ligeiramente.

No abrigo, peguei um garfo para me proteger e o enfiei no bolso. Meus dedos apertam o talher agora enquanto olho para a figura que se balança no beco. Mas então solto o ar e meus dedos se afrouxam.

Riley dá uma tragada em seu cigarro. Antes que eu possa me conter, minhas palavras saem, hesitantes, desenrolando-se no beco até ele.

— Riley — digo. — Ei. Oi.

Quero que ele fale comigo, mas Riley simplesmente dá uma tragada no cigarro e continua andando.

— Tchau — solto, mas ele não olha para trás.

Fico esperando ele mencionar o que aconteceu na manhã seguinte no trabalho, mas ele não diz nada. Na verdade, ele passa o dia todo sem dizer nada.

No entanto, quando vou bater o ponto na hora de ir embora, ele aparece com uma sacola marrom. Há olheiras sob seus olhos.

— Se estiver com fome — diz ele —, peça. Não quero mais ver você em becos escuros, Garota Estranha. Beleza?

Ele volta para a cozinha sem esperar pela minha resposta.

Estou sentada do lado de fora para descansar um pouco, perto dos caras com jogos de tabuleiro, quando me dou conta de que o tipo de lugar que vou alugar pra mim, o tipo de lugar que, com esforço, vou conseguir pagar, não costuma colocar anúncios em lugares como o *Tucson Weekly* ou no quadro de avisos do Food Conspiracy. Comprovante de renda, dois meses de caução, depósito e, como um dos jogadores diz, para ajudar, quando espia por cima do meu ombro e olha os anúncios:

— Nunca morou em Tucson antes e nunca teve contas no seu nome? Precisa pagar duzentos e quarenta dólares só pra ligarem a merda do gás. Eles dizem que é um *depósito*.

Outro jogador acrescenta:

— Setenta e cinco dólares para ligar a eletricidade.

Todos começam a reclamar do aluguel e da economia. Eu me pergunto onde moram e o que fazem, porque não parecem ter empregos. Eles vêm aqui todos os dias, ficam o dia inteiro, tomam café e comem bagels, e depois vão para casa, deixando para trás as xícaras de café cheias de cigarros. Para eu limpar.

Evan.

Evan gostava de visitar restaurantes e bares que tinham mesas do lado de fora. Ele roubava cigarros deixados pela metade nos cinzeiros. Nos guiava pelas ruas mais estreitas de St. Paul, de onde as pessoas olhavam pelas janelas de apartamentos altos e abafados com olhos apáticos, ou presas em varandas fechadas. Quando conseguíamos juntar o dinheiro, às vezes conseguíamos encontrar um quarto para nós três ficarmos uma semana ou mais em alguma casa horrível, construindo barricadas na porta de má qualidade para manter do lado de fora os viciados que vinham pedir dinheiro tarde da noite. Mas era bom estar em um quarto em vez de agachados colados em um beco ou tentando encontrar um canto bom para dormir à beira do rio com todos os outros.

O tipo de lugar que vai me receber não cobra taxas, nem caução. Ele nem vai ter anúncio nos jornais. Jogo o *Weekly* na cadeira e volto ao trabalho.

Quando meu turno acaba, vou de bicicleta até o bairro de Riley e sigo alguns quarteirões adiante, onde as calçadas são mais estreitas e rachadas, e as casas mais grudadas umas nas outras. Assim como em St. Paul, as pessoas não fazem nada neste bairro, mas dessa vez estão em varandas de apartamentos caindo aos pedaços ou apoiadas nos postes de telefone, porque aqui é mais quente. Pedalo até encontrar uma placa cheia de garranchos e colada com durex na cerca de correntes em frente a um prédio branco com a pintura descascando: QUARTOS PARA ALUGAR, PERGUNTE NA RECEPÇÃO, 1A. A porta da frente do prédio está escancarada. Tem uma loja de bebidas a duas portas de distância, e nem precisa descer do carro para comprar.

Lá dentro, um senhor atende a porta do andar de baixo marcada com 1A, ESCRITÓRIO. O cômodo atrás dele está escuro. Ele pisca como se a luz o incomodasse.

— Você veio de algum programa do governo? Não tem problema se vier. Só quero saber antes.

— Eu nem sei o que é isso — respondo.

Ele dá de ombros e tira um molho de chaves do bolso. Percorremos juntos o saguão com carpete vermelho até as escadas, que têm cara de que devem ranger. O primeiro andar tem muitas portas, e a maioria delas está com a pintura descascada.

Tem fita adesiva azul prendendo o gesso solto nas paredes da escada. O velho para e se apoia no corrimão. Eu hesito e toco no cotovelo dele para ajudar. A pele ali é esbranquiçada e seca, rachada.

— Dezesseis degraus — sussurra ele —, aposto que você não sabe quantos anos eu tenho. — Seus olhos enrugados são tingidos de rosa. Pelos e cravos brotam do nariz. Minha avó sempre se cuidou: toda semana arrumava o cabelo e cheirava a creme e canela. Queria ter me lembrado de perguntar dela para a minha mãe, o que aconteceu para fazer o seguro parar de cobrir o Creeley.

Este homem é velho e não está bem cuidado. Ele ri, revelando uma boca úmida e quase vazia.

— Nem eu sei!

No segundo andar, ele faz uma pausa novamente.

— Você parece meio jovem para um lugar como esse, mas geralmente eu não faço perguntas. Muitas das pessoas aqui estão metidas em problemas. Só peço que não cause mais problemas, entendeu?

Assinto enquanto ele me leva a uma porta que foi rebocada e pintada com um tom pálido de marrom por cima de um tom já estranho de laranja. Já morei em lugares bem ruins com a minha mãe, com ratos que comiam os armários. Já morei na rua, com chuva e neve. Morei na Casa da Semente. Essas paredes finas, quebradas e mal pintadas, e esse homem velho, muito velho: tudo isso está em algum lugar no meio do caminho. Depois de tudo que já passei, não é bem o paraíso, mas está longe de ser o inferno.

O quarto não é muito maior do que um quarto de casal, com uma salinha ao lado. Aquela sala, descubro quando vou espiar, é uma mistura de cozinha e banheiro, com uma geladeira rosa amassada e uma pia velha de um lado, e a privada e uma banheira minúscula com pezinho do outro. Não tem fogão, e essa é a menor banheira que já vi na minha vida. Quando entro e me sento, meus joelhos ficam quase grudados no peito. É estranho, mas eu meio que gosto.

Ele dá de ombros.

— O prédio é velho. De 1818, talvez? Antigamente, ter banheira era puro luxo. As pessoas colocavam uma tábua em cima dela pra poder comer. Virava a mesa de jantar! Tem um banheiro compartilhado no corredor para os homens. Tento deixar as mulheres ficarem com os quartos que têm banheiro.

Ele pronuncia *em cima* tipo *em chima*. *As pessoas colocavam uma tábua em chima dela pra poder comer.*

O teto é uma confusão de papel descascando e manchas vermelhas e amarelas. Olho para o homem.

Ele esfrega o queixo, pensativo.

— É que, assim, isso é coisa do velho Roger. Às vezes ele tinha uns ataques quando bebia e começava a brigar com a mostarda e o ketchup. Ele adorava cachorro-quente, nosso Roger. Tem uma escada que você pode usar para limpar. Pode descontar vinte pratas do primeiro mês, já que o quarto não está limpo. Tem um cara no primeiro andar que fazia esses serviços, mas ele não quer mais fazer. — Ele pausa. — Pode chamar ele de Professor, porque era esse o antigo trabalho dele, acho eu. Ele está sempre tagarelando sobre alguma coisa. Acho que não dá pra se livrar da pessoa que você era antes. Isso meio que fica em você.

Na rua, era assim que algumas pessoas mais velhas eram conhecidas: não pelo nome, mas pelo que elas faziam antes, antes de acabarem sem um lugar para morar. *Cara da Grana. Tia da Padaria. Mano da Pizza.* Mas, quando se era criança, só te chamavam disso: Criança. Me pergunto como vou ser chamada aqui, se vou voltar a ser Criança.

Eu me pergunto como o Professor saiu das salas de aula para este lugar caindo aos pedaços.

O velho volta a observar o quarto. Ele parece intrigado por alguns instantes; então exclama *Ah!*

— Não tem cama — comenta —, tirei quando o Roger morreu. Pode descontar mais dez do aluguel, então. Era só um colchão, na verdade.

No quarto tem um abajur com um quebra-luz questionável, uma mesa simples de jogos e uma poltrona verde. Ele me pega olhando e sorri.

— Semimobiliado — brinca. — Trezentos e oitenta e cinco por mês com as contas incluídas, mas, se você trouxer uma televisão e quiser TV a cabo, vai ter que configurar e pagar por conta própria, se bem que parece que uns senhores do primeiro andar conseguiram dar um jeitinho nisso. E não tenho nada daquele negócio de wi-fi.

Ele acrescenta:

— A maioria fica aqui só um mês, sabe como é, alguns pagam por semana, quando querem. Mas eu preciso que você pague um depósito, essa é uma regra, ainda que eu ache que você não vai ficar muito tempo e não tenha cara de que vai perturbar. Nunca se sabe quando alguém pode causar problemas, não é? São duzentos dólares, que você recebe de volta se o quarto estiver em boas condições quando for embora.

Ele faz uma pausa e me olha, severo.

— A loja de bebidas pode ser meio barulhenta, não sei se isso te incomoda. Não sou muito fã, mas, como eu disse, traga só os problemas que você já tem, sem causar novos.

Uma televisão do outro lado do corredor emite sons de gargalhadas. Alguém no fim do corredor canta baixinho em espanhol.

Eu não sei como fazer nada disso. Não sei se este lugar é bom ou ruim, ou o que devo perguntar. Só sei que o dinheiro que eu tenho só dá para pagar aqui, e que esse homem parece legal, e ele não está pedindo taxa de inscrição ou comprovante de renda ou qualquer coisa assim. Já estive em lugares piores e estou com medo, mas olho para ele mesmo assim e concordo. Não consigo falar nada e minhas mãos estão tremendo. Não quero pensar no que pode acontecer se este for um lugar horrível.

Ele se abaixa para espantar uma mosca da calça. Os dedos dos pés são deformados e sujos nas sandálias.

— Eu sou o Leonard. Por que você não me diz seu nome e a gente começa essa linda amizade? — Ele se abaixa para me ajudar a sair da banheira.

Aceito a mão dele. Me surpreendo com a maciez e sorrio, mesmo contrariada. Relaxo um pouco. Ele parece muito legal e honesto.

— Charlie — respondo. — Eu me chamo Charlie Davis.

Quando volto para a casa de Mikey, encontro um CD encostado na porta de tela com um envelope na frente colado com fita. Está escrito *Mike* com tinta roxa, o *E* escorrendo em elegantes flores roxas. Não tenho tempo de pensar no significado disso, então deixo o CD perto da porta. Escrevo um bilhete para Mikey com meu novo endereço.

Não demoro muito para arrumar minhas coisas. Uso o cobertor xadrez que roubei da cerca para proteger os pratos que peguei no abrigo e enfio tudo na mala de Louisa, jogo minhas roupas na mochila. Encontro um pedaço de corda e levo tudo para fora, prendo a mala de Louisa na traseira da bicicleta amarela, e coloco a mochila nos ombros.

Ópera jorra das janelas da casa da frente. Paro um segundo para ouvir e me pergunto se devo me despedir de Ariel, agradecer ou qualquer coisa assim, mas decido que não. Saio pelo portão do jardim e não olho para trás. É mais uma coisa que nunca aprendi a fazer: me despedir.

A viagem até o prédio branco é lenta e complicada. A mala fica se mexendo na garupa da bicicleta, e tenho dificuldade para manter o equilíbrio e continuar pedalando. Estou um pouco preocupada por ter que deixar a bicicleta do lado de fora, por mais que vá ficar trancada, mas deixo ali e torço para não acontecer nada.

Arrasto todos os meus pertences escada acima e paro. Enxugo o suor do rosto e fico parada na porta por uns bons cinco minutos esperando que alguém me deixe entrar, quando percebo que *eu mesma* posso abrir a porta. Porque eu tenho a *chave*. Olho para o metal prateado e frio nas minhas mãos.

Nada acontece quando ligo o interruptor. Em meio às sombras, consigo ver que não tem lâmpada, só um buraco vazio e escuro. Arrasto minha mochila e a mala de Louisa para o quarto e fecho a porta, deslizando a corrente no lugar.

Puxo o cordão do abajur e, de novo, nada acontece. Quando tiro a lâmpada, percebo a mancha do momento em que ela queimou. A área da cozinha fica a alguns passos da porta. A pequena lâmpada acima da pia funciona, ainda que eu tenha que ficar na ponta dos pés para alcançar a corda, que na verdade é um sujo cadarço de sapato.

A luz do sol está desaparecendo. Da rua ouço o monótono e insistente som dos carros tocando a campainha da entrada da loja de bebidas.

Comi todo o pão e o pote de manteiga de amendoim, e sobrou apenas um pêssego machucado da lixeira da cooperativa. Meu estômago está roncando, mas não quero sair tão tarde. A luz amarela vinda do poste do lado de fora entra pela janela. Coloco as mãos em concha e bebo água mofada da torneira da cozinha, pensando no que fazer. Decido que o melhor é falar com Leonard.

Destranco a porta e abro com facilidade. O corredor está vazio. Sinto o cheiro de fumaça de cigarro. Há três portas do meu lado e três do outro lado do corredor, com a porta do banheiro no fim. Ela está fechada, ainda que seja possível ouvir uns grunhidos. Fecho a minha porta e desço a escada depressa, agradecendo porque a luz do corredor está funcionando.

Leonard me empresta um martelo e um prego. Ofereço vinte e cinco centavos por uma lâmpada que ele tem sobrando e Leonard aceita, sorrindo. Volto para o quarto e coloco a lâmpada no lugar.

Bato o prego na parede e penduro a cruz de caveira brilhante da casa de Ariel acima da banheira.

Empurro a poltrona verde para a frente da porta e me certifico de que está trancada, depois me deito no chão, com a cabeça apoiada na mochila. Conto sozinha: eu tinha novecentos e trinta e três dólares do dinheiro que Ellis e eu juntamos. Paguei um total de quinhentos e noventa e cinco dólares de aluguel e depósito para Leonard, então sobraram trezentos e trinta e oito dólares. Foi assustador e triste entregar tanto dinheiro de uma vez, ter que abrir mão do que ela e eu sonhamos.

Mas pelo menos agora tenho um quarto só para mim. Não estou em um beco, nem em uma passagem subterrânea, nem em uma van fria sem vedação, ou em um quarto vermelho em uma casa horrível. Estou aqui.

Não estou triste. Por enquanto não estou com medo. Eu me sinto, pelo menos agora, bem triunfante.

Abraço a mim mesma, escutando toda a vida que acontece fora deste quarto sujo, os gritos da rua, vozes abafadas dos outros quartos, televisões, rádios estalando, o som de uma sirene a vários quarteirões de distância, e pensando: *Meu quarto.* Meu *quarto.*

Logo cedo pela manhã, acordo com o som de botas do lado de fora. O tempo todo as portas do corredor são abertas, fechadas, barulho de gente mijando ou suspirando, descargas, depois mais botas. Meio grogue, coço os olhos. Minha mão está áspera e salgada.

Não tem chuveiro na banheira. Tiro a roupa enquanto ela enche. Olho para todos os lados, menos para meu corpo: os fechos do meu macacão, as manchas na minha camisa azul. Não me sinto confortável em ficar de pé enquanto a banheira enche, então entro e me sento. Agradeço pela água morna. Uso o sabonete de limão da biblioteca para ensaboar o cabelo, depois fecho os olhos e jogo água nas coxas, na barriga, nos seios, no rosto. Por fim, quando me sinto limpa, eu me deito de costas, apreciando o silêncio.

Quando estou prestes a sair da banheira, percebo que não tenho toalha. Mais uma coisa para acrescentar à lista de itens de que preciso.

Uso as mãos para tirar parte da água do corpo, o máximo que consigo. Não preciso me preocupar com meu cabelo, ainda tão curto. Escolho uma camisa limpa de manga comprida da pilha de roupas de Tanya e visto meu macacão. Quase esqueço de trancar a porta quando saio para o trabalho. *Minha* porta.

Estou cochilando no chão na tarde seguinte, depois do trabalho, usando a mochila como travesseiro, quando ouço um som suave vindo do corredor, parecido com batidas. No começo fico achando que é de uma das televisões nos outros quartos. Quando percebo que não é, que alguém está batendo à *minha* porta, eu me levanto e pego o garfo torto na mochila, por precaução. Com cuidado, tiro a poltrona verde do caminho. Abro a porta só um pouquinho, mas mantenho o trinco fechado e espio.

Uma figura loira com dreadlocks exibe um sorriso aberto, pressionando o rosto pela fresta. O garfo cai no chão. Meu coração começa a bater mais forte.

— Charlie Davis — canta Mikey, com suavidade —, é você. *Olha só pra você.*

Escancaro a porta, meu rosto já molhado.

— Mikey — sussurro, afundando meu corpo no dele. — Ah, você chegou. Até que enfim você chegou.

Ele me abraça com tanta força que caímos no chão, rindo e chorando. É um grande alívio ser abraçada, sentir braços em volta de todo o meu corpo, braços que apertam minha barriga, outro par de pernas se aconchegando, um rosto pressionado no meu pescoço, absorvendo meu calor, minhas lágrimas. A voz de Mikey é suave, *ei, calma, tá tudo bem* no meu ouvido, a boca ressecada na minha têmpora. Ele esfrega minhas costas enquanto balança junto a mim. Acaricia minha cabeça com o queixo, a barba por fazer se enroscando nos fios curtos do meu cabelo. Eu digo *que saudade* e ele responde *eu também. Foi minha culpa*, eu digo. *Não*, ele responde. *Nunca*. Eu digo, *eu não atendi a ligação dela.* As mensagens da Ellis chegaram devagar, uma por uma: *tá doendo. Vc nunca disse q doía tanto. Dói d+*. Olhar para ele traz tudo à tona. Fazia três meses que eu não a via. Olhei para as mensagens e apoiei o celular na cama com a tela virada para baixo, usando toda a raiva que eu sentia dela como escudo, e, quando acordei na manhã seguinte, minha mãe estava parada na porta, dizendo meu nome com uma voz engraçada, a boca tremendo.

Enrolada no corpo de Mikey, no chão sobre o cobertor xadrez roubado, penso naquelas fotos tiradas dentro das ondas, aquelas com surfistas em trajes de neoprene em cima das pranchas, deslizando pelo túnel de água, com os olhos arregalados. Acho que eles devem se sentir protegidos dentro daquela onda de água, dentro do súbito silenciamento do mundo, nem que seja por alguns minutos. Eu me sinto assim, agora mesmo, no meu quartinho sombrio: tudo o que fiz e fingi ser no ano passado, nas semanas passadas, foi lavado e agora estou limpa, sendo transportada e polida para o novo mundo.

— Então desembucha. Me conta tudo. O que eles falaram pra você lá? Tem, tipo, um nome pra o que você... tem? Esse negócio de se cortar.
— Mikey me encara com intensidade. Quando foi que ele ficou tão bonito? Olho para meu prato. Estamos em um lugar chamado Gentle Ben, dividindo um Black & Blue Burger e batatas apimentadas.

A pergunta dele me deixa nervosa — até onde devo contar? Afinal, qual é a linha tênue que separa a vontade de se cortar de um comportamento psicótico? Engulo uma batata frita e respiro fundo.

— Chama automutilação não suicida.

Ele limpa a boca com o guardanapo e dá um gole na Coca-Cola, os olhos brilhando.

— E o que isso quer dizer, exatamente? A Ellis tinha... tem isso também?

— Quer dizer que, apesar de me machucar, eu não quero morrer.

Dou uma mordida no hambúrguer. Comida cozida tem um gosto tão bom. Também pedi uma limonada. Tomo um gole, saboreando a doçura que invade a boca antes de falar de novo, porque a Gasparzinho disse que eu tenho que falar.

Forço as palavras a saírem, devagar.

— É difícil de explicar. Tenho outras coisas também. Transtorno do controle do impulso.

Ele franze a testa.

— Transtorno de estresse pós-traumático? Isso não é coisa de veterano de guerra e coisa assim?

Eu mastigo meu hambúrguer com cuidado. Não é a intenção, mas o que digo sai em um sussurro.

— Pode ser causado por muita coisa. — Nunca contei ao Mikey sobre o que aconteceu com meu pai. Acho que ele presumiu que meus pais eram divorciados porque quase todos os pais eram divorciados. Ele só ficou sabendo que minha mãe me batia pouco antes de ir embora.

Ele nunca soube o quanto eu me cortava ou dos distúrbios alimentares de Ellis. Nós guardávamos bem os segredos uma da outra.

— Meu Deus, Charlie. Eu sinto muito. — Ele afasta o prato. — Sabe, quando eu voltei nas férias, tentei procurar você. Com o DannyBoy. Mas a gente não conseguiu te achar.

O rosto dele está mais magro, sério, de certa forma. *Mais adulto*. Ele puxa os joelhos para o peito, apoiando o tênis na beirada da cadeira de plástico.

É *claro* que ele ia me procurar. De nós quatro, Ellis, Charlie, Mikey e DannyBoy, Mikey era o mais responsável, o que falava melhor. Ele conseguia nos livrar de encrencas com os policiais em Lowertown na base da conversa. Resolvia problemas com os pais tipo voltar para casa tarde e estar fedendo a bebida. Conseguia colocar o corpo pequeno, magro e forte dele entre o corpo enorme e flácido do DannyBoy e o corpo duro de um punk casca-grossa com mãos do tamanho de um pedaço de uma tora.

Ele limpa a garganta.

— Eu não bebo nem uso mais nada, Charlie. Tô totalmente limpo. Achei que seria bom avisar. Deixar isso explicado desde já.

— Tudo bem — digo devagar, um pouco grata. Também não posso fazer nada disso, e, se Mikey estiver limpo, as coisas vão ficar mais fáceis.

— Também não posso beber, nem fazer nada do tipo. A médica não quer que eu faça. E estava tudo bem no hospital. Não foi ruim. Eu estava mais segura, pelo menos.

Mikey parece aliviado. Feliz.

— Que bom — comenta ele —, que bom que você não está bebendo. Para mim foi tipo, depois que cheguei aqui, fiquei tão cansado daquela merda toda. Só queria começar de novo. Quer dizer, a gente passava tempo demais chapado, já parou pra pensar nisso? A gente ficava chapado o tempo *todo*.

— Eu sei. Mas até que era divertido. — Eu sorrio.

— Sim, mas às vezes você tem que abrir mão de umas coisas se quiser seguir em frente, sabe? Sabia que o DannyBoy tá limpo?

— Tá falando sério? — Eu me lembro de como as coisas foram piorando cada vez mais para DannyBoy, e ele passava horas andando pela Rice Street, procurando o homem da jaqueta preta de vinil com detalhes roxos, e, depois que o encontrava, ele ficava mole como um bebê, e ia se deitar no gramado em Mears Park perto do lago raso, o sol iluminando seu rosto relaxado.

— É sério. Falei com a mãe dele quando voltei no Natal. Ele passou seis meses em algum centro de reabilitação no norte, perto de Boundary Waters, bem no meio da floresta, onde eles tinham que cortar lenha para se esquentar e criar galinhas para ter ovos e comida. Bizarro, mas ele conseguiu. Faz um ano que tá limpo. Ele trabalha com idosos agora, gosta de cuidar deles. Dando comida e coisa e tal. Está em Duluth.

Tento imaginar o enorme DannyBoy colocando mingau de aveia na boca de uma pessoa idosa ou trocando a fralda dela, mas não consigo. Só posso vê-lo chapado, ou triste, ou esmurrando alguém em um beco depois de um show.

— É possível, Charlie. Viu? Você também pode mudar sua vida, se quiser.

Assinto com cuidado, porque não tenho certeza se isso é possível, ou se é algo que eu possa fazer, já que sempre pareço ferrar com tudo. Mikey sorri, tira dinheiro do bolso e coloca debaixo do prato. Fico triste quando o vejo fazer isso. Estava ficando cada vez mais fácil falar com ele aqui, a conversa fluindo feito um rio.

— Bom — continua ele, devagar —, não curti o lugar onde você mora, mas uma coisa de cada vez, né? Precisamos arranjar alguma coisa pra você dormir. Não tenho carro, então vamos ter que carregar. Você topa? Me parece que o exercício vai te fazer bem.

— Ei — solto, meu rosto ficando vermelho quando percebo que ele está olhando para meu corpo, o que me assusta e me faz ter esperança. Eu me remexo. Será que ele acha que engordei demais?

— Eles não deixavam a gente fazer exercício. E a comida era cheia de amido.

— Tô brincando — responde ele, sorrindo —, você fica melhor assim. Sempre foi meio esquelética.

Nós nos levantamos. Ele se espreguiça, o moletom verde subindo. Sua barriga é marrom e peluda, com um piercing de prata. Sinto uma vontade repentina de colocar a mão no osso pontiagudo de seu quadril exposto, para sentir a pele quente. Sinto meu rosto corar de novo. Queria ter certeza de que ele está pensando a mesma coisa.

De repente, quero perguntar a ele sobre o CD que encontrei na porta, o envelope com letras roxas. Tinha esquecido disso, que Mikey podia ter uma namorada. Estou quase perguntando quando ele se aproxima de mim e diz baixinho:

— Me mostra.

Eu sei exatamente do que ele está falando. Estremeço, preocupada com o que ele pode dizer, mas então, devagar, levanto uma manga da camisa, depois a outra. Está quase escuro agora; as luzes brancas no telhado do pátio são tão difusas quanto a neve que deixei para trás em Minnesota. Ele respira fundo; o ar chega quente em meu rosto. Seus olhos se enchem de lágrimas enquanto ele olha para o que fiz em mim. Puxo as mangas para baixo.

— Acabou o tempo — digo baixinho. Estou muito ciente de como estamos próximos e do fato de que a boca dele não está tão longe da minha.

O que ele diria se eu contasse que tenho ainda mais cicatrizes nas pernas?

Mikey esfrega os olhos.

— Tudo ficou esmagador demais — digo.

Ele não diz nada.

Gasparzinho disse: *Você tem que falar, Charlotte. Não pode ficar calada.*

— É aquilo que eu disse — acrescento, forçando as palavras. — Tipo, tudo ficou pesado demais, sabe? Não consegui mais aguentar.

Sentia tanta saudade da Ellis e estava tão brava com ela, foi tudo culpa minha. E, Mikey, tinha essa casa, uma casa muito ruim.

Mas guardo tudo isso.

Ele balança a cabeça. Nós olhamos um para o outro. Ele diz:

— Tudo bem, então. Vamos tentar manter as coisas mais leves, tá? Um passo de cada vez.

— Leves. — Eu digo a palavra com cuidado. — Leves. — Eu gosto de como soa. Nada além do que posso segurar em duas mãos ao mesmo tempo. Leves.

Pegamos uma caminhonete emprestada de seu amigo robusto, Rollin, que mora na Euclid Avenue. Por toda a universidade, carteiras, mesas e colchões estão amontoados em becos ou jogados em pilhas bambas nas calçadas, fora dos prédios de apartamentos e dormitórios. Mikey comenta:

— Esse é o momento certo. As pessoas estão se mudando por causa das férias de verão. Jogando fora coisas boas.

Encontramos uma lata de lixo dos Wildcats, um ventilador, uma torradeira pintada com bolinhas pretas e brancas, um jarro de água, uma mesinha de canto. Mais tarde, dirigindo devagar por um beco, avistamos um colchão de casal dobrável enfiado entre uma mesa de centro com tampo de vidro e uma pilha de pôsteres emoldurados do Hooters. Mikey verifica se há buracos de cigarro. Tento brincar com ele, comentando que não importa muito, já que eu costumava dormir em uma passagem subterrânea, mas ele responde com uma careta.

Ele desce a rua correndo até sua casa, em busca de uma corda para amarrar o colchão, que cheira a fumaça e cerveja. Estou exausta, esfregando os olhos, quando ouço passos arrastados.

É Riley, segurando uma sacola de lona em uma das mãos e um cigarro na outra. É quase meia-noite, mas ele está de óculos escuros. Ele observa o colchão e os outros itens na caminhonete.

— Ah. — Sua voz é grossa, levemente arrastada. — Excelente época para móveis de rua.

A luz do poste deixa seu rosto amarelado, pálido.

Ele empurra os óculos para o topo da cabeça.

— O que eu te disse sobre andar em becos? — Ele joga o cigarro na rua. Tira uma cerveja da sacola e arranca a tampa com a fivela do cinto, tentando entregá-la para mim.

Quando balanço a cabeça como resposta, ele dá de ombros e toma um gole. Uma luz quente pisca em seus olhos. Ele sorri — e uma labareda dentro de mim, como o movimento rápido de uma chama azul, aquece meu rosto. Ele se move em minha direção, tão perto que sinto sua respiração na minha boca, o cheiro forte da cerveja enquanto ele sussurra:

— Eu também senti isso.

Nos afastamos ao ouvir o barulho do cascalho: Mikey se apressa até o beco, a corda balançando na mão. Belisco minhas coxas por dentro dos bolsos para parar o martelar do meu coração.

Mikey para quando chega perto de nós, olhando de um para o outro.

— Oi — arfa —, Riley. E aí?

— Michael. — Riley toma um gole da cerveja. — Tô bem. Como foi a turnê dos Cat Foley?

— Muito boa. — Mikey grunhe com esforço enquanto se move ao redor do colchão, apertando a corda. — O público na costa leste é bem grande. DeVito estava muito preparado para o show em Boston. Ei, essa é a minha amiga, a Charlie. Charlie, esse é o Riley.

— Já somos velhos amigos, Michael.

Mikey olha de Riley para mim e vice-versa, confuso.

— Como assim?

— Estou trabalhando no True Grit — digo com relutância. — Lavando pratos. Comecei semana passada.

Riley assente.

— Ela sabe mesmo lavar uma caneca de café, tenho que admitir. E vocês dois... se conhecem... de onde?

Não gosto do brilho que vejo nos olhos dele. Por mais que esteja bêbado, peguei sua linha de raciocínio, vejo que ele está pensando na conversa sobre meus motivos para mudar para cá. Ele acha que foi por causa de Mikey.

Mikey responde:

— A gente meio que cresceu junto. Em Minnesota. — Ele dá a volta no colchão, apertando a corda.

Eu suspiro. Lá vem.

Riley olha para mim.

— Ah, que *interessante*. Charlie não tinha me contado. — Os olhos dele estão brilhando e o sorriso tem um quê de malícia. — Que casal... de amigos mais fofinho vocês formam.

Eu o encaro.

Mikey não faz ideia do que Riley está insinuando, ocupado puxando a corda para dar um nó.

— Ei, Charlie, Riley fazia parte de uma banda, sabia? Lembra daquela música "Charity Case"?

A expressão de Riley muda de repente.

— Não vamos puxar este assunto — desconversa ele, a voz aguda. — Não tem por que cutucar velhas feridas.

O título da música ecoa na minha cabeça até parar na noite em que fiquei sentada no quintal de Mikey, desenhando. A letra surge na minha mente.

— Sim — respondo —, ouvi uma banda tocando faz algumas noites.

Mikey assente.

— Ah, sim, uma galera faz cover dessa música por aqui, com certeza. Riley geralmente não era o vocalista principal, mas nessa música ele era. — Ele ri quando vê a expressão irritada de Riley.

Eu me lembro. Foi um grande sucesso durante um bom tempo, quatro ou cinco anos atrás. Imagens vagas surgem na minha mente: um vídeo de quatro caras com cabelo despenteado, tênis pretos baixos, camiseta surrada sob camisa xadrez de manga curta, cantando uma música na caçamba de uma caminhonete enquanto ela atravessava o deserto. Havia closes de lagartos e garotas dançando umas com as outras, com shorts minúsculos e tops ainda menores, levantando poeira. Todos os caras eram parecidos, mas o cantor tinha uma voz emocionante, uma entonação alta e romântica que às vezes era tomada por uma melancolia profunda.

Olho para Riley e o reconheço. O cantor do vídeo, lacônico na traseira da caminhonete, olhando diretamente para a lente enquanto duas modelos perfeitas se debruçavam sobre ele, cantando *Quero fazer você ver quem eu sou de verdade...* Eu estava chapada, deitada na cama da Ellis no meio da noite, indo de um canal para outro; ela parou nesse vídeo, resmungou *esse aí é gostoso* e depois mudou de canal.

— Era você — digo, quase alegre —, era *você*.

Riley ergue a mão.

— Já deu, crianças. — Ele tira outra cerveja da sacola. — Nos vemos por aí, Michael. Garota Estranha, não esqueça do seu sono da beleza. Aqueles pratos não vão se lavar sozinhos.

Ficamos olhando enquanto ele se afasta.

— Esse cara — comenta Mikey —, um puta músico, compositor sensacional, mas um fodido. Que desperdício de talento. — Ele balança a cabeça e nós observamos enquanto o beco, pouco a pouco, absorve com suavidade o corpo de Riley.

Subir o colchão pelos dezesseis degraus requer a ajuda de um dos caras bêbados na varanda, mas, quando terminamos, Mikey parece satisfeito e feliz. Ele limpa a sujeira das mãos na calça.

— Charlie — chama ele baixinho.

Seus olhos são gentis e eu vou em direção a ele. Tem sido tão bom estar junto depois de tanto tempo, tão seguro. Eu o esperei por mais de duas semanas, sentindo seu cheiro no travesseiro, à espera de que voltasse. Ele já me conhece; talvez não se importasse com minhas cicatrizes.

Coloco a mão no cinto dele, de leve, e prendo a respiração. Não vai ser verdade, digo a mim mesma, o que Louisa disse. Que ninguém normal jamais nos amaria. *Não* vai ser verdade.

Ele meio que ri, mas não olha nos meus olhos. Em vez disso, ele me abraça e fala no meu cabelo.

— Tenho que ir embora, Charlie. São quase duas da madrugada e amanhã vou trabalhar na Magpies. Mas agora vai ficar tudo bem, tá? Eu vou te ajudar, você sabe disso, né? Tenho muita coisa acontecendo com a banda, trabalho e outras coisas, mas estou aqui agora. Estou aqui. E fico feliz que você já tenha um emprego. É um bom começo.

Ouço o coração dele batendo por baixo da camisa, a decepção ecoando no meu peito.

— Tudo bem, Mikey. — Queria que ele ficasse. Me pergunto o que ele quis dizer com *outras coisas*, e se isso tem a ver com o envelope e o CD. Ele dá tchauzinho antes de sair.

A porta se fecha. Empurro a poltrona que cheira a vinho seco e gato mal-amado na frente dela. Todas as quinquilharias que encontramos estão empilhadas pela sala, as coisas estúpidas que devem ser usadas para decorar a casa. Os moradores do prédio estão em silêncio hoje, a água caindo nas pias, sussurros ao celular.

A temperatura lá fora caiu, então fecho a janela acima da pia da cozinha, me enrolo no cobertor xadrez, e pego meu caderno de desenho e a bolsa de lápis e carvão. Meus dedos encontram um padrão na página; a noite se repete, um loop na minha cabeça, diante dos meus olhos.

Aquele calor intenso me atinge de novo quando partes do rosto de Riley se formam sob meus dedos, o começo de uma pessoa no papel.

Reconheci o jeito como o corpo de Riley se mexia enquanto ele desaparecia no beco. Não era só bebida. Era o que acontecia quando só mais um pouco virava uma merda gigantesca. Esse andar é o que caracteriza uma pessoa que está cada vez mais vazia, que não se importa em colocar nada de volta, em repor o que foi perdido.

Sinto que também ando assim, às vezes.

Olho para o desenho. Seu rosto está mais acabado do que aquele do vídeo de alguns anos atrás. Ele parece mais cansado do que gostoso agora. Alguma coisa desapareceu. E também há algo mais grave que não consigo entender.

O que quer que ele seja, ou o que quer que tenha acontecido com ele, não quero fazer parte disso, não importa o quanto meu corpo comece a surtar quando ele está perto de mim. Viro a página. Em vez disso, começo a desenhar dreadlocks, ninhos intrincados de cabelo, a suave assimetria e a sinceridade do rosto de Mikey.

No dia seguinte, Riley não faz nenhum comentário por ter me encontrado com Mikey no beco. Ele devia estar tão doido, ou ter ficado tão doido, que não se lembra. Ou não se importa. Em se tratando dele, é difícil saber. Ele está superfalante com Linus e os garçons, mas não comigo, apesar de deixar para mim metade de um sanduíche de queijo grelhado na hora do almoço.

Depois que saio do trabalho, vou para a biblioteca. Todos os computadores estão ocupados, então fico fazendo hora no andar de cima, na seção de arte. Ellis achava estranho eu gostar de ver arte antiga e coisas do tipo, como Rubens e suas mulheres fofinhas com cabelos macios e bochechas vermelhas. Eu gosto de Frida Kahlo também, ela parece tão chateada, e suas cores são todas raivosas. Parece ter um milhão de histórias nas suas pinturas. Mesmo que Evan dissesse que meus quadrinhos o faziam se sentir ótimo e famoso, eles parecem bobagem para mim, não passam de coisas estúpidas sobre garotos fracassados na rua ficando chapados, dançando com capas escuras e fingindo que são super-heróis.

Essa arte parece importante. Está nos *livros*. Atravessa o *tempo*. Tenho que me ensinar, eu *quero* me ensinar a fazer alguma coisa grandiosa. Eu quero que meus desenhos sejam grandiosos.

Antes de ir, consigo pegar um dos computadores. Tem um e-mail da Gasparzinho.

Querida Charlie,
    Bom, eu temia que algo assim pudesse acontecer. Não acreditava muito na capacidade da sua mãe em te ajudar. Fico feliz que você parece estar segura e tenha um amigo cuidando de você. Espero que esteja seguindo as regras que estabeleci e que esteja procurando algum apoio. Deve haver algum aconselhamento gratuito disponível para você ou um grupo para participar. Talvez seu amigo possa ajudar a procurar? Quero que você fique segura, Charlie. Às vezes podemos ficar confiantes demais quando as coisas parecem ir bem e podemos não reconhecer os

sinais de alerta que podem atrapalhar nosso progresso. Vá com calma, Charlie, uma coisa de cada vez, tá? Sua maior prioridade é você.

Acho ótimo que você tenha conseguido um emprego. Um trabalho pode significar grandes avanços em questão de confiança. Parabéns!

Você perguntou da Louisa. Queria poder te contar dela, Charlie, mas não posso. Sigilo médico-paciente e todo aquele "blá-blá-blá que se foda", como Blue gosta de dizer. Se cuide e espero ter notícias suas em breve.

P.S.: Eu sei de todos os apelidos, tipo "Gasparzinho" e "Fantasmédica", aliás. TMJ, como vocês gostam de dizer.

Começo a escrever a resposta quando o cronômetro dispara. Prometo a mim mesma que vou voltar amanhã depois do trabalho e escrever um e-mail de volta. Eu provavelmente deveria mandar um para a Blue também. Sei o quanto pode ser solitário em Creeley. Me sinto mal por não ter respondido ao e-mail dela na última vez que estive na biblioteca.

Quando chego em casa, encontro um bilhete de Mikey enfiado debaixo da minha porta. *Me encontre no Magpies às nove. Tive que fazer turno dobrado hoje. Vou levar você pra uma festa depois, tá? Até.*

Dobro o bilhete com carinho, meu coração batendo forte com a ideia de ver Mikey de novo. Uma festa. Tipo um encontro? Tipo isso? Não tenho certeza. Uso bastante sabonete no banho de banheira, escolho uma camisa limpa. Vou até o banheiro no final do corredor, o cheiro de xixi na privada e a cesta de lixo transbordando me fazendo tremer. Analiso meu rosto no espelho sujo e rachado.

Até que você é bem bonita debaixo de toda essa sujeira e essa merda toda, dissera Evan no desfile.

Não tenho sujeira nem merda nenhuma no meu rosto agora. Está queimado de sol e limpo, com uma fileira de sardas no nariz. Ainda é um choque ver meu cabelo de verdade depois de anos de tintura. Quem é essa pessoa? O que ela está se tornando?

Pisco para mim mesma. Eu poderia ser uma garota, uma garota de verdade. Eu poderia ter uma chance, estar com Mikey.

Não poderia?

Dá para ouvir a festa a um quarteirão de distância, a vibração pesada da bateria e do baixo, e risadas. Tem um monte de gente espalhada pela calçada, aglomerada na rua. Um chapéu de veludo de caubói foi pendurado do lado de fora da casa, em cima de um cacto.

Antes de chegarmos ao quintal, Mikey para de repente, a expressão mudando.

— Caramba — diz, olhando para mim —, esqueci completamente. O lance de não beber. Eu tô de boa, mas e você? Quero ter certeza de que você vai se sentir confortável.

Respiro fundo.

— Está tudo bem — respondo —, de verdade. Eu quero ir. Vou ficar bem. — Sorrio. — Prometo.

Mas, por dentro, uma pequena parte de mim se pergunta se estou mesmo pronta.

— Droga. — Ele olha à minha frente, no quintal, onde muitas pessoas dançam e se movem sem rumo. — Eu quero muito ouvir essa banda. Tem certeza?

— Sim. Não tem problema.

— Tá bom. — Ele morde o lábio e fica com o rosto vermelho. — Tem mais uma coisa, também, eu devia ter te contado, mas...

Ele é interrompido por um cara muito suado que chega correndo e grita alguma coisa impossível de entender no ouvido de Mikey, que ergue um dedo me pedindo para esperar e segue o cara até onde a banda está tocando. Ele se debruça em alguns dos amplificadores. Eu o perco de vista quando sou engolida por uma multidão vestindo combinações variadas de tênis, coturnos, vestidos vintage, piercings, camisetas e chapéus vintage. Todos parecem bem mais velhos do que eu.

A banda é um emaranhado de fios e amplificadores, jeans esburacados, óculos com armação de chifre e camisas xadrez encharcadas de suor. A música é suave e excitante, com vocais roucos e uivos agudos.

O cantor joga um copo de cerveja no rosto, acende um cigarro e joga para a plateia, se debruça no microfone, cantando sobre coiotes, garotas, cerveja e sobre ser um boy lixo. As pessoas estão dançando, erguendo os copos vermelhos.

Fecho os olhos por alguns instantes, me deixando levar pela música, sentindo o empurrão suave das pessoas. Estava com saudade disso, de fazer parte de uma festa ou um show, de fazer *parte* das pessoas, de alguma coisa.

Estava com saudade de depósitos e porões. Estava com saudade dos cantores gritando, dos dedos ensanguentados e esfolado dos baixistas. Estava com saudade do bate-cabeça nos shows hardcore. Ellis não gostava, mas vinha comigo, ficando mais afastada enquanto eu me jogava e era jogada na rodinha. Ninguém se importava com você ali no meio. Ninguém queria saber seu nome. Você se deixava levar, se mexia, balançava, rodava e batia e, quando saía, seus hematomas e cortes pareciam lindos.

Sinto um breve lampejo de possibilidade: se eu pudesse me aproximar um pouco, um passo, ou dois, poderia me juntar aos corpos que se moviam como uma onda, poderia me perder na pele roçando em pele, osso contra osso.

Quando abro os olhos, porém, não me mexi e Mikey não está mais atrás do amplificador.

— Olá, Garota Estranha.

A voz em meu ouvido me faz sentir arrepios. Riley. Eu me viro, e ele sorri e se aproxima. Eu não tinha notado antes a cicatriz fina sob o maxilar perto da orelha. É branca perolada, perfeita e lisa.

Ele costuma ficar atrás de mim, na cozinha, fazendo brincadeiras sarcásticas com os garçons, e só fico perto dele quando preciso levar os pratos até a estação; tento não olhar para Riley enquanto faço isso, porque minha pele começa a esquentar.

Mas aqui fora, de perto, sob as luzes brancas penduradas nas árvores, vejo que sua pele está avermelhada, com cicatrizes cobertas pela barba por fazer em suas bochechas. A camiseta marrom fica folgada em seu corpo, como se ele já tivesse sido mais encorpado e nunca tivesse substituído suas roupas velhas.

E percebo também que, se eu me encostasse nele, minha cabeça caberia bem embaixo de seu queixo.

Esse é um pensamento ruim, então eu o afasto e envolvo os braços em volta do meu corpo. Por mais bonito que ele seja, ele é problema, e não preciso disso agora.

— Então... Garota Estranha. O que está achando do nosso estado bonito, quente e seco? Nossos... cidadãos criativos e intensos? — Ele gesticula com sua cerveja para a multidão que festeja.

Riley me olha fixamente, e seu olhar não é grosseiro, parece quase simpático, de um jeito um pouco triste, e o estranho é que ele parece quase... interessado na minha resposta. Não estou acostumada com isso. E é confuso, por causa do que sinto por Mikey.

De repente me pergunto se o problema também me vê como um problema, mas se isso não o incomoda nem um pouco.

Me sinto corar ao pensar nisso, então abaixo a cabeça, para que ele não consiga perceber o que estou pensando pela expressão no meu rosto. Estou prestes a responder, mas então Mikey aparece, trazendo dois copos de plástico com água e uma garota loira e alta ao seu lado. Ela é uma daquelas garotas que Ellis chamaria, com inveja, de *girafa*: elegante e esguia em sua regata e longa saia hippie florida, duas tranças brilhosas aninhadas junto ao peito. Está usando não uma, mas duas tornozeleiras.

Empalideço na mesma hora.

Ela é exatamente o tipo de pessoa que usaria caneta roxa para escrever.

Riley dá risada. A loira está de joelhos, limpando a água que caiu nos tênis de Mikey com a barra da saia. Riley sussurra no meu ouvido:

— *Isso* parece um problema. Você já sabia que o Michael tinha uma amiga? Fica de olho na Bunny ali. Os caras têm um fraco com tornozeleiras.

Antes de se afastar, ele diz, mais alto:

— Se divirta, Garota Estranha. Parece que vai ser uma noite interessante. Vou querer saber tudo na segunda, no Grit.

A menina chamada Bunny se levanta, quase fazendo sombra em mim. Ela é mais alta que Mikey. Tem a pele perfeita, com bochechas naturalmente rosadas que parecem lindas em vez de, digamos, manchadas e tristes, como as minhas.

Ela abre um sorriso bonito.

— Charlie! Eu sou a Bunny! Meu Deus, você estava falando com o Riley West? Ele não é o máximo? É tão engraçado e, nossa, um músico *tão* bom!

E continua:

— É tão bom finalmente te conhecer. Como você está? Mikey disse que você meio que passou por uma época ruim. Você está bem? — Ela está com o rosto franzido de preocupação, mas volta a sorrir. — Ah, aposto que você vai poder me contar muitas histórias sobre as ex-namoradas do Mikey! — Bunny belisca o braço dele, divertida.

As bochechas de Mikey ficam muito vermelhas. Quando Bunny se vira na direção da banda, Mikey diz suavemente, tão baixinho que mal consigo ouvir:

— Era isso que eu estava tentando te contar antes.

Passei duas semanas sentindo o cheiro de Mikey, pensando em como ele me salvou e o que isso significava, eu tinha esperança, uma pontinha de esperança, uma luzinha no fim do túnel...

Burra. Burra pra cacete. Aperto os lábios e observo Bunny se virar e se apoiar nele, as costas apoiadas no peito dele, a cabeça encostada na dele.

Mikey diz:

— Charlie.

Saio de perto. Tem tanta gente aqui que consigo dar um perdido. Eu sempre consigo. Sei como fazer isso. Eu me espremo até chegar à parte dos fundos, onde ficam os barris de cerveja. Penso em Gasparzinho, nas regras dela, e...

É tão fácil, né, pegar um copo, abrir a torneira e beber sem parar. Para conter o incêndio que me queima por dentro.

Sou uma garota de merda com um macacão e uma camiseta suja. Cara de Frankenstein e corpo de Frankenstein, então quem se importa, ou repara no que faço? Se eu beber um copo ou dois? Três ou quatro? Gasparzinho não me disse o que fazer se alguém que eu gostasse de verdade, alguém que seria bom para eu amar, alguém *certo*, alguém que me *entendia*, no fim das contas não me visse do mesmo jeito.

Alguém que esqueceu de mim quando se mudou, e seguiu em frente.

A noite está se revelando, se abrindo, a cerveja fluindo em minhas veias. Por entre a multidão, eu o vejo beijá-la, um beijo suave, a mão acariciando com gentileza uma mecha do cabelo, entrelaçando-a nos dedos. Bebo uma cerveja, depois outra, e mais uma, como água, água, água.

Sinto uma fenda se abrir dentro de mim, e é feia demais. Apesar de todas as pessoas aqui, estou sozinha. Deixo o copo de plástico cair e corro.

Ouço Mikey gritando por mim, mas não paro. Os bares do centro estão começando a fechar; pessoas prostradas e desgrenhadas são jogadas de volta às ruas, cambaleando no meu caminho, desviando para longe quando as empurro.

Ele grita meu nome de novo, e então puxa meu braço.

— Para! Charlie, *para*.

— Volte — gaguejo — para a sua *namorada*.

A cerveja me faz titubear um pouco. Fazia tanto tempo que não bebia que minha visão está começando a ficar embaçada. Eu me pergunto se ele consegue perceber que bebi.

Ele suspira pesadamente, a mandíbula apertada.

— Sim, a Bunny e eu estamos saindo faz um tempo, e sim, eu devia ter te contado na mesma hora, mas, falando sério, qual é o problema nisso?

Me afasto rapidamente, mas ele me segue, resmungando:

— Não vou deixar você ir pra casa sozinha, Charlie.

Não olho para trás, mas o ouço me seguindo, o leve rangido de seus tênis na calçada.

Três homens estão caídos nos degraus do meu prédio, os peitos expostos brilhando no calor. Eles passam um saco de papel um para o outro. Semicerram os olhos para nós, assentindo com educação.

Enquanto subo os dezesseis degraus até o segundo andar tropeço e quase quebro um dente. Me levanto xingando. Mikey pergunta:

— Meu Deus, você está bem, Charlie?

Mas eu não paro. A luz da escada está apagada, e enfio a chave na fechadura da porta, enfim acertando o buraco. Tento fechar a porta na cara de Mikey, mas ele a empurra com cuidado e entra.

— Charlie, para com isso — pede ele. Eu o ignoro. Tenho medo de chorar se disser alguma coisa. Depois de desamarrar minhas botas, eu as coloco da maneira mais organizada possível no canto da sala. Ligo o abajur. Tenho o hábito, como costumava fazer quando minha mãe tinha um de seus acessos de raiva, de fazer as coisas do jeito mais ordenado possível. Endireito meus cadernos de desenho na mesa de jogo. Coloco as canetas e os lápis no jarro de vidro. O cobertor xadrez se abre diante de mim quando o coloco com suavidade no colchão. Foi ruim, muito ruim, beber toda aquela cerveja, porque agora liberei alguma coisa aqui dentro. Dei de cara com alguma coisa que não sabia que seria tão importante e agora quero meu kit da ternura. Quero que ele vá embora. Preciso do meu kit da ternura.

Rugido do oceano, redemoinho de tornado. Estou sendo engolida. Mikey suspira.

— Vai ser que nem era com a Ellis e aquele cara tudo de novo? Para com isso, Charlie. Você já cresceu.

Sinto o mundo girar, o sangue em meus ouvidos.

Quando Ellis começou a namorar aquele garoto, ele tomou meu lugar ao lado dela, tão fácil quanto uma jogada de xadrez, e cheguei ao limite. Fiquei com tanta raiva e tão magoada.

Não pensei que chegaria ao limite com Mikey.

— O que está acontecendo, Charlie? — Sua voz está cansada e embolada. — Fala comigo. Você está estranha, com ciú...

Ele para de repente, a boca aberta. Ainda está parado na porta. Viro a cabeça, a vergonha passando em ondas pela minha pele.

— Vai embora logo — sussurro. Sinto as lágrimas que começam a brotar em meus olhos.

— Ai, meu Deus. Você... você pensou que nós... que eu... — Ele dá um suspiro profundo e longo, e cobre o rosto. Por trás das mãos, ouço o murmúrio abafado: — Merda, merda, merda.

— Vai embora logo, por favor. Não tem problema. Não foi nada. Estou bem, mas vai embora — falo alto, olhando para a parede, para qualquer lugar, menos para ele. Meus dentes rangem com tanta força que sinto dor no maxilar. Estou morrendo de vergonha.

Mas ele não vai embora. O que faz é ainda pior, porque ele é o *Mikey*, porque ele é *legal*.

Ele vem até mim e *me abraça*.

— Me desculpa, Charlie. Se eu dei algum sinal que te confundiu, não foi a intenção. A última coisa que eu quero é te machucar.

Mas torna tudo ainda pior, ser abraçada por ele, ficar quente dentro do casulo dos seus braços, porque, quando ele inclina a cabeça para olhar para mim, e sinto seu hálito quente no rosto, e vejo seus olhos tão tristes e ele tão perto de mim, eu o beijo.

E por um segundo, um segundo ardente, ele retribui.

E então me empurra para longe.

E limpa a boca.

Porque *é óbvio* que ele limparia a boca.

— Não, Charlie — diz ele. — Não, não posso fazer isso. Eu não quero fazer isso.

Fecho os olhos com tanta força que vejo manchas vermelhas.

— Por favor, cai fora daqui, beleza?

Quando os abro, ele se foi e a porta está fechada. Apago o abajur, porque preciso do escuro agora.

Ainda sinto a pressão de sua boca na minha, o nanossegundo de calor que me deu. Mas não impede a onda de vergonha que sinto: como sou *burra*, ecoando por todo o meu corpo. Como Louisa disse: *Ninguém normal jamais nos amaria*.

Já quebrei uma das regras de Gasparzinho: eu bebi. E quero quebrar outra, mas *não* quero, *nãoqueronãoqueronãoqueronãoquero*, então pego meu kit da ternura debaixo de uma pilha de roupas, e o cubro com o cobertor xadrez, então jogo um monte de camisas por cima e depois minha bota, e enfio tudo na mala de Louisa, debaixo da banheira com pés de garra, onde não posso ver.

Pratico aquela maldita respiração o máximo que posso, até ficar quase ofegante, e então encontro meu caderno de desenhos, porque desenhar são minhas *palavras*, são o que não posso dizer, e desabafo nas páginas com uma história sobre uma garota que pensou que um garoto gostava dela, e que talvez ele pudesse salvá-la de si mesma, mas no fim ela era só burra, burra, porque ela é uma maldita aberração, mas, se pudesse sobreviver àquela noite, a garota teria outra chance, outro dia.

Talvez, talvez, talvez.

Meus dedos começam a doer assim que o sol desponta. Finalmente abaixo o carvão quando as primeiras cores surgem pela janela, suaves e douradas. Bebo um copo de água e ouço as pessoas usando o banheiro no fim do corredor, os ruídos de Leonard, que vai até a entrada beber café na caneca rosa.

Minha cabeça dói por causa da cerveja. Meus olhos doem e sinto um gosto horrível na boca. Fico feliz por só ter que voltar ao True Grit daqui a dois dias. Tiro a roupa e afundo no colchão, caindo em um sono profundo.

Já é de tarde quando acordo, e o calor no meu quarto é sufocante. Sobrevivi à noite, mas ainda estou nervosa e tensa. Quero falar com alguém, mas só conheço Mikey, e é bem provável que eu tenha estragado tudo. Decido ir à biblioteca e mandar um e-mail para Gasparzinho. Tipo, talvez eu devesse dizer a ela que falhei ao beber, ao me jogar em cima de Mikey.

Lá fora o calor já está forte, mas *não* quero deixar de usar o macacão porque, de alguma forma, me sinto mais confortável, mais protegida com ele. Volto para o prédio e bato na porta de Leonard. Ele me empresta uma tesoura sem dizer uma palavra. No andar de cima, corto as pernas dos macacões na altura do joelho. Assim consigo me refrescar, mas as coxas ainda ficam escondidas.

Chego à biblioteca, suando muito. Todo mundo parece bastante fresquinho, mesmo nesse calor. Talvez eu me acostume com isso em breve. Tem um termômetro na biblioteca. Trinta e seis graus e nenhuma nuvem à vista.

Entro na minha conta. Respondo a Blue primeiro, porque sei que ela vai saber exatamente como me sinto.

Querida Blue,
Eu sou uma tragédia na minha própria vida. Fiz uma estupidez. Só queria me sentir melhor. Meu corpo é meu maior inimigo. Ele quer, quer e quer, e, quando não tem, ele chora e eu o castigo. Como viver com medo de você mesma? O que vai acontecer com a gente, Blue?

Eu espero feito uma idiota, como se ela fosse responder na mesma hora. É claro que não pode — vai ter que esperar a vez dela de mexer no computador, e sabe lá quando isso vai acontecer. Mas só de escrever já sinto certo alívio.

E então escrevo para Gasparzinho, porque deveria contar para ela o que fiz. Escrevo que bebi três cervejas, que tentei beijar Mikey, que o *beijei* e ele não gostou. Mas também conto que não me cortei, apesar de ter ficado exausta por não me cortar.

Aperto Enviar. Fico ali sentada no computador por um tempo, observando as pessoas na biblioteca. Quanto mais as observo escolherem livros, sussurrarem em seus telefones, adormecerem em cadeiras, mais me sinto sozinha, o peso dentro de mim cada vez maior. Todo mundo parece controlar a própria vida, menos eu. Quando é que alguma coisa vai melhorar?

Mikey está esperando nos degraus da frente do prédio quando volto, com uma sacola de mercado ao lado, no degrau de cima. Entro em pânico e tento passar direto, mas ele tira os fones das orelhas e segura minha mão.

Ele chama:

— Ah, Charlie. Nem vem com essa merda, tá? Senta aqui.

Eu sento, me largando nos degraus, evitando olhar nos olhos dele e tentando bloquear o cheiro dele, a proximidade.

No fim do quarteirão, a fila do lado de fora do banco de sangue se move como uma cobra vagarosa. Enxugo o suor da testa, envergonhada. Aposto que Bunny nunca transpira.

— Olha só o que eu trouxe pra você. — Mikey abre a sacola de supermercado para que eu possa ver o que tem dentro: um pão, um pote de manteiga de amendoim, uma maçã e uma laranja. Eu suspiro. Estou tão cansada de manteiga de amendoim.

Pego a maçã, passo os polegares pelo brilho da fruta.

— Obrigada — digo baixinho.

Ele limpa a garganta.

— O que aconteceu não pode acontecer de novo. Não foi... legal. A gente se beijar.

Uma pontada, um aperto no peito. Com raiva, eu retruco:

— Você retribuiu o beijo, sabe? Antes de... parar.
— E você bebeu. Eu senti o gosto de cerveja. Você jurou.
— Desculpa — sai um sussurro, falado para a calçada.
— Foi a única coisa que você bebeu desde que chegou aqui?
— Sim.
— Tem certeza?
— *Sim*. Sim!
Ele suspira.
— Charlie, você sabe por que eu decidi fazer faculdade aqui tão longe? Você e Ellis me cansavam. Os joguinhos que vocês faziam uma com a outra, *comigo*, eu cansei dessa merda toda. Já percebeu isso? Acho que não. Vocês estavam sempre tão focadas em si mesmas.
— Você foi até o hospital. Disse que não queria que eu morresse. Eu pensei... — Minha voz falha. Pressiono a cabeça nos joelhos para bloquear Mikey. Quero chorar de novo.
Eu pensei, eu pensei? O que eu pensei? Que Mikey ia gostar de *mim*, de uma tonta como eu?
— Claro que eu não queria que você morresse! Eu *não* quero que você morra. Você é minha *amiga*. Mas eu não quis dizer que eu... que nós...
Mikey fica em silêncio. Depois de um tempo ele continua:
— As coisas são assim, Charlie. Estou aqui, mas estou com uma pessoa. Eu *progredi*. Vir para cá mudou alguma coisa dentro de mim, de verdade. Eu segui *em frente*. Coloquei metas para mim. Quero te ajudar a melhorar e vou fazer isso, mas só posso ajudar se você quiser ser ajudada.
Ergo a cabeça, a luz do dia me fazendo piscar. Mikey olha para mim, o rosto em frente ao meu.
— Você tá bem? — pergunta. Ele segura minha mão. — Tudo bem entre a gente?
O que mais posso responder?
— Tá tudo bem — respondo —, tá tudo bem.
Ele se levanta de uma vez, me puxando com ele. A maçã cai do meu colo. Como a boa pessoa que é, ele corre até a calçada para pegá-la.

Concordei em encontrar Mikey em uma galeria no centro da cidade depois que ele sair do trabalho. No mapa que ele desenhou, o lugar não fica longe de onde moro. A princípio penso em não ir. Vou me sentir estranha, e é bem provável que Bunny também esteja lá, mas depois decido ir. Eu só tenho um amigo aqui, no caso ele, e talvez com o tempo não me sinta tão babaca perto dele. Gasparzinho provavelmente teria orgulho de mim por isso. Coloco outro macacão e uma camiseta de manga comprida, e enfio as chaves e o lápis-lazúli no bolso.

A galeria fica no meio do centrinho da cidade, não tão longe de onde desci na rodoviária, no terceiro andar de um prédio rosa aninhado entre um bar e uma lanchonete chamada The Grill. A galeria é estreita, lotada e enorme, com chão de taco que range quando se anda nele e cheiro de vinho tinto e queijos diferentes. Há muitas pessoas mais velhas vestidas de preto com joias prateadas e cabelos limpos com penteados. Fico feliz por ter colocado o moletom por cima do macacão; me sinto um pouco estranha e deslocada aqui. É bom poder me abrigar nele, saber que posso colocar o capuz caso precise. Vejo que Mikey está falando com Ariel em um canto. Respiro aliviada, porque não vejo Bunny em lugar nenhum. Eles acenam para mim.

Olho para as joias brilhantes que enfeitam as sandálias de Ariel, graciosas e sem salto, muito brilhantes quando comparadas com minhas botas imundas. Será que Ariel já teve que usar roupas largas para esconder o corpo? Ela parece estar a anos-luz de coisas desse tipo. Já deve ter nascido sensual.

Ariel dá um gole no vinho.

— Charlie! Você veio!

Mikey comenta:

— Ei, Charlie, que bom que você conseguiu vir. — Ele me dá um soquinho leve no ombro. Respondo com um sorriso discreto. — Que viagem essas coisas aqui, né? — Ele anda sem rumo, olhando para as pinturas.

Ariel se inclina para mais perto, de forma conspiratória, como se fôssemos melhores amigas ou coisa do tipo.

— O que você acha, Charlie? Meu amigo Antonio trabalhou à beça pra fazer isso.

Olho em volta com calma. Parecem só triângulos e quadrados para mim, pintados em cores primárias. Dou de ombros.

— São bem coloridos.

Tento imaginar como seria ter meus desenhos expostos em um lugar assim, ou em qualquer lugar, na verdade. Mas quem viria olhar um monte de desenhos e quadrinhos que retratam garotos fracassados? Ou até mesmo os desenhos que tenho feito durante a noite, sozinha no quarto, de Mikey, de Riley? Do meu pai?

— É tinta para barco. — Ariel pega outra taça de vinho da mesa. O buffet tem pedacinhos de pão na forma de mão. Mordisco um deles. — Brilha bastante, né? Fico muito feliz por ele não queimar mais os quadros. Faz tão mal para os pulmões, mas ele achava que era necessário. Ele fazia isso, sabe, muitos anos atrás, quando a gente era só duas crianças alegres no deserto, fumando haxixe até o cérebro derreter e deitando com qualquer pessoa que sorrisse pra gente.

Eu engasgo com um pedaço de pão-mão.

— Mas — acrescenta ela, analisando os anéis em seus dedos — ele estava na fase Kiefer. Todos nós temos uma fase assim, em que queremos nos destruir só para criar alguma coisa. Pra ver se isso pode ser bonito também.

Ela aponta para o outro lado da sala, para um homem muito bonito com cabelo liso e preto preso em um rabo de cavalo. Ele está descalço, com um terno cinza brilhante e o que parece ser um colar de turquesa bastante pesado.

— Olha ele ali. Tony Padilla. Vai vender todas essas pinturas. E você? Como andam os seus desenhos? Às vezes eu me pego pensando nas suas coisas. Aquele do homem com pílulas no lugar dos dentes.

— Meu pai — revelo antes que possa me conter. Eu belisco minha coxa. Burra.

Ariel olha para mim, a expressão se suavizando um pouco. Eu me pergunto no que estará pensando.

— Entendi — comenta. Ela dá um gole no vinho. — Enfim, era muito bom. Todo errado, é claro, mas muito bom. Você não se sente confiante com esse tipo de desenho, dá pra perceber. Precisa ter aulas. Vou dar um workshop no meu estúdio em julho. Desenhos e a arte de fazer retratos. Pra aposentados e alunos que só podem no fim de semana, esse tipo de pessoal. Paga as contas e eu adoro todos eles. Ao contrário dos meus alunos na universidade, eles *se esforçam. Têm vontade.* Não *presumem* que a arte pertence a eles.

— Eu não... quer dizer, eu trabalho agora, mas só lavo pratos. Não tenho dinheiro. Desculpa.

— Eu sei que você não tem dinheiro. Já fui uma artista morta de fome também. Pode participar. Depois que a aula acabar, me ajuda a limpar o estúdio. O que acha? — Ela bochecha o vinho, observando a multidão. Seus olhos se movem com rapidez, pousando em uma pessoa, parando ali e depois procurando por outra, como um pássaro à procura do galho perfeito. — Eu acho que você tem talento, Charlie. De verdade. Mas não vai chegar longe enquanto não analisar sua arte e estudar. Até você se permitir ser seu próprio modelo. Essa é a beleza da juventude: você pode se dar ao luxo da vaidade, do autoexame. Aproveita! Não sinta vergonha de você mesma.

Não entendo metade das coisas que ela acabou de dizer e sei que provavelmente deveria agradecer, mas em vez disso o que sai da minha boca de uma vez só é:

— Por que está sendo tão legal comigo? Você nem me *conhece.*

— Porque, no fim das contas, Charlotte, o mundo é movido por gentilezas. Ele *tem* que ser, ou nunca vamos conseguir nos suportar. Pode ser que você não veja isso agora, mas vai conseguir ver quando for mais velha. — A voz dela é resoluta. Ariel toma um gole enorme de vinho e olha nos meus olhos.

Acrescenta:

— E eu conheço você. Eu *conheço* você, Charlie.

E, por um breve instante, penso ter visto uma terrível nuvem de tristeza passar por seus olhos.

Mas Mikey volta trotando, empolgado e sem fôlego, e a expressão de Ariel volta a ser suave e fria.

— Eu queria ter rios de dinheiro — fala Mikey — pra poder comprar um desses. Eles são bons pra cacete.

— Quem sabe aquela banda que você carrega pra lá e pra cá finalmente faça muito sucesso, Michael, e você possa comprar todos os quadros que quiser. — Ariel ri. — Charlie não gostou dos quadros.

— Não é bem assim — devolvo rapidamente, me sentindo um pouco envergonhada. — É só que... eu gosto de histórias, acho. Gosto de rostos, ou de pessoas fazendo coisas. Esses quadros me parecem só cores... pintar cores? — Falar assim me deixa nervosa. Ninguém nunca falou de arte comigo antes, e me pergunto se tudo o que estou falando está errado.

Ariel olha para mim.

— As cores também podem contar histórias, Charlie. Um tipo diferente de história. Venha assistir uma aula. Vou passar as informações para o Mikey. Foi bom te ver, Charlie. Mikey, seu aluguel vai vencer logo, querido. — Ela põe a mão no meu braço e acena para alguém do outro lado da sala, se afastando.

Mikey ergue as sobrancelhas.

— Uau, Charlie, que legal. Ariel quer te dar aula? Isso é legal demais. Ariel Levertoff é meio que gigante, sabe? — Ele sorri para mim e eu me permito sorrir de volta, grata por viver um bom momento com Mikey, mesmo que doa um pouco estar tão perto assim. Faço uma anotação mental para procurar *Kiefer* e *Ariel Levertoff* da próxima vez que estiver na biblioteca.

Ele ergue dois pães-mãos pequenos e fingimos lutar. Nem me importo que algumas pessoas na galeria estejam olhando para nós como se fôssemos crianças estúpidas, ou que, quando ele for embora esta noite, é bem provável que volte para Bunny e passe a noite com ela. Ariel gosta dos meus desenhos, gosta de *mim*, eu acho, e Mikey está comigo. E depois que ele me leva para casa, quando leio o bilhete colado na porta do meu apartamento, meu coração fica ainda mais leve, de um jeito estranho: *Vem me acordar. Cinco e meia amanhã. Prometo que não vou morder dessa vez. R*

Seguro o bilhete, minha pele formigando de calor.

Deixei o alarme de Mikey na sua casa quando me mudei. Tenho contado com o som das outras pessoas para me acordar a tempo para o trabalho todas as manhãs, mas de repente não quero correr o risco de me atrasar ou de não ter tempo suficiente. Para falar com Riley amanhã, quando formos só nós dois.

Ele veio e *me encontrou.*

Descendo a escada para ver se Leonard tem um relógio sobrando, sou uma bolhazinha de calor, parecida com a que era com Ellis, um lugar para o qual nunca achei que fosse retornar.

Quando Riley não atende a porta na manhã seguinte, nem hesito antes de entrar. Na sala encontro um violão surrado e um gravador de fita cassete no chão, cercado por pilhas de papel. Nada disso estava ali no outro dia.

Ele está na mesma posição em que o encontrei na cama na última vez: mãos atrás da cabeça, pernas cruzadas na altura dos tornozelos. Duas garrafas vazias estão no chão, ao lado da cama. Ele abre os olhos devagar. Leva alguns minutos para perceber que estou em pé na porta de seu quarto, mas então abre um sorriso. É tão repentino e surpreendente que não posso deixar de sorrir também.

— Oi — diz, sonolento. Ele me olha de um jeito estranhamente confortável que me provoca borboletas no estômago. Um olhar que diz que é supernormal que eu esteja na porta do quarto dele às cinco e meia da manhã. Espero que ele não consiga ver o rubor se espalhando pelas minhas bochechas.

— Não demorei pra descobrir onde você morava. Foi só perguntar pela garota da bicicleta amarela e, puf, lá estava você. Ou *não estava*, melhor dizendo. Gostei de conhecer seus vizinhos. Que homens incríveis eles são.

— É melhor você levantar. Tá parecendo arrasado — respondo. — Isso no seu cabelo é cinza? — Meu Deus, esse cara.

Ele rola de lado e olha para mim sonolento, mas sorrindo.

— Ei, por falar em homens incríveis. Como ficaram as coisas naquela noite? Com seu amigo Michael? E a amiga dele... Bunny?

Franzo os lábios, mas não estou brava. O olhar reconfortante que ele me deu pouco tempo antes ainda está fazendo efeito em mim. Riley parece entretido.

— Não ficaram bem, se você quer saber. Agora levante. Não podemos perder a hora. Eu não quero perder a hora.

— Bom — diz ele, resmungando enquanto se senta. — Azar do Michael, então. — Ele resmunga como se sentisse dor.

— Você precisa de ajuda? — pergunto com cuidado. Não quero me aproximar muito ainda, não depois daquele dia. — Tá com uma cara péssima.

— Lá vem você, sempre tão cheia de elogios, Garota Estranha. Não, não preciso de ajuda. Vou ficar como novo depois de tomar um banho pelando de quente. — Saio de perto da porta para deixar ele passar. Então vai para o banheiro. Assim que ouço o barulho da água, vou até a cozinha e reviro a geladeira, minha barriga roncando, em busca de alguma coisa para comer e também para me distrair, porque, por mais que ele seja um babaca, ele é do tipo babaca-que-costumava-ser-bem--gato e, além disso, nesse exato instante, ele está pelado.

Uma caixa de ovos, um pacote de tortilhas, um pote de molho verde. Um pedaço de queijo amarelo, um pedaço de queijo branco. Encontro uma faca em uma das gavetas e corto depressa um naco de queijo amarelo e o enfio na boca. Tenho o cuidado de embrulhar o resto e colocar de volta na geladeira. Metade de uma garrafa de chardonnay na porta, ao lado de um pote melecado de geleia. Três laranjas. Descasco uma rapidamente, como um pouco e enfio o resto na mochila. É uma cozinha aberta e quadrada, simples e estranhamente limpa e vazia. Talvez ele coma a maior parte do tempo no True Grit. Há uma chaleira no fogão, o que me parece inesperado.

Encontro o estoque de garrafas dele embaixo da pia. E me pergunto onde ele guarda o outro estoque, aquele do qual Linus estava falando. Pela janela dos fundos, vejo uma robusta construção de madeira no quintal, cercada por grandes cactos.

Pés descalços andam no chão de taco. Riley para ao meu lado, perto da janela, gotas de água caindo conforme ele esfrega a toalha na cabeça.

— É meu estúdio de gravação. Construí com um pouco do dinheiro do segundo e último álbum do Long Home de que participei. Meio fuleiro, nada chique lá dentro e tal, mas dá para o gasto. Pelo menos dava. — Ele passa a mão pelo cabelo.

— Por que você não faz mais parte da banda? — pergunto. — Quer dizer, vocês eram meio que famosos, né?

Ele dá de ombros.

— É aquela velha história do rock. Menino entra na banda, banda fica famosa, ou quase famosa. *Mais ou menos* famosa. Famosa *o suficiente*, de um jeito ou de outro, para inflar alguns egos, jogar dinheiro pra cima, permitir excessos, criar demônios ou, no meu caso, trazer à tona demônios que foram mascarados com cuidado. E o que antes se ergueu alto e poderoso depois caiu muito, muito forte no chão. Fim da história.

— Você é... Você ainda toca? — Ele está olhando para o estúdio com uma expressão distante.

— Sim. De vez em quando. — Ele limpa a garganta e esfrega o cabelo mais uma vez com a toalha. — Mas sabe no que eu sou muito bom? Em desapontar as pessoas. Você precisa fazer o melhor com os talentos que se tem, eu acho.

Ele joga a toalha no balcão da cozinha.

— Vamos andando, Garota Estranha. É melhor não irritar a Linus.

Caminhamos em silêncio. Vou empurrando a bicicleta.

Desapontar as pessoas, ele disse. Eu também vivia desapontando as pessoas, tipo minha mãe, meus professores. Depois de algum tempo, por que sequer se incomodar em tentar? Entendo o que Riley quer dizer.

Falta pouco para as seis horas, e está começando a esquentar. Amarro o moletom na cintura.

— Em algum momento *para* de fazer calor aqui? — pergunto. Riley ri.

— Puta merda. Você ainda não viu o pior, garota. Espere até chegar julho. Faz quarenta e oito graus nessa merda.

Cruzamos em silêncio a escuridão da passagem subterrânea, e após algum tempo se torna confortável essa coisa de não falar. Melhor dizendo, quero perguntar mais sobre esse negócio da música e tudo o que aconteceu, mas não tem problema não falar, também. E uma pequena parte de mim ainda está nervosa; não quero irritá-lo.

Quando falta meio quarteirão para chegarmos ao True Grit, ele para e acende um cigarro. As mãos tremem sem parar, mas não faço qualquer comentário.

— Entra você primeiro, tá? Eu vou daqui a uns minutos. — A fumaça sai pelas narinas dele. — É melhor a gente não entrar junto.

Quero perguntar por quê, mas deixo pra lá. Continuo andando e prendo a bicicleta no poste. Linus me cumprimenta com um *olá!* carinhoso quando entro. Riley entra alguns minutos depois e vai direto para a máquina de café. Quando ele volta para a área dos pratos, está com duas canecas e me entrega uma delas.

Ajudo Linus com os galões de café e a máquina de expresso, e depois começo meu trabalho com os pratos. Quem quer que tenha cuidado da louça ontem à noite deixou pratos com comida seca empilhados na pia, com canecas manchadas em cima, coadores de chá e as colherinhas delicadas para as xícaras de café expresso. Eu me entrego à tarefa de raspar a comida no lixo e deixar os pratos e as canecas de molho na pia.

Linus surge da frente do restaurante, o rosto pálido.

— R, Bianca está no balcão. E quer o dinheiro dela. — Ela abaixa a voz. — A gente... *tem* o dinheiro dela? Cadê a merda da Julie?

Riley fica imóvel.

— Hm, sim. Vou só fazer um cheque pra ela. Já volto.

Linus morde o lábio enquanto Riley sai apressado pelo corredor até o escritório. As portas da cozinha se abrem. Uma mulher curvilínea em um vestido roxo soltinho olha em volta, com uma expressão desconfiada. Linus informa a ela:

— Riley foi pegar o cheque.

A mulher olha para mim parecendo mal-humorada e depois bufa para Linus.

— Não quero ter que implorar pelo meu dinheiro toda vez, Linus. Vocês querem minha mercadoria, então me paguem, e sem atraso. Julie precisa ter consciência.

— Eu sei, Bianca. As coisas estão um pouco confusas agora. Tem dias que não tem cliente aqui e outros que está lotado. Estamos nos esforçando. — Linus torce um pano de prato.

Riley vem correndo pelo corredor. Quando vê Bianca, ele bate a mão na testa.

— Lady B! Eu juro, foi tudo minha culpa. Minha irmã me pediu para levar o dinheiro na padaria ontem e eu me esqueci. Desculpa.

Bianca pega o papel e o inspeciona.

— Um cheque, Riley? Esse aqui tem fundo? Se voltar, eu tô fora. Vocês precisam tomar vergonha na cara.

— Tem fundo sim, Lady B.

Ela faz uma careta e sai pelas portas da cozinha. Linus olha feio para Riley.

— De novo, R? *De novo?*

— Não é o que você está pensando, Linus. Por que não vai fazer seu trabalho?

Linus volta para a frente. Riley passa por mim sem dizer nada.

Ouço o barulho da fritadeira, o ruído da grelha, os pratos balançando na máquina de lavar. Eu me pergunto o que está acontecendo. O que aconteceu com o dinheiro que Riley tinha que dar para aquela senhora? O que Linus quis dizer com *de novo?*

Então ouço o som inconfundível de alguém engasgando e vomitando. Eu me viro.

Riley leva a mão à boca. Ele está inclinado sobre a lata de lixo perto da grelha, o líquido pingando de seu queixo.

Entrego depressa um pano de prato para ele e cubro o nariz. O fedor é horrível.

Ele enxuga o queixo e o pescoço, joga o pano na lixeira e abre a porta da geladeira, tapando o rosto. Quando a fecha, vejo que está bebendo goles enormes de cerveja. Ele coloca a lata de volta, o peito arfando. A cor está voltando ao seu rosto, espalhando-se pelas bochechas feito um rio rosado.

Havia pessoas mais velhas, homens e mulheres, que agiam assim na rua. Que bebiam e bebiam tanto que seus corpos ficavam impregnados com o fedor de vinho velho, cerveja, vômito. E a única coisa que fazia as mãos pararem de tremer na manhã seguinte, que os impedia de vomitar a bile ou a comida do restaurante comunitário? Mais álcool. Crise de abstinência, Evan dizia. *Ruim pra cacete,* ele dizia, balançando a cabeça.

O dedo que Riley pressiona junto aos lábios tem cortezinhos vermelhos da faca da cozinha. Porque suas mãos estavam tremendo demais, me dou conta.

Xiiiiu, murmura. Ele empurra a lata de lixo na minha direção. Olho para Linus, que está ligando para alguém no caixa. Ela me disse para contar se coisas assim acontecessem.

Os olhos de Riley imploram. Eu não sei o que devo fazer.

E então as mensagens de Ellis surgem na minha mente. *Tá doendo. Vc nunca disse q doía tanto. Dói d+*. Meu estômago revira de vergonha. Eu não a ajudei e a perdi.

Agindo com rapidez, tiro o saco do lixo, amarro e levo para a lixeira de fora. Afinal de contas, foi ele quem me arranjou esse emprego.

Mais tarde, quando meu turno acaba e estou quase saindo, Riley aparece com uma sacola de papel pardo.

— Fiz um pedido errado. Bom apetite.

Hesito antes de pegar a sacola, porque, ao pegá-la, sei que estou concordando em guardar um segredo, e ainda não tenho certeza se quero fazer isso.

Mas a fome que faz minha barriga roncar vence. Estou tão cansada de pão dormido e manteiga de amendoim. E, assim que chego em casa, ataco a comida: um bagel de pimentão verde com tofu mexido e queijo suíço, com uma bolacha de aveia quebrada embrulhada em papel-manteiga.

A BIBLIOTECA ESTÁ QUASE VAZIA, ENTÃO TENHO BASTANTE tempo para ficar no computador. Gasparzinho enfim me respondeu.

Querida Charlie, desculpa por ter demorado tanto para responder o seu último e-mail e por ter te deixado ansiosa. Mas vou te explicar uma coisa: de acordo com a lei, não sou mais sua médica, então tenho que tomar muito cuidado com os conselhos que dou e os comentários que faço. E também estou ajudando outras pessoas, então pode ser que não consiga responder tão depressa quanto você gostaria. Espero que você entenda. Pesquisei lugares úteis para você em Tucson, eles podem ajudar bastante. Estão numa lista no fim do e-mail.
 Agora vamos falar do mais importante, Charlie, que é estar sempre ativa e ciente. Ou seja: não beber, conselho que você não seguiu. Você bebeu mais alguma coisa desde que me mandou aquele e-mail? Tem alguém com quem possa conversar, como esse seu amigo? É muito, muito importante que você siga as etapas todos os dias para se manter sóbria e segura. Vai ser um caminho difícil, Charlie, e o trabalho pesado depende muito de você. Você recebeu muito pouco apoio emocional quando criança e sua vida, até agora, tem sido esconder seus sentimentos até que eles se tornem tão intensos que você não consiga mais controlar. Exercite sua respiração, caminhe, faça seus desenhos. Seja gentil consigo mesma. — Dra. Stinson

Pode ser que não consiga responder tão depressa quanto você gostaria. Dou uma olhada na lista de lugares que ela mencionou: Alateen, terapia em grupo para sobreviventes de suicídio, um abrigo para mulheres. Alateen? Penso em ficar sentada com um bando de adolescentes falando de bebida. Falando do que acontece quando você bebe.
 E então penso: *eu* devo ser o que acontece quando se perde o controle. Uma adolescente que vai acabar na rua, sem casa e tudo o mais.

Não quero ficar sentada com um grupo em que represento tudo aquilo que eles não querem *ser*. Procuro o grupo de sobreviventes na internet: muitas fotos de pessoas tristes sentadas em círculo na grama. Nem chego a procurar pelo abrigo, porque já tenho um lugar para morar, ainda que não seja dos melhores.

Começo a escrever uma resposta, mas apago. O que eu poderia dizer? Lamentar mais por ter estragado tudo com Mikey? Ela provavelmente me diria para *fazer novos amigos*. Me diria para ir em um desses grupos. Frustrada, clico em outro e-mail, da Blue. Faz uma semana que ela enviou.

> Sue Quietinha, KD VC? Saudade, menina boazinha. Re: seu último e-mail: sim, nós somos nossas piores inimigas. Mas não precisa ser assim. Eu meio que tenho prestado bastante atenção na hora do grupo, e algumas das coisas que a FANTASMÉDICA fala não são ruins, principalmente isso::::!!! Vou receber alta!!!! Não sei quando. Tenho seguido as regras, tomado os remédios, pensado em me juntar a Isis lá no KANSASCO. Quem sabe a gnt não possa ir visitar vc?? Vc tem se comportado? PF me responde. Todo mundo que você conhecia aqui já foi embora, menos eu e a Louisa, e olha, aquela menina NÃO tá nada bem. Tá rolando alguma coisa. BLUE

Olho fixamente para o e-mail. Ela não viria até aqui; Blue só está sendo palhaça como sempre. Não está? Olho para vários e-mails que recebi dela. Para alguém que era tão cruel comigo em Creeley, ela parece gostar bastante de mim. E pode ser, percebo de repente, e fico triste, que ela esteja se sentindo sozinha também. Não sei bem o que pensar dessa súbita empatia por Blue.

Faça amigos. Qual seria o problema em responder para Blue? Ela é a única pessoa na minha vida agora que poderia entender como é viver desse jeito.

> Blue, que bom que você está ouvindo a Gasparzinho. O que mais você poderia fazer, né? O deserto é um desastre total — se você vier pra cá,

traga blusinhas frente única, óculos escuros e litros de protetor solar, porque parece que sua pele vai pegar fogo todo dia. Não sei bem o que estou fazendo aqui, mas estou aqui, então é isso, eu acho. Trabalho lavando pratos e não é tão ruim assim. O que tá rolando com a Louisa? Antes de sair daí, fala pra ela que estou com saudade, tá? Talvez você possa passar meu e-mail pra ela ou coisa do tipo. Não sou uma menina boazinha, sou ruim até o último fio de cabelo. — Charlie

Alguns dias depois, ouço Riley gritar por cima da barulhada da lava-louças.

— Ouvi dizer que o seu amigo vai dar uma de *roadie* para aquela banda em uma turnê enorme pela Costa Oeste. Você vai ficar sozinha pelos próximos meses!

Puxo com força a alavanca da máquina.

— O quê? — Afasto a fumaça escaldante do rosto. O climatizador da cozinha está quebrado e faz um calor absurdo lá fora, o que significa que está ainda mais quente perto da máquina de lavar-louça, da fritadeira e da grelha. Riley diz que não costuma fazer tanto calor em junho. Há ventiladores espalhados e Riley tem um improvisado na parede, mas o rosto dele está coberto de suor, e do nariz até o cabelo tem muitas manchas vermelhas. Tem uma lata de cerveja escondida embaixo do balcão e ele está fumando, as cinzas caindo no chão. Ele usa a bota para varrê-las.

Riley finge engasgar com um gole de cerveja.

— Ops. Será que eu contei segredos que ainda não deveriam ser revelados? Parece que o Michael tá com problemas.

Eu pisco.

— Mikey?

— *Michael*. Ele já é adulto, use o nome de gente grande dele, garota.

Eu me pergunto se ele vai levar Bunny na viagem. Me pergunto se ele *contou* para Bunny.

Acabei de chegar aqui, penso, enfiando com má vontade copos de plástico na água suja e cheia de sabão. *E ele já vai viajar.*

Mas então me lembro do que Mikey disse: *Não vai ser que nem era*, e penso, *Isso nem importa, de qualquer jeito.* Meu único amigo já vai embora.

Riley aperta algumas batatas na grelha, virando a espátula na mão. O cigarro está apoiado na lata de cerveja. Julie vai passar a semana fora.

— Em Ouray — explicou Linus hoje de manhã —, aprendendo sobre os *doshas* dela.

Me parece que Riley está sendo ainda mais descuidado que o normal em relação a beber no trabalho desde que ela se foi.

Riley termina de fumar e enfia o cigarro na lata. Ele se levanta, arremessando a lata por cima da minha cabeça, no lixo.

— E para de usar essas camisas de manga comprida, Garota Charlie. Fico com calor só de ver você usando isso. Vai comprar umas camisetas ou sei lá.

Eu não respondo. Em vez disso, jogo comida no lixo para cobrir a lata de cerveja.

Mexo no dinheiro que está no bolso do macacão enquanto caminho pelos corredores da loja de artes próxima ao café. Bastões de carvão de salgueiro, as cerdas leves e macias dos pincéis de aquarela. Pressiono os dedos nas pilhas de bloco de desenho encadernado, sinto a espiral sob o plástico. As elegantes tintas Winsor & Newton em frascos imaculados, alinhados em fileiras perfeitas: lago-escarlate, garança-roxa, amarelo-limão. Eles têm blocos de desenho com modelos para quadrinhos; chega de usar régua e um lápis bem apontado, como eu tinha que fazer. Vejo muitas bolsas de lona, calças militares de cintura baixa e lenços transparentes no pescoço das garotas da loja. Todos os meninos parecem mecânicos de automóveis de sandálias, com leves tufos de cabelo no queixo. Eu me pergunto se algum deles fazem as aulas de Ariel ou o programa da universidade. A oficina dela começa mês que vem. Ainda não decidi se vou. *Babacas da escola de artes*, foi assim que Linus se referiu a uma mesa cheia de adolescentes com calças manchadas de tinta e óculos de aros de tartaruga. Eles tinham bolsas tipo carteiro lotadas de coisas e pastas pretas coladas com fita adesiva. Bebiam chá e café sem parar. Deixavam moedas de baixo valor como gorjeta e cigarros enrolados à mão, às vezes um desenho de um dos garçons no guardanapo. Analisei os preços de bastões, grafite e papel. Tenho que comprar sabonete e papel higiênico, absorvente interno e roupa íntima. As solas das minhas botas estão gastas; sinto as saliências das calçadas nos pés conforme ando e, com o tempo cada vez mais quente, talvez fosse melhor comprar tênis ou um sapato mais leve e fresco. Tenho que pagar o aluguel para Leonard, mas não tenho certeza de quando Julie vai me dar o cheque. E é quando penso: *Onde vou depositar esse cheque? Eu não tenho conta no banco.* Tento fazer alguns cálculos de cabeça, mas os números ficam complicados e eu perco o controle deles e de mim mesma. Todos aqui parecem saber exatamente do que precisam, mas eu saio sem comprar nada.

Mikey baixa o olhar para o prato de batata-doce frita e vagem temperada com vinagre.

— Pois é — diz ele —, vou viajar por uns três meses. Não vou perder nenhuma aula porque agora estamos de férias. É uma oportunidade enorme pra banda. E eu sou o gerente, né? Meio gerente, meio motorista, melhor dizendo. Tipo, eles não me pagam nada, mas talvez isso possa dar em alguma coisa. Quem sabe até gravar um álbum. É bem legal.

Ele empurra o prato para mim.

— Você vai ficar bem, né? — A expressão dele parece querer dizer *eu preciso que você fique bem*.

As batatas fritas que empilhei parecem uma cabaninha laranja. Sinto um zumbido no ar; algumas das luzes penduradas no deque do restaurante estão queimando, escurecendo.

Conto em minha cabeça: três meses. Junho, julho, agosto.

— É bastante tempo. — Ele pega uma batata e todas as outras caem da pilha. O sal brilha na boca dele. — Um amigo meu vai alugar o apê.

Não consigo parar de pensar que, quando ele for embora, vou ficar sozinha de novo.

— Você vai fazer a aula da Ariel? Seria muito bom pra você. Pode ser que conheça algumas pessoas também.

Remexo a comida no prato.

— Ela disse que todos são mais velhos.

— Era brincadeira. Eu dei uma mãozinha pra ela no último verão. Não tinha *só* velhos. E acho que, se ela quer te ajudar, você devia deixar, sabe? Pode ser que isso também seja bom pra ela.

Abaixo o garfo, muito irritada de repente.

— Bom *pra ela*? Como que poderia ser bom *pra ela*? Para com isso, *olha* quem eu sou.

Mikey franze a testa.

— Não fala assim. Eu só quis dizer... — Ele inspira fundo. — O filho dela morreu. Alguns anos atrás, antes de eu mudar para a casa de hóspedes. Overdose. Eu acho... não sei de tudo o que rolou, mas na verdade fazia um bom tempo que ela não tinha notícias do filho até que a coisa aconteceu. Ela fala de você pra mim o tempo todo. Acho que o fato de ela querer te ajudar... talvez faça ela se sentir mais útil? Ela passou muito tempo muito mal.

Prendo a respiração. O filho de Ariel morreu. De overdose. E eu aqui achando que ela tinha uma vida perfeita e bonita, cheia de arte e coisas interessantes o tempo todo.

Agora eu entendi o que ela quis dizer na galeria. Porque ela disse "Eu *conheço* você". Porque aquela nuvem de tristeza encobriu os olhos dela.

Pensar nisso me provoca um peso estranho. Foi por isso que ela insistiu tanto em eu encontrar um lugar para morar, um emprego, fazer a aula dela? Para ter certeza de que eu... não vou acabar que nem o filho dela? Desaparecer?

Penso nos quadros na casa dela. Tão, tão sombrios, com um pequeno feixe de luz, mas a luz parece fugir da escuridão.

— Os quadros dela — começo devagar —, aqueles bem sombrios na casa dela. Quando vi, só consegui pensar que uma pessoa muito triste devia ter pintado aqueles quadros.

Ele assente.

— Ela não tem pintado desde então. Fez tudo aquilo bem depressa, logo depois de ele morrer, e então parou. Nada. Zero.

Ele toma cuidado ao dizer:

— A Bunny também está perto, se você precisar de alguma coisa. Não custa nada você tentar se aproximar dela.

O nome *Bunny* dói como uma facada. Rasgo o guardanapo, junto os pedacinhos manchados em um montinho em cima da mesa e assopro para longe como neve. Mikey sorri. *Michael* sorri.

— Falando sério. Ela é muito legal. Quer dizer, não precisa ser sempre tão seca, tá?

Fico vermelha.

— Seca? Que merda isso quer dizer?

— Você sabe, Charlie... é tipo... bom, você *sabe*. É que você não é a pessoa mais extrovertida do mundo, né? Você sempre foi meio... isolada,

lembra daquela época? Agora você é mais ou menos assim, não sei...
— Mikey gagueja, suspira. — Quer dizer, muita gente poderia gostar de você, mas você nem deixa as pessoas tentarem. Essa é a sua chance, aqui, agora, de mudar as coisas. Fazer amizade com as pessoas certas.

— Fazer amizade com as pessoas certas? Do que você tá falando, *Michael*? — Fazer amizade com as pessoas certas? Sinto que nossa conversa tomou um rumo inesperado.

— Charlie — a voz dele soa mais fria —, olha só. A Bunny me disse que viu você andando por aí com Riley West. Você sabe que ela trabalha no Caruso, né? Em frente ao Grit? Ela viu vocês dois chegando juntos no Grit de manhã.

Uso a língua para virar uma batata frita entre os lábios e olho feio para ele. Estou brava e assustada por ele ir embora, e não quero ser cruel.

— O que está rolando, Charlie?

— Por que *você* se importa?

Ele puxa a batata frita da minha boca e a amassa no meu prato, um pequeno purê raivoso de tripas de batata pálidas.

— Riley West era muito talentoso. Mas agora ele está em decadência total. Não faça isso. Ele tem um... histórico. Você não devia se meter com ele bem quando precisa se dedicar à sua recuperação. *Foi isso* que eu quis dizer com fazer amizade com as pessoas certas.

— Ele me deu um emprego. A porra de um emprego lavando pratos. — Empurro o prato, irritada. — Ele não consegue acordar na hora, então eu vou lá buscar ele. Não se preocupe, *Michael*, eu sou só o despertador dele. Quer dizer, quem vai querer me foder quando sou cheia de cicatrizes e dessa merda toda? *Você* com certeza não, né? Você limpou a boca depois que eu te beijei.

Mikey fica vermelho.

— Você estava com gosto de cerveja, foi por isso que eu limpei a boca. Eu não bebo, e você estava com gosto de cerveja e eu tenho *namorada*.

Não consigo parar, as palavras saem em uma fúria quente.

— E que tipo de conversa eu devia ter com meu possível pretendente, *Michael*, quando ele me perguntar o que eu fiz ano passado?

Será que eu devo contar que passei o ano comendo comida rançosa? Ou ajudando meus amigos a roubarem homens no parque? Você sabia disso, *Michael*? Você foi embora e eu perdi a Ellis. Eu fiquei *sozinha* e fiz o que precisava fazer. E agora eu pareço uma aberração. E eu me sinto uma aberração. Acho que você não precisa se preocupar com a minha vida amorosa.

Ele está vermelho feito um pimentão.

— Desculpa, Charlie. Não foi isso... só dê um jeito na sua vida, tá? O objetivo é progredir, não regredir, né? Não quero que você se machuque. Que se machuque *mais*.

Ele estica o braço e segura minha mão. Tento tirar, mas ele aperta mais forte.

— Não tem nada de errado com você, Charlie. Nada mesmo. Você não consegue ver isso?

Mas é mentira, não é? Porque tem tanta coisa errada comigo, é óbvio e é verdade. O que eu quero que Mikey diga é: você tem muita coisa errada, mas isso não *importa*.

Uma das minhas mãos está na pedra dentro do bolso e a outra presa no aperto de Mikey. O que eu quero dizer é: você já foi embora antes, e olha o que aconteceu, e agora você vai embora de novo, e estou assustada, porque não sei como ficar perto de outras pessoas, mas também não sei ficar sozinha, e achei que não fosse ter que ficar sozinha aqui.

E como seria possível se machucar mais do que eu me machuquei no último ano?

Mas tudo o que digo é:

— Vou sentir saudade, Mikey. Vou ficar bem. Eu juro.

Quando chego em casa, espero escurecer e vou de bicicleta até a casa de Ariel. Não prendo a bicicleta, só a deixo encostada em um poste, já que não pretendo ficar. Não há luzes acesas na casa, embora eu possa ver um feixe de luz esbranquiçada no quintal, onde ela tem alguns fios pendurados. Subo rapidamente os degraus e coloco a bolsinha marrom apoiada na porta de tela. Dentro está a cruz vermelha brilhante e um bilhetinho que diz *Desculpa*.

As horas se arrastam no trabalho. Linus e Tanner, o garçom com tatuagens no pescoço, estão conversando sobre covers. Tanner é um cara troncudo com cabelo curto e roxo e uma risada que parece um latido.

Um pouco de cabelo úmido gruda na minha testa. *Seca.* Foi o que Mikey disse. Todo dia, quando venho aqui para lavar a louça, ouço todos eles brincando, se acotovelando, provocando, gritando, falando de coisas estúpidas e fumando. Já peguei alguns deles me olhando de canto de olho, curiosos. Ellis sempre assumia a liderança quando encontrávamos pessoas em uma festa ou na rua; eu era a cúmplice silenciosa. *Você é quieta demais,* um menino resmungou para mim no Dunkin' Donuts uma vez, na manhã seguinte a uma festa longa e confusa. Ellis nos arrastou até lá, comprou uma dúzia de rosquinhas de geleia e café quente. O rosto do menino era cheio de espinhas e pálido. *Qual é? Você é feita de pedra ou alguma merda assim?* Ele e o amigo riram. O sabor adocicado da geleia parecia uma bolha em minha língua. Estendi a mão e peguei outro donut, esmagando a massa no rosto atordoado dele. O amigo dele continuou rindo enquanto o outro garoto gaguejava e passava a mão em seu rosto açucarado. Ellis olhou do balcão onde ela estava flertando com o caixa e suspirou. *Vamos embora!,* ela me chamou, e nós corremos.

Já observei Mikey. Observava as pessoas na escola. Observei todos em Creeley. Tenho observado as pessoas aqui e parece que, para alguns, fazer amigos é como encontrar uma camisa ou um chapéu: basta descobrir a cor que você quer, ver se combina e depois levar para casa, na esperança de que todos gostem da combinação. Mas nunca foi assim para mim. Eu ficava de fora desde pequena, me irritando na escola e sendo atormentada. Depois que tudo isso aconteceu, eu já tinha me tornado alguém com uma certa fama. Não tinha como voltar atrás, não até Ellis aparecer, e a gente se isolava. Sempre falo a coisa errada, isso quando consigo falar alguma coisa. Sempre me senti uma intrusa, uma bolha gigante de coisas *erradas*. Minha mãe sempre me dizia para ficar quieta, não incomodar.

— Ninguém *quer saber*, Charlotte — insistia ela.

Ellis queria saber. E ela me trouxe Mikey e DannyBoy.

Respiro fundo. *Seca*. Eu não sou seca. Simplesmente não me acho importante.

Eu quero ser importante. E, mesmo que Ellis não esteja aqui comigo, pode ser que ainda possa me ajudar a me encaixar.

— Sabe — digo, talvez um pouco alto demais. Minha voz soa um pouco rouca, e preciso limpar a garganta. — Minha amiga uma vez teve uma ideia ótima de um cover versão country de "You're the One that I Want".

Linus e Tanner-com-o-pescoço-tatuado piscam várias vezes. A única pessoa com quem costumo conversar é Riley, e mesmo com ele não sou de falar muito, e geralmente quando estamos a caminho do trabalho. Ele tem sido muito cuidadoso comigo desde o incidente do vômito.

Eles olham um para o outro e depois de volta para mim.

— Você tá falando daquela música do *Grease*? — Tanner enrola garfos e facas em guardanapos de papel e os embrulha como se fossem salsichas.

— Sim. — Eu gaguejo um pouco, torcendo a bainha do meu avental. — P-pense nisso. Só colocar um dedilhado mais lento, só o violão e o cantor, e então naquele ponto do refrão em que todos cantam "Ooh, ooh, ooh..." — Meu rosto fica vermelho e eu esqueço o que queria dizer, esqueço porque isso sequer importaria. *Você canta mal à beça*, Ellis ria. *Por isso que gosta daquelas músicas que são só gritos*. Abro a água quente, passo a mão embaixo dela rapidinho antes de me forçar a prestar atenção no presente.

— Nossa — Linus assente, os olhos apertados —, sim, dá pra imaginar. Quer dizer, eu até consigo ouvir.

Ninguém riu da minha cara. Volto a respirar. Não foi tão ruim assim. Deu certo.

— Daria pra fazer uns solos de acústico muito bons — Tanner diz e depois canta baixinho, fazendo o *Ooh ooh ooh* soar como *Owh owh owh*, um resmungo lento de gato.

Riley balança a cabeça.

— Não, não. É impossível tirar essa música da cabeça depois. Não.

A voz dele soa um pouco arrastada e Linus franze a testa.

Ela diz:

— Riley, esse é a quarta cerveja só hoje de manhã.

— Quinta, querida. *Eu acho.* — Ele abaixa a lata de cerveja, fora da vista dela. — Nosso segredinho.

Ele encosta ao meu lado, passando as facas na água quente, demorando mais do que o necessário. Linus observa as costas de Riley como se quisesse que ele se virasse. Quando ele não o faz, ela sai, a porta de tela batendo.

A água pinga das facas molhadas na mão de Riley nos tapetes molhados e sujos. Ele tropeça neles quando volta para a grelha.

Hesito quando o ouço abrir mais uma cerveja. Eu deveria ir lá fora e dizer a Linus que isso já foi longe demais, mas meus pés estão grudados no lugar enquanto o ouço dar uma golada enorme. Quer dizer, de que isso ia adiantar? Ela vai falar para ele ir para casa, mas amanhã Riley já estaria de volta. Como Julie disse, ela vai protegê-lo para sempre. E, se eu for contar a Linus, pode ser que me meta em problemas e perca o emprego, não?

Em vez disso, eu o ajudo. Quando suas mãos começam a ficar estabanadas demais e as fatias de pão começam a cair no chão, eu as pego e jogo fora, e ele começa de novo. Quando os pedidos chegam um atrás do outro e ele fica sobrecarregado, eu o ajudo a preparar os pratos, virar as batatas fritas na grelha, servir o tofu mexido e torrar os bagels. Ser uma pessoa legal, certo? Ele me deu esse trabalho. Não *seja seca.*

E, naquela tarde, recebo um saco de papel pardo com um bagel de cebola com peru e queijo grelhado, mostarda e maionese, e uma fatia de bolo de limão velho cuidadosamente embrulhada em papel-alumínio. Vejo cinzas pequenininhas na doce cobertura amarela, mas eu tiro com o dedo antes de dar uma mordida.

Faz tanto calor que o suor está pingando do meu rosto quando entro na biblioteca. Fico algum tempo me secando no banheiro. Meu quarto estava quente demais, o prédio barulhento demais com tantos ventiladores e ares-condicionados ligados e a música tocando tão alto.

No computador, escrevo *Ariel Levertoff artista*. Aparecem vários artigos e algumas galerias que vendem os quadros dela. Olho tudo, sem saber ao certo o que procuro, até que encontro um artigo intitulado "Morte e desaparecimento de Ariel Levertoff". É um artigo enorme de uma revista de arte bem chique, com centenas de palavras gigantescas e uma foto em preto e branco de Ariel e de um menininho com cabelo bem, bem escuro caindo nos olhos. Eles estão cercados de quadros. O menino está com as mãozinhas para cima, alegre. Tem tinta escorrendo das mãos. Ariel está rindo.

O filho dela morreu de uma mistura de pílulas e álcool. O corpo dele foi encontrado em um beco no Brooklyn. *Alexander.* Ele foi jubilado da faculdade, era bipolar, ela perdeu o contato com ele e até contratou um detetive, mas não conseguiu encontrá-lo. Ela cancelou exibições, parou de pintar.

Ele sumiu no mundo. Foi encontrado na rua. Um buraquinho começa a queimar dentro de mim.

De repente, me pergunto a respeito das pinturas dela, os feixes de luz tão, tão finos em meio à escuridão tempestuosa. Ela disse na galeria que às vezes um quadro só com cores também pode contar uma história, mas diferente. Seria o filho dela a escuridão ou a luz nos quadros? E Ariel, o que seria? Me esforço para compreender, mas é difícil, então fecho o artigo. Sinto tanta saudade de Ellis que é como se tivesse uma enorme caverna sombria no meu coração. A sensação que Ariel deve ter ao pensar no filho deve ser um milhão de vezes pior.

Será que minha mãe fica desesperada, se perguntando de mim? Ou será que é só mais um dia para ela, todo dia, mais um em que fui embora e já não sou mais problema dela? Será que ficou aliviada quando recebeu notícias do hospital, por mais que não tenha ido na mesma hora? Será que ela pensa em todas as vezes que me bateu?

Ela ficava ainda mais brava depois que me batia, segurando a própria mão como se ardesse, me encarando. Porque eu tentava me esconder, ainda mais quando era pequena. Foi assim que aprendi a me fazer menor, a rastejar debaixo da mesa ou a encontrar um cantinho no armário.

Será que ela teve medo de que eu contasse no hospital o que acontecia? Afasto os olhos do computador para o meu colo, meus dedos apertando com força as coxas para me impedir de ir muito longe.

Antes que possa me impedir, abro meu e-mail e escrevo uma mensagem para ela, ou ao menos o último que sei que ela usava. Digito: *Estou bem.*

Meus dedos pairam sobre o botão de enviar. Ela iria gostar de saber disso, certo? Pelo menos saber que estou viva?

Ela sabe o número de Mikey. Eles se falaram em Minnesota. Mas ela não ligou, nem nada do tipo, para ver como estou.

Às vezes, quando Frank Maldito estava chapadão, ele dizia para todos na casa:

— Cadê a mamãe e o papai, hein? Estão aqui na porta, implorando pra você voltar pra casa? — A fumaça subia em frente ao rosto dele, os olhos queimando como carvão em meio às plumas. — Eu sou tudo o que vocês têm agora. Eu sou a porra da família de vocês, não esqueçam disso.

Minha mãe não ligou para Mikey. Nem para a Gasparzinho. Ela não fez nada. Mikey vai embora. Ellis é um fantasma. Evan está lá longe, em Portland. Eu deleto o e-mail que ia enviar para minha mãe.

Estou completamente sozinha.

Uma semana depois, no meio de uma noite no fim de junho, Mikey estaciona a van da banda em frente ao meu prédio às duas da manhã antes de viajar.

Ele bate na porta com delicadeza e chama meu nome. Quando abro, anuncia:

— A gente precisa sair bem cedo. É uma loucura, a gente tem que seguir esses horários malucos pra poder fazer o primeiro show amanhã.

Ele está pilhado, empolgado. Sinto a energia nervosa que ele emana.

Mikey coloca um pedaço de papel em cima da mesa de jogo. Tem o número do celular dele, da Bunny e da Ariel, e a programação da turnê.

— Eu sei que você não tem celular, mas talvez possa usar o do Leonard ou o telefone do trabalho se tiver uma emergência, né? E pode me mandar e-mails da biblioteca.

Mikey inclina a cabeça tão perto que quase consigo sentir a bochecha dele colada à minha.

— Isso vai dar em alguma coisa, acredito eu — ele tagarela. — Acho que pode ser que a gente grave um álbum em um estúdio no norte da Califórnia. Quer dizer, seria incrível, não é, C?

Eu abaixo a cabeça, mas ele me abraça forte. Conto até vinte, bem devagar, na minha cabeça. Ele beija minha testa.

— Se cuida e não faça bobagem — sussurra no meu ouvido.

Esfrego o rosto com um pano de prato limpo, em uma tentativa de tirar o vapor e o calor da cozinha. Gotinhas de suor escorrem do meu queixo na água quente da pia. Riley vem do corredor que leva ao escritório, uma pasta cheia de papéis na mão. Ele olha para mim e franze a testa. Parece estar melhor. São quase onze da manhã e ele ainda não tomou nem um gole de cerveja.

— Ah, puta merda — reclama ele —, o que foi que eu falei das camisetas? É muito quente aqui, querida. A última coisa de que eu preciso é que você morra de insolação.

— Eu não tenho camisetas assim. — Eu me ocupo colocando pratos na bandeja.

— Bom, quando terminar o expediente hoje vá até um brechó e compre umas. — Ele coloca a pasta de recibos em cima da tábua de cortar. — Pelo menos arregace as mangas. Por mim.

Coloco a bandeja dentro da máquina, fecho a porta e pego os talheres molhados da pia só para não ter que olhar para ele.

A voz de Riley soa mais firme.

— Arregace as mangas, Garota Estranha.

Ele está bem perto de mim agora. Consigo sentir seu cheiro em meio ao vapor dos pratos, uma mistura de suor e temperos, café e cigarro. Fico imóvel.

Riley olha por cima do balcão e vê Linus absorta na limpeza da vitrine de doces. Ele abre meus dedos para que os talheres que estou segurando caiam de volta na pia cheia de água. Devagar, puxa uma das mangas da minha camiseta pouco a pouco, até chegar em meus cotovelos. Ele vira meu antebraço.

Apesar de não ver, eu o sinto inspirar profundamente e depois expirar fundo. Eu me concentro na comida suja que flutua na pia, pedaços encharcados de carne e pão, restos de ovo mexido, mas meu coração está acelerado.

No entanto, alguma coisa acontece quando ele me toca, alguma coisa confusa: uma descarga elétrica, como se tivesse um fio embaixo da minha pele.

Ele puxa a manga para baixo. Olha para meu outro braço. Seus dedos são quentes e gentis.

— Você já passou por uns lugares barra-pesada, Garota Estranha. — Ele enfia a pasta embaixo do braço, tira o maço de cigarros do bolso da camisa. Riley gosta de se sentar para fumar com os homens que ficam jogando. — Lembro que você me contou que tentou se matar, mas isso aqui é destruição pura.

Olho para ele. Seus olhos estão sombrios e cansados. Ele também entende de destruição, o que me faz sentir menos vergonha dos meus braços, acho eu.

Ele encaixa o cigarro no canto da boca.

— Mas você tem que dominar as suas viagens. Já é bem grandinha agora. Não tem como se livrar dessas merdas, sabe? Compra a merda de uma camiseta de manga curta e o mundo que se foda, entendeu?

A meio caminho da porta de tela, ele se vira e me entrega um envelope.

— Quase esqueci. Seu primeiro cheque. Você está oficialmente na folha de pagamento, até que enfim. Chega de ostentar dinheiro vivo no bolso. Foi mal pela demora da Julie em pagar. Não vá gastar tudo de uma vez.

A porta de tela se fecha atrás dele.

Depois da correria do almoço, abro o envelope e sinto um aperto no coração na mesma hora. O valor é menor do que eu esperava, porque esqueci dos impostos. Fico olhando para a quantia descontada e a quantia que sobra, que mal cobre meu aluguel. Se for assim, como vou comprar qualquer coisa de que precisar até o próximo cheque? Era quase melhor quando ele me pagava em dinheiro. Tanner me vê olhando para o cheque e balança a cabeça, taciturno.

— É uma merda, né? Eu tô até o talo de empréstimos estudantis, mas, se arrumar outro emprego, não vou ter tempo de estudar. — Ele aponta com a cabeça para Linus, que está pegando o pedido de alguém no balcão da frente. — Ela faz turno dobrado o tempo todo e ainda precisa vender plasma e tal pra ter dinheiro pra mandar para os filhos. Será que os seus pais não conseguem ajudar? — Ele dobra os guardanapos em volta dos talheres com habilidade.

Dobro o cheque sem responder nada. Tanner seca o nariz.

— A maioria de nós está na faculdade e se vira com empréstimos ou dinheiro dos pais, menos a Temple. Você ainda não conheceu ela. Trabalha de noite. Ela tem quatro empregos. Esse aqui, levar uma velhinha no supermercado pra fazer compras, se exibir em uma cabine no sex shop e aula de espanhol pra umas crianças.

— Eu já tive sorte de achar *este* trabalho — digo baixinho.

Tanner dá de ombros.

— Cada um faz o que pode pra se virar, eu acho. Dividir o apartamento também ajuda, mas pode ser um pé no saco. Pelo menos eu ganho gorjetas. — Ele pega os talheres embrulhados em guardanapos nos braços e, com um chute, abre a porta que leva para a frente do café.

Um minuto depois, ele enfia a cabeça de volta na cozinha.

— Fala com a Linus. Acho que ela pode depositar esse cheque lamentável pra você. Imagino que você não tenha conta no banco, certo? Se for tentar num desses lugares que depositam cheques, eles vão querer pegar uma parte.

Levo muito tempo pedalando para casa, tentando conter o pânico crescente quando penso em dinheiro, aluguel, comprar coisas do dia a dia e o que fazer. Linus descontou meu cheque. Preciso pagar Leonard hoje. Para me sentir melhor, decido passar em frente a uma casa de que gosto, onde usaram molas como treliças em um jardim. As vagens rechonchudas se entrelaçam nas gavinhas e espirais. Além da treliça de molas, girassóis com sua cabeça gigante pendem sobre cosmos e cactos. As pedras do pavimento foram pintadas com cores vivas e colocadas em volta do quintal, um caminho entre as flores deslumbrantes, os cactos, as calotas brilhantes suspensas de choupos como sinos enormes. Peixes cor de laranja nadam na superfície nebulosa de um lago redondo. Todo o exterior da casinha foi pintado com nuvens coloridas em espirais, raios, coiotes latindo, tartarugas preguiçosas. Às vezes, quando passo, vejo uma mulher retocando a pintura, o cabelo grisalho e grosso preso na nuca. Ela trabalha com cuidado, movendo os pincéis só um pouco, um cigarro apoiado em um cinzeiro a seus pés. Uma vez ela se virou e sorriu para mim, um flash branco no dia escaldante, o mural uma explosão brilhante atrás dela, mas eu passei depressa, envergonhada. Gosto desta casa, gosto de pensar nela, e naquela mulher estranha, na selva bem-arrumada de seu jardim, e quero saber como chegar lá, conseguir um pedacinho de terra, uma casinha para pintar por dentro e por fora, um quintal para preencher e moldar, como me sentir confortável no próprio ambiente ao meu redor.

O dia não está bom na cozinha: Riley me pediu um favor, e esse favor está pairando no ar entre nós, tornando-se mais e mais pesado a cada segundo.

Riley me encara à espera da resposta.

Os dedos dele estão da cor de café aguado. Quantos cigarros ele já fumou hoje? Pedidos são enviados de volta: as rosquinhas estão queimadas de um lado, não tem cebolinha no tofu mexido, as batatas fritas caseiras estão duras. Dois pratos quebrados, os cacos brancos irregulares chutados para baixo de uma mesa de preparação de inox.

Ele diz que precisa disso para terminar seu turno. Diz que a porta da casa é preta e tem uma picape azul na frente. A máquina de café expresso faz barulho, o vapor subindo em nuvens e encobrindo Linus. Tanner está limpando as mesas da frente. Julie está no escritório.

— Está na hora do seu intervalo. — Ele dá uma longa tragada no cigarro. Os olhos estão vermelhos. Esta manhã, quando fui buscá-lo, ele já estava acordado, sentado no sofá, fumando e encarando o nada, um cheiro peculiar em sua pele que lembrava plástico. — Não posso sair daqui enquanto estivermos abertos. Regras da casa. — Ele tenta piscar, mas fica parecendo que tem algo no olho. — Por favor. — Um eco rouco em sua garganta, assim como Evan quando precisava muito.

— Seu turno está quase acabando mesmo. Eu te pago.

Eu me lembro de Ellis puxando meu braço, a expressão de desespero. *Por favor*, ela implorava. *Fala pra minha mãe que estou no banheiro se ela ligar. Eu disse que ia dormir aí. Por favor, Charlie. Eu preciso ficar com ele. Me ajuda, Charlie, por favor?*

Ele me faz pensar em Evan também, quando precisava satisfazer suas compulsões, precisava de algo, dizia ele, que parasse *a merda do abismo que ameaça devorar minha alma*, e eu me fazia de durona, e me lavava em um banheiro qualquer, o bastante para meu rosto não parecer sujo demais, e ficava parada em uma esquina a uns quarteirões de distância do Mears Park, em St. Paul, um pouco depois do anoitecer, e esperava algum homem aparecer e eu o levava para o parque, onde Evan e Dump já esperavam.

Mas Ellis precisava daquele menino, e eu precisava dela. E Evan me ajudou, me salvou, então eu o ajudei. E agora Riley está pedindo minha ajuda. E disse que iria me pagar. Eu preciso de dinheiro.

Gasparzinho disse que seria fácil recorrer a velhos hábitos, velhos padrões. Mas ela está ocupada agora, a milhares de quilômetros. O bege reconfortante do Centro Creeley está a milhares de quilômetros. Pareço estar a milhares de quilômetros.

Um entorpecimento familiar toma conta de mim quando tiro o avental e o coloco sobre o escorredor de pratos. Não digo uma palavra para Riley. Estendo a mão para o dinheiro e fecho o punho. Só depois de colocar o dinheiro no bolso é que percebo que esqueci minha pedra de lápis-lazúli hoje. Meus dedos a procuram por um minuto, depois desistem.

Do lado de fora do café, o calor faz a umidade do vapor dos pratos evaporar da minha pele. Riley não percebeu que escondi a faca no bolso.

O homem que atende a porta me olha de cima a baixo e depois para trás de mim, na direção da rua, como se quisesse ter certeza de que estou sozinha. Ele morde a tampa de uma caneta. Tem os dentes amarelos. A casa fede a comida de gato enlatada.

Evan e Dump me ensinaram que o silêncio é a melhor arma. As pessoas vão te enganar com palavras. Elas vão distorcer o que você diz. Elas farão você pensar que precisa de coisas de que não precisa. Elas vão fazer você falar, se sentir relaxada, e depois vão te atacar.

O homem se recosta no sofá. Eu continuo perto da porta. Há gatos por toda parte: preto e branco, cinza, malhado, andando de um lado para o outro e miando baixinho. A mesinha de centro diante do homem está cheia de papéis, canecas e revistas amassadas.

— Você é a garota que o Riley mandou? — A caneta em sua boca vai de um lado para o outro, molhada, batendo nos seus dentes. — O gato comeu sua língua? — Ele aponta para o mar de pelos se movendo no carpete esfarrapado e ri. — Hein? Hein? — O sorriso dele some quando fico em silêncio.

Ele me pergunta o que eu trouxe.

Coloco o dinheiro na mesa. *Avalie*, diria Evan. Sempre avalie antes de progredir. Com o canto do olho, vejo um taco de beisebol encostado na parede. Vejo pratos sujos com garfos e facas sujos equilibrados em cima da televisão. A televisão está a um braço de distância. Meu bolso está mais perto.

O homem conta o dinheiro, estende a mão para trás e bate seis vezes na parede.

— Essa cicatriz na sua testa é enorme. — Ele joga o isqueiro de volta na mesa, recosta-se no sofá enquanto exala. O cigarro balança perto do joelho.

Eu me mantenho inexpressiva. Falar é o que coloca a gente em apuros. É assim que você fica preso.

Uma porta se abre no corredor. Uma mulher aparece, com olhos sonolentos, descalça, a regata solta na barriga. O cabelo está bagunçado; longos fios tingidos de vermelho e amarelo balançam em seu rosto.

Ela também olha para trás, para a porta, desapontada. O homem no sofá a avalia.

— Wendy, parece que o seu guitarrista mandou uma amiguinha no lugar. Será que a gente pode confiar nela?

Wendy deixa cair um saco marrom na mesa de centro. Ela também me olha de cima a baixo, um sorriso brincando nos lábios.

— Ela parece bem inofensiva. Também sou amiga do Riley — diz ela, um tanto atrevida. — Bem amiga.

O homem a manda ir embora e eu a vejo voltar pelo corredor. Tem mais cinzas na ponta do cigarro agora. Devagar, ele empurra o saco pela mesa com os pés descalços, até que caia no tapete. Eu o pego, sentindo a faca junto à minha coxa enquanto me curvo.

— Se quiser alguma coisa pra você, já sabe onde encontrar.

Eu não respondo, só me viro e saio. Não paro nem olho para trás até passar pela porta de tela do True Grit.

Riley me puxa para a grelha e estende as mãos. Ele enfia o saco debaixo da camisa. Sussurra para eu cobrir a grelha para ele.

A caminho do banheiro, ele aponta para a geladeira. Quando a abro, vejo meu agradecimento: outro saco cheio de comida. Pego como um robô, sem sentimento, sem expressão, e o enfio na mochila. Riley volta mais alerta, lambendo os lábios. Ele me dá uma piscadela e volta a virar as batatas na grelha.

Não sei o que pensar sobre o que acabei de fazer, ou por quê. Me deu um branco, apaguei. Passo o resto do turno em uma névoa.

No meu quarto, empurro a poltrona verde para a frente da porta. O saco de comida está em cima da mesa. Tiro a faca do bolso. Não sei como esqueci que estava com ela.

E de repente todo o entorpecimento desaparece e meu coração começa a bater como um pássaro frenético na gaiola. A sensação de fazer isso por Riley foi *boa*. Foi errado, mas eu fiz, e me fez sentir como às vezes me sentia com Evan e Dump e o que faríamos: tipo, sim, era *ruim*, sim, era *errado*, mas também havia um certo perigo que era atrativo. Tipo: quão longe você pode ir antes de ferrar tudo de vez? Você seria capaz de reconhecer o momento em que uma coisa estava prestes a dar muito, muito errado?

Mas também percebo que estou descendo muito na escada das regras de Gasparzinho, e de repente sou tomada pelo desespero. Eu me levanto e ando pelo quarto. Tento os exercícios de respiração, mas só servem para me fazer engasgar, sem conseguir diminuir o ritmo. Estou muito nervosa. Mikey disse para *progredir* e eu *regredi*, voltei no tempo e, merda, lá vem o tornado.

Meu kit da ternura ainda está enfiado bem embaixo da banheira, escondido dentro da mala de Louisa. Eu não quero isso, não mesmo. Passo a lâmina da faca de leve em meu antebraço, testando. Minha pele se arrepia e o desejo me preenche; meus olhos ficam úmidos.

Estou tão perto de me sentir melhor, me sentir livre, bem aqui, com esta laminazinha curta. Mas eu viro os braços, me forço a olhar para as linhas vermelhas ásperas sulcando minha pele macia.

Qualquer coisa menos isso.

Deixo a faca cair na pia. Agora estou meio que desabando. Não me sinto muito bem. Passei perto demais hoje, com Riley e aquele homem. Muito perto do que eu fazia antes, e uma parte de mim queria ver como seria de novo, mas também queria fazer os olhos de Riley pararem de piscar, queria que ele parasse de tremer, queria ser uma boa pessoa, para levar para a vida, assim como com Louisa. Assim como eu faria por Ellis.

E daquela vez, aquela única vez em que não a ajudei, quando ela precisava de ajuda mais do que nunca, eu não a ajudei e a perdi.

O quarto está se fechando ao meu redor. Abro a porta. Eu poderia descer, pedir a um dos homens na varanda que levasse meu dinheiro para a loja de bebidas. Estou prestes a sair quando a porta do outro lado do corredor se abre e uma mulher pequena e com o rosto sujo sai. Não sei o nome dela, só está aqui há alguns dias, mas cruzamos no corredor, e ela se encolhia na parede se eu passasse muito perto. Ela fala muito sozinha no quarto à noite, sempre murmurando.

— Ei — chamo, antes que eu desista. — Tem alguma coisa pra beber aí? Eu te pago. — Tiro uma nota de cinco dólares do bolso.

Seus olhinhos são como passas. Ela está usando uma blusa manchada. Tatuagens desbotadas se estendem por seu peito. Muitas delas são de nomes, mas não consigo ler. Ela olha para o dinheiro. Minha mão está tremendo. Quando estende a mão para pegar a nota, vejo que ela também está tremendo. A mulher volta para o quarto e bate a porta.

Quando sai, ela empurra uma garrafa de vinho barato com tampa de rosquear na minha direção, e depois sai correndo pelo corredor. Seus chinelos ecoam nos dezesseis degraus até o primeiro andar.

Eu nem espero para comer alguma coisa. Abro a tampa e dou goladas grandes até começar a engasgar um pouco, então despejo o resto na pia para não beber mais. O vinho faz efeito depressa, a tontura e o calor seguidos pela pequena sensação de euforia no estômago. É o suficiente para conter minha ansiedade. Apesar de me sentir mal, fiz uma escolha. Entre me cortar e beber, escolhi beber.

Na sacola que Riley me deu, encontro um pequeno burrito embrulhado em papel-alumínio. O recheio é de frango, queijo ralado, pimentões e sour cream. Uma pilha de batata frita crocante acompanha o burrito. Ainda está tudo quente, gostoso e gorduroso em minha língua. Como tudo, até mesmo os pedaços molhados que caem no meu colo. Tiro o guardanapo branco da bolsa para limpar a boca e uma nota de vinte dólares cai. Só posso imaginar que é um agradecimento extra de Riley.

Pego o livro que peguei na biblioteca no começo da semana. *Desenhar é um estado de espírito*, leio. *Uma interação entre olho, mão, modelo, memória e percepção. O método representacional...*

Suspiro, fecho o livro e o empurro para a beirada da mesa. Penso na mulher com a casa murada, seu jardim como um castelo. Daqui a pouco Lacey do 3C vai começar a chorar no quarto, como faz toda noite, um som fungado e soluçado. O professor do andar de baixo vai assistir a reprises de *The Price is Right* a noite toda, os sinos, os assobios e a tagarelice da plateia subindo pelas tábuas do assoalho. Os homens do meu andar vão cambalear pelo corredor até o banheiro compartilhado, resmungar e mijar.

Desenho como um demônio, mas desta vez na parede ao lado da cama, preenchendo todo o vazio que me cerca, um tipo de mural para me envolver e me manter segura, até que o vinho me empurre para o sono.

O homem no sofá não está tão falante da vez seguinte em que vou lá. Desta vez a mulher de cabelo vermelho e amarelo demora um pouco mais enquanto eu pego o saco e enfio no bolso. Quando saio, ela diz:

— Fala para o Riley que a Wendy mandou um oi. Fala que a Wendy tá com saudade.

Estremeço ao ouvi-la. Será que eles já ficaram? Tento não pensar nisso.

Quando chego no café, entrego o saco para ele e o observo se apressar para o banheiro. Tanner folheia um livro de fotos lustrosas e estranhas. Ele levanta para eu ver.

— Olho fora da órbita — informa ele. — Vou ser socorrista.

A fotografia mostra o perfil de um homem parecendo atordoado, o globo ocular saltando da órbita, conectado por um zigue-zague caricatural de artéria. É nojento e eu faço uma careta.

— Esse tipo de merda acontece — murmura Tanner. — O corpo humano é uma coisa maravilhosa em toda a sua bizarrice.

Linus passa pelas portas duplas, enxugando as mãos no avental. Ela engasga com a foto e Tanner ri. Ergo o olhar e a vejo sorrindo para mim, mas olho de volta para os pratos brancos, os quadrados de pão de trigo e queijo quente que viro enquanto Riley está no banheiro.

Linus comenta:

— Pode falar com a gente, tá bom? A gente não morde.

Tanner brinca:

— Às vezes *eu* mordo. — E eles riem, mas não *de* mim, eu percebo, então eu meio que rio também. Estou ficando melhor em estar perto deles, conversando um pouco mais.

Riley retorna. Dá para perceber que está evitando deliberadamente olhar para Linus porque se ocupa no mesmo instante em preparar a comida.

Sua pele exala o cheiro frio da água. As bochechas estão coradas de novo e os olhos são como luz líquida. Assobiando, ele toma a espátula da minha mão e, com rapidez, vira os montes de batatas fritas, prepara um prato, unta um lugar mais seco na grelha. Ele fica quieto até Linus e Tanner caminharem até a frente para verificar os galões de café. Quando o fazem, ele se inclina, seu hálito quente na minha bochecha, e sussurra:

— Você realmente é uma boa menina.

Começa a chover logo cedo, enquanto estou pedalando até a casa de Riley para acordá-lo e irmos trabalhar. A noite foi bem úmida e eu dormi com o ventilador praticamente grudado no corpo, mas não adiantou nada. Tomei um banho gelado na banheira, mas assim que saí de casa minhas roupas já estavam colando no corpo.

Quando estou no meio do caminho, é como se alguém tivesse fechado as cortinas escuras do céu e, de repente, a chuva mais rápida que já vi ou senti começa a cair. É como se milhares de torneiras tivessem sido abertas ao mesmo tempo no céu. As ruas inundam no mesmo instante e carros passam apressados, ainda mais água espirrando em mim. Quase bato a bicicleta quando alguém passa pela poça e a água jorra em meu rosto. A chuva é quente e poderosa.

Estou ensopada quando chego à casa dele. Corro até a entrada e tiro as botas. Grito o nome dele, mas ninguém responde. Não quero molhar o chão da casa, mas depois paro para pensar: *Até parece que ele vai se importar, né?* Então corro direto para o banheiro. As únicas toalhas que vejo estão no chão. Começo a me secar, balançando o cabelo para a água escorrer.

Riley surge na porta, o cabelo bagunçado. Está sem camisa, o que me deixa vermelha.

— Olha só quem está aqui. É a sua primeira monção?

— Quê? — Estou tremendo, o macacão pesado de tanta água e a camiseta grudada no corpo.

— É uma das melhores coisas de Tucson. A monção. Tempestades fortíssimas. Umas áreas da cidade ficam alagadas em minutos, as estradas são inundadas. Vou dar uma olhada.

Ele volta assobiando.

— Essa é das grandes. A gente não pode sair agora. Vamos ter que esperar aqui. É melhor você tirar essa roupa molhada.

Eu olho para ele.

— Como é que é?

Os olhos dele estão brilhando.

— Você parece um pinto molhado, Charlie. Não pode ficar com essa roupa. Minha máquina de lavar não seca. Seco minhas coisas no apartamento da Julie. Vai ter que ficar pelada. — Ele ri.

Enrolo a toalha no corpo.

— É brincadeira. Espera aí.

Meus dentes estão batendo. Ouço a chuva pipocar no telhado, nas laterais da casa.

Riley volta com uma camiseta e uma calça jeans.

— Toma — diz, entregando as roupas para mim —, uma visita deixou aqui.

Visita. Quando? Quem? Olho para as roupas. Riley fecha a porta. Tiro minha roupa molhada e penduro com cuidado no chuveiro. É estranho vestir roupas que não são minhas. A calça fica um pouco grande na cintura. Tenho que enrolar a parte de cima e subir as bainhas. Ele não me trouxe meias, então vou ter que andar descalça.

Eu me sinto nua com essa camiseta de manga curta. Estou com frio. Pego outra toalha e enrolo em volta do corpo.

A porta da frente está aberta. Riley está sentado na varanda, de pernas cruzadas, fumando. Eu me sento ao lado dele.

— Adoro quando o tempo está assim — murmura —, adoro a chuva.

Olho para a cascata de água tempestuosa. Tudo parece estar meio cinza, meio marrom, uma névoa bruxuleante.

— Eu não gosto — respondo —, não gosto nem um pouco. E também não gosto de neve.

— Você e a mãe natureza não se dão muito bem, é?

Penso nas vezes em que Evan, Dump e eu tivemos que suportar a chuva, quando não conseguíamos encontrar um lugar para ir. Em nós ali, parados na chuva, nossos corpos grudados e ficando cada vez mais ensopados, cientes de que a umidade faria criar mofo em nossas meias sujas e molhadas, que era bem provável que ficássemos doentes por dias, que parecia que a gente nunca ia se secar.

— Eu morei na rua por um tempo — conto, e até eu fico surpresa —, antes de vir pra cá. Não era nada legal quando chovia e você não tinha pra onde fugir pra se secar.

Sinto que Riley está me olhando. Ele fica em silêncio por algum tempo, depois responde:

— Sinto muito por saber disso, Charlie. Não é bacana. Não é bacana mesmo.

— Não era. — Sinto um nó surgir na garganta. Belisco minha coxa para não começar a chorar. Eu me sinto bem por poder contar para alguém, contar para *ele*. De todas as pessoas que conheci aqui até agora, sinto que ele consegue entender o que é ferrar com tudo e se sentir perdido.

Ele coloca o cigarro no cinzeiro e se aproxima, toca minha mão.

— Você ainda está gelada. — Ele esfrega minha pele com os dedos e se levanta, esticando a mão. — Vamos entrar. Sabe o cobertor no sofá? É o melhor do mundo, pode acreditar. Vá se enrolar nele e eu faço um chá pra gente.

Ele sorri.

— Tá bom?

Olho para a mão dele por alguns instantes antes de segurá-la.

— Tá bom.

No começo fico achando que estão batendo em outra porta, na do Manny, que mora no fim do corredor e cuja mãe, Karen, costuma perambular em horários estranhos, com latas de cerveja light e DVDs de *Lost*, que eles assistem do começo ao fim enquanto bebem cerveja e comem pipoca de micro-ondas. Karen tem um jeito alto e insistente de bater na porta, porque Manny está quase sempre a ponto de desmaiar quando ela chega em casa depois de trabalhar no Village Inn, de onde pega um táxi até o prédio. Ela quase sempre é a última cliente a comprar na loja de bebidas ao lado, e aparece quando eles estão fechando as portas e trancando as grades. Pela janela, consigo ouvi-la enquanto tenta persuadi-los e se desculpa, oferecendo mais dinheiro, dinheiro esse que ela passou a noite trabalhando para conseguir, notas molhadas sendo tiradas de copos de cerveja e debaixo das sobras de queijo quente. Sei disso porque às vezes Karen reclama com Manny, choramingando, por ter que trabalhar até tão tarde, por ter que lidar com universitários cruéis e baladeiros bêbados. Manny conforta a mãe, esquenta uma caneca de café no micro-ondas e se prepara para beber de novo. Manny e a mãe devem ser as pessoas mais barulhentas do prédio.

Franzo a testa e ergo o olhar do meu caderno de desenhos. As únicas pessoas que já vieram ao meu quarto são Mikey e Leonard, na vez em que precisou desentupir a pia. Estou sentada de camiseta e calcinha porque está quente demais, mesmo com o ventilador que comprei no brechó. Visto o macacão.

Meu coração acelera quando abro a porta e vejo que é Riley, apoiado no batente, a escuridão do corredor atrás dele. Ele balança uma sacola de plástico em uma das mãos.

— Acho tão fofinho — comenta — que o seu rosto fica vermelho quando você me vê.

— O que você tá fazendo aqui? — Nem tento esconder a irritação na voz, apesar de não saber se estou irritada por ele ter notado isso e feito um comentário tão indelicado ou comigo mesma por ficar toda vermelha perto dele.

— Pelo jeito você usa manga curta quando está em casa — acrescenta, como se eu não tivesse dito nada. — Não vai me convidar pra entrar? — Ele tem estado bem quieto no trabalho ultimamente, tão calmo que é estranho.

Farejo o ar em volta dele, para enrolar um pouco.

— Você está bêbado?

— Trouxe um presente pra você. — Ele balança a sacola em um dedo.

Minha boca fica seca. Os olhos dele estão brilhando e ele parece feliz. Penso *Tudo vai ser mais fácil se você não entrar no meu quarto*. Porque agora estou afundando nos olhos alegres dele, e me lembrando do quanto ele foi gentil comigo no dia em que choveu, e como foi bom conversar na varanda, o calor da mão dele na minha.

Mas Riley passa por mim com delicadeza, jogando a sacola na poltrona.

— Você sempre fica no escuro, Garota Estranha? — Ele tenta acender a luz, mas ela só faz *clique, clique*.

— Não tenho mais lâmpadas e o que eu ganho não dá pra comprar — explico, mal-humorada. — A luz da rua e da loja ali são o bastante.

Ele deita no colchão dobrável, tirando as botas com um chute, e apoia as mãos atrás da cabeça.

— Abra os seus presentes. — Ele aponta para a poltrona, os olhos brilhando. — Bem ali. — Em vez disso, jogo a sacola nele. Ele ri, remexendo seu conteúdo. Ergue uma camiseta verde desbotada escrito *M*A*S*H* na frente. — Eu sei que vocês jovens gostam dessas coisas irônicas e tal.

Ele coloca a camiseta na cama e joga a sacola de lado.

— Enfim, eu estava bebendo no Tap Room e acho que derrubei as chaves quando estava voltando pra casa. Fiquei preso do lado de fora. Não posso quebrar a janela, é cara pra caralho. — Ele faz uma pausa. — Procurei em todo lugar na merda da rua, mas tá escuro demais. Não consigo enxergar.

Ele se vira de lado.

Eu me ajoelho e desembalo a camiseta.

— É pequena demais — digo, o que é mentira.

— Até parece — retruca ele. — Você amou e vai servir certinho. Já tive bastante tempo pra observar o seu tamanho, depois de passar quatro dias por semana olhando para as suas costas.

Ele pausa.

— A gente não é tão diferente assim, sabe? Comprei mais uma coisa pra você.

Tem outras camisetas na sacola, e, embaixo delas, sinto a superfície dura de um cartão. À meia-luz, seguro o cartão-postal próximo ao rosto. Uma mulher de cabelo vermelho com manchas rosadas nas bochechas. Metade do rosto está escondida na penumbra, um dos olhos escuros enormes olhando diretamente para mim. *Esposa do Artista, 1634.*

— Eu vi você olhando para todos aqueles livros na biblioteca. Faz um tempinho. Encontrei esse cartão em uma loja de bugigangas na Twenty Second. Vocês têm olhos parecidos. Meio tempestuosos. Tristes.

A luz da rua ilumina as bochechas dele. Ele me viu na biblioteca? Sinto um aperto na barriga.

— O quê... o que você estava fazendo na biblioteca? Por que não falou comigo?

— Eu gosto de ler, tá bom? E você estava lá, olhando para uns livros de arte enormes e antigos, como se mais nada importasse no mundo. Parecia feliz.

Ele apoia um dedo na minha perna, fazendo círculos pequenos no jeans. Um círculo, mais um círculo, o dedo subindo, subindo, até chegar no ombro do meu macacão. Paro de respirar.

Mordo a bochecha por dentro, grata pela escuridão, a luz da rua que ilumina pouco, o bastante para que eu possa vê-lo.

Louisa disse que ninguém poderia nos amar de um jeito normal, mas ainda sou uma pessoa e tenho vontade de ser tocada.

— Deve ter um milhão de histórias dentro de você — diz ele, suave.

Riley se endireita. Tem linhas de expressão no canto dos olhos. Sinto o cheiro dos vestígios de alguma bebida mais forte — uísque? —, alguma coisa ácida e profunda no hálito dele. A eletricidade pulsa pelas minhas pernas, pela minha barriga.

Ele diz "Eu sou um clichê ambulante" e solta as alças do meu macacão, que caem com um ruído suave. Ergue meus braços, virando-os de um lado para o outro, os dedos subindo e descendo pelos rios e sulcos da minha pele. Estou afundando, e não estou tentando me manter à deriva, porque eu quero, quero afundar de vez.

— Eu não vou machucar você — promete ele, roçando os lábios no meu pescoço. — A gente se entende, né?

Ele me faz deitar no colchão e tira meu macacão com facilidade, as mãos se movendo para minhas coxas, expondo os cortes que parecem uma escada. Passa os dedões nos cortes como se estivesse testando as cordas de uma guitarra, com facilidade e sem receio.

Vai acontecer e eu vou deixar. É mais uma coisa que se perde, mais um item na lista de Gasparzinho, e em breve todas as conexões com ela vão desaparecer. Cubro o rosto com as mãos e ouço minha respiração ricochetear nas palmas.

Ele sobe as mãos mais um pouco, pousando-as em minha barriga, em cima da camiseta, por alguns instantes, e depois as enfia por baixo tão de repente que respiro de um jeito acelerado. Os dedões dele roçam meus seios.

Puxo a cabeça dele para baixo com força, ávida para sentir sua boca na minha. Não me importo com o gosto na boca dele, o cheiro e o calor remanescentes dos cigarros no cabelo, na pele. Vejo *azul* e *tangerina* por dentro das pálpebras. As mãos dele apertam minha cintura, descem pelas minhas pernas, para o meio das minhas coxas. Eu mal sinto o peso dele, parece tão leve; de alguma forma se encaixa no formato dos meus ossos. Deixo minhas mãos passearem até a calça dele, alguns dedos brincando entre a cueca e a pele. Mas ele afasta minha mão, aninhando o rosto no meu pescoço, desliza os dedos pela minha calcinha, entre minhas pernas e para dentro de mim.

Eu digo *não, não* e Riley tira os dedos, dizendo *quer que eu pare?*, e eu respondo *não, não*, respirando profundamente, porque eu *não* quero que ele pare, mas eu quero, e tudo fica confuso dentro de mim. Quando tento abrir a calça dele, ele me impede, *não, só isso, me deixa fazer isso*, e então entendo que ele está bêbado, bêbado demais, mas minhas pálpebras queimam por dentro, uma explosão de preto e vermelho, e não posso impedir o que está acontecendo comigo. Ele ri com suavidade em meu pescoço enquanto tremo. No fim do corredor, ouvimos Kate gritar: "Jack! Jack!"

De manhã, acordo e o vejo passando o dedo no rosto das pessoas no meu caderno de desenho. Ele não diz uma palavra, apenas sorri para mim, um sorriso que penetra no meu sangue e me enche de desejo.

Ele se deita em cima de mim e diz:

— Eu estava bêbado ontem, mas não estou mais.

Fico tímida no começo porque agora o quarto está iluminado, não há mais escuridão, estou aberta e exposta, mas com o tempo isso passa.

Nos levantamos e nos vestimos sem dizer nada. Meu corpo parece um borrão, rígido, o cérebro desorientado pela confusão. Como um casal, compramos café em uma cafeteria bonitinha, lotada e cheia de samambaias na Congress Street, tão diferente do True Grit, com suas paredes imundas e a vitrine de comidas cheia de marcas de dedo. Como um namorado, ele compra uma mistura de café com chocolate, chantili e granulado para mim.

Nunca tive um namorado. Fiquei com aqueles meninos em garagens, mas aquilo não era nada. Tenho quase dezoito anos e até hoje nenhum garoto nunca tinha me comprado nenhuma frescurinha achocolatada.

Olhamos atentamente as calçadas da casa dele até o Hotel Congress, onde fica o Tap Room, à procura das chaves. O saguão do hotel é deslumbrante e iluminado pelo sol, com poltronas de couro e um ar meio faroeste, meio punk. Há um quadro enorme, que ocupa uma parede inteira, de uma mulher loira, bonita e gostosona com um short jeans, manuseando um chicote. Ele me mostra a sala principal do Club Congress perto do saguão, o pequeno palco preto e baixo com cortinas vermelhas grossas, o bar comprido e vintage no fundo do espaço. Ele olha para o palco por alguns minutos e murmura:

— Já abrimos para o John Doe aqui uma vez. — Mas não sei quem é esse. Ele parece perdido em seu próprio mundo, e preciso relembrá-lo que temos que ir trabalhar logo.

A porta do Tap Room fica do lado de fora do clube, e pela janela consigo ver um bar simples e vazio com bancos altos, uma jukebox, artes de caubói bonitas nas paredes enfeitadas à moda antiga e sofás vermelhos simples e gastos.

Encontramos as chaves reluzindo ao sol da manhã, no lugar mais previsível de todos: perto de uma placa de PARE. Ele tem um chaveiro escrito ISLÂNDIA.

— Passei por lá uma vez com a banda, em uma escala. Foi o lugar mais bonito que já vi — comenta ele. — Você costuma viajar?

Islândia. Ele já foi para a Islândia. Me pergunto o que Ellis diria se ouvisse isso. *Paris, Londres, Islândia,* tanto faz.

— Pra cá — respondo —, viajei pra cá.

Ele sorri ao ouvir a resposta.

No caminho até o trabalho, ele fuma e me oferece um trago, que aceito sem pensar. Nos separamos, como sempre, quando falta um quarteirão para chegarmos. Eu vou primeiro, sorrindo com cuidado para Linus. Esvazio os galões de café da noite anterior e enxáguo rapidamente na lava-louça, depois os coloco no balcão da frente. A porta de tela se abre, seguida pelo "Olá" tranquilo de Riley enquanto ele mexe no telefone e ouve as mensagens que foram deixadas ontem, anotando todas para entregar a Julie. Ele liga a grelha, joga uma boa quantidade de batatas caseiras nela, despeja manteiga e óleo em cima e mexe com a espátula. Faz um expresso para ele e me traz uma xícara, pergunta alguma coisa para Linus sobre um tear.

Amarro o avental, ouvindo o sino tocar conforme os primeiros clientes começam a entrar pela porta. Sai vapor da máquina de lavar louça, mas não estou com tanto calor, nem um pouco, porque estou usando a camiseta verde desbotada e de manga curta com *M*A*S*H* escrito na frente.

Quando volto com uma pilha de pires, Riley está bebendo o café e olhando para mim. Sinto um arrepio percorrer meu corpo de novo ao vê-lo, elétrico e forte. Memórias de ontem à noite vem à minha mente, a boca e as mãos dele; ainda consigo sentir sua respiração no meu pescoço.

Ajeito os pires antes que eles caiam das minhas mãos. Ele ri.

Durante o dia, sinto olhares de esguelha para meus braços, sussurros entre os funcionários, mas também percebo que Riley está de olho neles, lançando olhares silenciosos e severos, erguendo as sobrancelhas. Ele faz questão de falar comigo, fazer piadas bobas, me incluir em todas as conversas com os colegas. É como se ele estivesse esticando um véu de proteção à minha volta, e eu anseio por isso.

Espero por ele no meu quarto escuro, limpo, a pele ainda quente do banho, mas ele não vem. Ouço os homens que bebem na entrada, o som distante e abafado de uma banda terminando a primeira parte do show no Club Congress no fim da rua, mas ninguém vem bater à minha porta. Espero até que pareça que tudo dentro de mim vai explodir, até que eu me sinta uma bola de fogo, o calor saindo pelos meus poros, e então me visto, pego minha bicicleta amarela e vou até a casa dele.

Quando abre a porta e me vê, ele apoia o cotovelo na mão, a fumaça do cigarro se erguendo languidamente no ar.

— Onde você estava? — pergunta. A voz gutural, os olhos divertidos. Então, ele pega a minha mão e me leva para dentro.

É *CLARO* QUE ACONTECE DE NOVO. PAROU POR ALGUM TEMPO E eu pensei, agora que estamos *juntos*, não vou ter que fazer mais isso, porque ele não me pediria para fazer *agora*, pediria? É tudo muito *errado*. Eu *vejo* que é. Consigo *entender*. Já assisti alguns *filmes*. Sei que os caras devem ir de *carro* até sua casa, e te levar para *jantar*, comprar *flores* para você, ou qualquer coisa assim, e *não* fazer você esperar, esperar e esperar no seu apartamento escuro até que seu corpo não consiga mais aguentar, e, em vez disso, você suba na bicicleta e pedale até a casa dele, tão *grata* por ele abrir a porta e até *sorrir*.

— Perdi a noção do tempo.

— Oi. Estava pensando em você agorinha mesmo.

Mas ele pergunta:

— Você pode, se não se importar, ir buscar um pouco pra mim? Depois a gente pode ver televisão, ou *você sabe*.

Ele me chama de "visitante noturna". Ele é como o deserto: tão *lindo*, tão *quente*, mas tem *perigos* por toda parte e você precisa prestar atenção. Precisa saber onde está pisando. ENFIM: sei que tudo isso está errado. Mas talvez seja o melhor que possa conseguir, sendo quem eu sou. De um jeito ou de outro é tarde demais, sabe? Já estou apaixonada.

Eu me reclino no selim da bicicleta, escutando, nas mãos a sacola que Wendy me deu. Paro toda noite na mesma rua, na mesma placa de PARE com o poste amassado, e ouço o som da guitarra de Riley ecoando pelas ruas. Sei que mais tarde, quando ele abrir a porta para mim, vou encontrar o gravador no chão com um caderno aberto ao lado, as anotações confusas e rabiscadas de Riley soltas pelas páginas, um cinzeiro cheio de bitucas de cigarro. Em algumas noites é o som delicado e quente de Gibson Hummingbird que paira no ar; Riley não canta todas as vezes. Um dia, na biblioteca, pesquisei Long Home no computador. Tiger Dean ainda mantinha o site da banda no ar. Cliquei em músicas como "Stitcher" e "Charity Case", o grande sucesso de Riley como cantor. De início era a voz de Tiger que chamava a atenção, uma mistura poderosa de personalidade e timbre, mas era a letra que fazia tudo se encaixar, que me fazia querer ouvir mais, procurando por instinto certas frases e palavras. Tinha mais uma música que Riley cantou sozinho, uma balada chamada "Cannon", que falava de um homem com o coração tão partido que o coração se desprende do peito e sai rolando por aí, com o homem atrás dele (*E meu coração foge de mim/ como um canhão/ e rola até o fundo do penhasco/ e é aqui que vou ficar/ tão vazio nesses dias a se esvaziar/ até você voltar/ e se casar comigo, meu bem*), e acho que só ficou tão bom porque ele não costumava cantar. Fez a música soar bem mais triste porque a voz dele falhava de vez em quando, oscilava em outras e, no fim, sumia de vez.

Na rua de Riley, as pessoas estão sentadas na entrada das casas, uma cerveja ou um vinho nas mãos, ouvindo-o tocar também, os rostos alegres ao escutá-lo. Quando ele acerta, quando não comete nenhum erro, quando consegue tocar uma música inteira do começo ao fim, é empolgante, parece penetrar fundo em mim. Os rostos de seus vizinhos se iluminam. Quando termina, eles fingem aplaudir, porque ninguém quer que ele saiba que estão ouvindo, ninguém quer que ele pare de tocar. Todo mundo é cuidadoso com ele, como se ele tivesse uma casca frágil que precisa ser embalada com cuidado.

Mas ele para de tocar quando me ouve bater na porta. Ele acomoda a Gibson no sofá, mexe nos papéis, dá um gole longo na cerveja, acende outro cigarro, pega o saquinho de mim e desaparece no banheiro.

Quando estamos na casa dele, juntos, com todos os sinais de Riley e seu jeito, seus livros velhos e manuseados na estante robusta, os discos em ordem alfabética nas prateleiras ao redor da sala, o sofá de veludo confortável, elegante e amassado, os cinzeiros cheios sem importar, acho que é onde eu poderia ficar: em uma vida já vivida e firme no lugar.

PRIMEIRO ELES RIEM UM POUCO DEMAIS, NERVOSOS, E PRECISO esperar até que se acalmem, deixar que bebam um pouco mais, antes de começar.

A luz do sol está esmorecendo, mas a entrada está iluminada o bastante para que eu consiga desenhá-los. É Hector, que mora no 1D, e Manny e a mãe, Karen. Acho que estão acostumados com pessoas os encarando, não os *olhando*. Karen se remexe na cadeira enferrujada, brincando com as unhas. Manny está nos degraus, apoiado no corrimão.

— Sim — concorda, enfim —, você consegue, né, Ma?

Na varanda, estudo as dobras e linhas em seus rostos e desenho depressa, borrando, soprando para longe o pó cinza do carvão.

— Seu grande romance — diz Karen para mim —, eu preciso saber dele.

Eu simplesmente respondo:

— Hmmm. Não tenho muito pra contar.

Karen balança a cabeça, retruca:

— Homens conseguem ser *difíceis*.

Manny está nervoso, os olhos castanho-escuros fixos no meu rosto. Ele esguicha cerveja por entre os dentes cerrados e me conta que seu trabalho consiste sobretudo em outras pessoas não aparecerem para seus trabalhos.

Todos os dias ele, Hector e alguns outros moradores do prédio aguardam em uma esquina abafada do centro da cidade com dezenas de homens, enquanto caminhões passam à procura de diaristas para regar os jardins daqueles que vivem no alto das colinas da região norte, podar suas cercas vivas, ajudar a limpar a sujeira para construírem piscinas, jacuzzis de azulejos elaborados.

— Tem uma casa lá — comenta Hector, com a voz arrastada, inclinando-se para a frente e saindo da pose que mantinha tão bem há pouco. — O azulejo da piscina tinha a cara da mulher dele, sabe? Tipo a foto dela, debaixo d'água. Ela vai ter que nadar na própria *cara*. — Ele cospe no chão, olhando para Karen, que franze a testa.

Manny critica:

— A gente que mantém essa merda de cidade funcionando e eles querem nos expulsar. Construir um muro ridículo.

Quando termino, eles seguram meu caderno com reverência. Estão satisfeitos por finalmente poderem se ver, assim como Evan ficou quando se viu na minha história em quadrinhos. A felicidade deles me deixa feliz.

No café, estou limpando as mesas quando um homem no balcão estala os dedos para mim.
— Posso pedir, por favor?
Ele bate com insistência na madeira.
Todo mundo já foi embora, então faço o cappuccino dele, servindo a espuma sedosa com cuidado por cima do expresso, em um copo para viagem. Não costumo fazer isso, mas já vi Linus fazer muitas vezes, e é empolgante tentar também. O homem me entrega o dinheiro e eu registro no caixa, o que também é minha primeira vez. Trabalhei por pouco tempo na lanchonete da amiga da minha mãe, então lembro o básico de uma caixa registradora. O sino na porta toca quando ele sai.
— O que você tá fazendo, Charlie?
Julie aparece, o rosto franzido.
Olho para a gaveta do caixa ainda aberta, cheia de notas e moedas.
— Nada. Aquele cara comprou um café. — Aponto, mas o homem já saiu. A cafeteria está vazia.
Julie me contorna e fecha a gaveta com força, quase fechando nos meus dedos. Estremeço, surpresa pela raiva dela.
— Cadê todo mundo? Não era pra você estar cuidando do balcão.
Riley aparece, enfiando o copo embaixo do galão, um sorriso enorme no rosto.
— E aí, Jules?
A voz de Julie é tensa e alta.
— Riley. Estou pagando você pra tomar café e ficar bêbado durante o seu turno? Não. Pode fazer essas merdas fora do horário de trabalho? Estou cansada de vocês todos tirarem vantagem de mim. Eu *preciso* que você seja um supervisor. Ela não devia mexer no caixa. Faz dias que nosso caixa está no vermelho.
Entro em pânico e falo sem pensar:
— Eu não peguei dinheiro nenhum. Eu jamais roubaria dinheiro.
— Não fico feliz por sentir meu rosto esquentar enquanto digo. Me

faz parecer culpada, mas eu nunca faria isso com Riley. Nem com Julie. — Desculpa. Não tinha ninguém por perto e eu achei que não teria problema.

— Ninguém está dizendo que você pegou dinheiro, Charlie. Não foi isso que ela quis dizer, né, Jules? — Riley bebe o café sem pressa, analisando o rosto da irmã com cuidado. Ele não olha para mim.

Julie balança a cabeça.

— Por que você faz isso? Por que você sempre diminui...

Ela para de repente, a fisionomia preocupada. Ela se aproxima de mim, olhando para baixo.

— O que é isso? O que você... Eu não sabia que era tão... Meu Deus, você não pode ficar aqui fora assim.

Ela balança a mão para indicar as cicatrizes nos meus braços, encarando minha pele. Dou um passo para trás e, por instinto, escondo os braços atrás das costas. Bato na vitrine de comidas.

— Charlie, algumas pessoas aqui estão tentando se curar. *As irmãs*, Charlie. — A voz de Julie soa desesperada. Nunca a vi desse jeito; isso não pode ser só por causa do meu braço. Pode?

As irmãs vêm toda terça e quinta-feira e juntam as mesas, abrem os diários e escrevem à vontade. Elas choram um pouco, uma fazendo carinho nas costas da outra. Bebem chás frutados e usam roupas largas costuradas à mão. Os cabelos estão sempre soltos e lisos, e comem muitos brownies de alfarroba e muffins de limão com sementes de papoula. Linus comentou que elas faziam parte de um culto na fronteira do Arizona com o New Mexico.

— Nossa, Jules, você está se ouvindo? — protesta Riley, a voz firme de repente. Ele empurra as caixas para mim e me diz para terminar meu serviço. Eu não me mexo. Estou congelada aqui, grudada na vitrine de comidas.

Julie se vira de novo para mim.

— Não quero ver você de manga curta, entendeu, Charlie? Eu sei que está quente aqui, vamos mandar consertar o ar-condicionado, mas ver isso pode ser um gatilho, sabia? Não dá para perder os clientes que nós temos, me ouviu? — A voz dela começa a falhar. — Não tem um único cliente nesta merda, Riley. Cadê o movimento do almoço? — Ela enterra a cabeça nas mãos.

Dou a volta neles, Riley acariciando os ombros dela, e volto para a máquina de lavar louça. Eu os ouço sussurrar, mas não sei o que estão falando. Riley volta, e não me olha nos olhos quando diz:

— Eu disse que ninguém vai olhar pra mais nada que seja o seu rosto lindo, mas ela não anda num momento muito bom, sabe? Então talvez amanhã seja melhor você usar manga comprida. Só por um tempinho, tá?

A decepção provoca um aperto no meu peito. Pensei que talvez ele fosse me defender mais. Olho para ele, que desvia o olhar.

Sinto a náusea revirar minha barriga.

— Riley — sussurro —, que dinheiro que sumiu? Do que ela está falando?

Ele faz uma careta, os dedos tremendo enquanto apoia a cebola na tábua para cortar.

— Não se preocupe com isso, tá?

— Eu não peguei dinheiro nenhum. Não quero que ela ache que eu peguei.

— Vai dar tudo certo, tá? Eu vou cuidar disso.

Ele se vira para a grelha e começa a raspar a gordura, formando montinhos cor de caramelo.

Ele armou pra você, gata. A voz de Evan, bajuladora, nos meus ouvidos. Mas eu afasto o pensamento, porque não quero acreditar.

De manhã, alguém grita o nome de Riley e eu me viro, olhando para ele, o rosto flácido e pálido. Toco o ombro dele de leve, ouvindo o som de passos vindo pela lateral da casa e então os nós dos dedos que batem na janela entreaberta. Riley se assusta e abre os olhos. Percebo a palidez acinzentada de seu rosto, o tom rosado de seus olhos. Ele estava deitado com o rosto virado para baixo no banheiro quando entrei ontem à noite. No começo fiquei com medo, e então percebi que ele estava desmaiado. Levei um tempo para arrastá-lo pelo corredor até o quarto e mais ainda para colocá-lo na cama.

Ele pressiona um dedo nos lábios, pedindo para eu ficar quieta, e me cobre com o lençol. O colchão range quando ele rasteja pela cama até a janela, abrindo-a.

— Ah, oi. É você. — Sua voz é monótona, cautelosa.

A voz que responde parece se divertir.

— Olha só. Voltou aos truques de antigamente, pelo que estou vendo. Quem está embaixo do lençol?

Riley responde:

— Não é da sua conta.

— Ah, para, deixa eu ver. Eu gostava da última que você jogou fora. Gostava tanto que *eu* casei com ela também. — Risada abafada.

Meu coração acelera. Riley era casado? Sinto dificuldade em respirar.

— O que você quer? — Riley tosse. Ele está irritado, dá para perceber. A luz do sol atravessa o lençol desbotado. Está ficando difícil respirar assim, enrolada nele. Começo a me perguntar se Riley tem vergonha de mim, já que não quer que o amigo me veja.

— Luis Alvarez está com câncer no pâncreas.

O corpo de Riley enrijece.

— Tá zoando? — Ele prende a respiração. — Ele me emprestou o carro dele faz algumas semanas. Disse que não estava se sentindo bem naquele dia. Que não ia trabalhar.

— Não estou zoando. — As palavras saem um pouco mais suaves. — É tarde demais, cara. Já se espalhou. Mas ouve só. Estou organizando um show no Congress para a esposa e os filhos dele. Eles vão precisar de dinheiro. Pensei no Rialto, mas acho que o Congress é melhor. Mas só vai acontecer lá para o meio do outono. O dia todo, pra gente de todas as idades, vendendo bebida só pra quem tiver documento, e quem sabe até alguns palcos externos também. Acho que vamos precisar de alguns distribuidores da cidade pra patrocinar, mas a maioria conhece o Luis, então não vai ser difícil.

— Porra, que merda isso. — Riley fica em silêncio por alguns instantes. — Ele é um cara muito legal.

— Pois é. — Pausa. — Me deixa só dar uma olhadinha, vai? — O lençol balança um pouco.

— Vai se foder. E o que você veio fazer aqui, afinal?

— Rolaram uns boatos de que você está fazendo uns shows noturnos para o bairro e que a música não é tão ruim. Então eu comecei a pensar: Riley West voltou para os palcos? Isso pode ajudar a vender uns ingressos. Ainda mais porque com certeza você vai surtar no palco.

— Vai se foder.

— Ei, para com isso. É pelo Luis. Ele já ajudou tanto a gente, naquela época. — A outra voz fica mais baixa, quase implorando. — Você consegue, Riley. Eu sei que você consegue.

— Tiger. — Riley suspira. — Faz quase dois anos que eu não toco.

Fico o mais imóvel possível para não perder uma palavra.

— É pelo *Luis*. Ele está doente pra caralho, mano. Um monte de gente já topou. Consegui os Hold-Outs, Slow Thump, Cat Foley, California Widows, Hitler's Niece, Swing Train, Eight-Men-On, e vou conseguir mais, te garanto.

Mais um momento de silêncio. E por fim Riley concorda.

— Boa, cara. E você já gravou alguma coisa nova? Eu preciso ouvir o que Riley West tem tocado, com certeza.

Riley levanta da cama. Eu o ouço atravessar o quarto e colocar a calça jeans, resmungando que já volta.

O lençol começa a se mexer devagar. Tiger Dean ainda tem o cabelo preto, como nas capas dos álbuns, mas não está mais grudado na testa. Está curto, bem penteado e ralo. Quando estava procurando Riley e Long Home no computador da biblioteca, encontrei o site de Tiger Dean. Dizia que ele ainda fazia música com bandas locais, se apresentava em festas particulares e também estava disponível para demandas de design gráfico. Havia uma fotografia dele atrás de uma mesa, uma das mãos no teclado do computador e a outra segurando o pescoço de uma Stratocaster vermelho-cereja.

— Olá. — Um sorriso surge no rosto de Tiger Dean. Eu não confio nisso. Me faz lembrar daqueles caras legais demais do ensino médio que sempre perambulavam pelo corredor batendo despreocupadamente na cabeça dos nerd que passavam. Tiger Dean se inclina um pouco mais para dentro da janela. Ele está vestindo um blazer de veludo vermelho.

Eu me sento e chuto o lençol para longe. Estou vestindo uma camisa suja, a mesma que usei ontem no trabalho, e uma calça de pijama listrada velha de Riley, enrolada na cintura. Minha boca tem gosto de bituca de cigarro. Depois de arrastar ele para a cama ontem à noite, voltei ao banheiro e fumei um de seus cigarros, jogando as cinzas na pia. Também terminei de beber a cerveja que ele devia ter acabado de abrir antes de desmaiar. Ele a tinha colocado com cuidado na lateral da banheira.

— O que você está fazendo com essa punkzinha? — Tiger grita para Riley, se debruçando no batente da janela. — Por que está desperdiçando tempo?

Ontem à noite eu fiquei sentada no banheiro, bebendo e fumando, pensando que tinha acabado de arrastar meu namorado, que pode ou não me considerar sua namorada, para a cama, e que sou eu quem compra as drogas dele, e que faço tudo isso a troco de nada — para sentir a mão dele em minha bochecha quando está sóbrio. E quando terminei de beber a cerveja e voltei para o quarto, para o lado da cama, testando as tábuas do assoalho à procura do rangido que tinha ouvido, bati o calcanhar com força no chão. Uma das tábuas se soltou e foi então que encontrei: o kit de Riley, uma caixa quadrada e pequena de madeira com tudo de que ele precisava. Tudo que ele precisa em vez de mim.

Mas não vou permitir que Tiger Dean saiba disso.

Olho com bastante atenção para ele, e devagar, bem devagar, ergo o dedo do meio.

Ele franze a testa, surpreso.

— Puta merda. — Ele olha para as cicatrizes nos meus braços; não tento escondê-las. — Vocês são farinha do mesmo saco — murmura ele —, com seus joguinhos de merda.

Riley entra no quarto segurando uma cerveja e eu faço uma careta. Se ele começar cedo desse jeito, o dia vai ser longo e complicado. Ele joga um CD pela janela para Tiger Dean, que o pega com facilidade e enfia no blazer. Riley volta a se sentar na cama, com a garrafa encaixada entre os joelhos. Ele olha de Tiger para mim.

— Não conseguiu se segurar, hein?

Tiger toca casualmente nos óculos escuros em cima da cabeça, que desliza com facilidade para os olhos.

— Você sempre teve um gosto curioso. Eu só queria conferir se as suas escolhas continuavam parecidas.

— *Adiós*.

— Mas essa aí parece um pouco nova demais. Meio grosseira pro meu gosto.

— *Vete a la chingada*.

— Aff — Tiger ergue o queixo na minha direção. — Aposto que, se você soubesse o nome verdadeiro dele, não ia ficar aqui nem mais um minuto. É...

Riley faz menção de fechar a janela nos dedos de Tiger, que ri.

— A gente se fala. E, cara — diz ele atrás do vidro, erguendo os óculos escuros —, por favor, tente deixar o surto inevitável de Riley West para o dia do show. Isso vai fazer todo mundo ir, que nem antigamente.

Riley fecha a janela. Antes que se acomode de novo na cama, indago:

— Casado? — Me pergunto se ele vai mentir para mim. — Você foi *casado*?

Ele me olha firme, sem piscar.

— Pois é.

— Tipo, até que a morte nos separe e essa coisa toda? Anel no dedo, igreja e tal?

— Acontece o tempo todo. Rapaz conhece garota, eles se beijam, ele compra um anel, eles se casam em Las Vegas, durante uma pausa na turnê, o casamento é oficializado por um sósia do Elvis. E aí, bum. Alguma merda acontece, garota larga rapaz e fica com o cantor principal da banda do rapaz. Fim da história. — Ele dá um gole na cerveja.

— Que tipo de *merda* aconteceu?

Riley brinca com o dedo no gargalo da cerveja. Está com as unhas sujas.

— Eu. Eu sou a merda. Todas as merdas que eu faço.

— Você... ainda a vê? — Meu coração está acelerado. Estou enjoada. — Qual o nome dela? — Eu nem sei por que quero saber, mas quero. É como se o quebra-cabeças que eu tinha montado de Riley fosse pisoteado e novas peças surgissem.

Ele abre um sorriso largo.

— Está com ciúme, Garota Estranha? Porque não precisa ficar. Não, eu não a vejo. Eles moram em uma casa bem legal no topo da colina. Têm filhos e coisa e tal.

— Qual era o *nome* dela?

— Charlie.

— Me *fala*.

— Ela se chamava Marisa.

Marisa. Minha mente roda sem parar. Ma-ri-sa. Nome de menina bonita. Aposto que tem traços bem delicados. Consigo vê-la. Consigo ver Riley se apaixonando por alguém cujo corpo grita *delicadeza*.

Fecho os olhos para que ele não veja as lágrimas.

— Ah, não, não precisa disso. — Ele me cutuca com o ombro, divertido. — Eu tinha uma vida, Charlie, antes de conhecer você. Sou mais velho que você, garota. Já fiz merda de todo tipo. Até me apaixonei e casei. Não precisa se preocupar com nada disso.

Empurro o ombro dele. Estou soluçando.

— Tipo mudar de nome?

Ele ri.

— Sim. Mas você não sabia disso? Todo mundo tinha o mesmo sobrenome por causa da banda: West. Tiger achou que ia ser mais legal assim, mas agora usa o sobrenome verdadeiro.

— E o Riley?

— Ah, eu tenho esse nome desde sempre. Desde pequeno. Sempre ferrei com tudo, de um jeito ou de outro. Meu pai sempre dizia "quem você acha que é, quer viver vida de rei, é, Riley?". Era bobagem, pra rimar, mas acabou pegando.

— Bom — digo devagar —, qual o seu nome verdadeiro, então?

— Meu nome verdadeiro é Riley West porque é quem eu sou agora. — Ele fecha os olhos e boceja. — Chega de perguntas, tá? A prova acabou. Deixem os lápis na mesa e podem sair, por favor.

Irritada, provoco:

— Posso perguntar para a Julie.

É mais uma peça do quebra-cabeças.

Ele termina a cerveja e coloca a garrafa no chão, ao lado da cama. Me envolve em seus braços e enterra o rosto embaixo da minha camiseta.

— Ela não vai contar. Ela nunca contaria.

Ele lambe meu umbigo.

— O que eu mais gosto em você, Garota Estranha, é que você não exige muito. Não me pede mais do que precisa. Você sabe que alívio do cacete isso me dá, você me deixar ser como eu sou?

E então ele me distrai tanto que me esqueço de perguntar o nome verdadeiro dele para Julie, ou de perguntar mais sobre a ex-esposa, ou até mesmo da caixa embaixo das tábuas do assoalho, ou do quanto me contento com pouco.

Agosto fica cada vez pior. Faz mais de trinta e oito graus todos os dias, e às vezes chega a quarenta e dois, o calor me envolvendo como um cobertor em chamas. É insuportável ficar no meu quarto à noite, por isso tenho ficado na casa de Riley o máximo que posso, sempre com a esperança de que estará em casa, porque ele tem um ar-condicionado portátil. Nas noites em que ele não está, durmo e acordo o tempo todo, ensopada, o ventilador grudado no meu colchão.

Riley e eu viemos cedo para o trabalho hoje. Estamos dividindo *quesadillas* com ovos de gema mole e pimenta quando o telefone toca.

Ele surge pelo canto e me puxa pelo corredor escuro e de chão engordurado até o escritório de Julie.

— Linus está doente. Ela não vem hoje — explica ele, e fecha a porta quando passamos. Ele me beija sem parar, enfiando as mãos por baixo da minha camisa.

— Riley... — Eu me sinto desconfortável.

— Xiiii. Tanner só vai chegar às sete e meia e Julie está em um retiro em Scottsdale. Ela só volta de tarde. — Ele se acomoda no sofá e tira as alças do meu macacão. Nossas bocas estão ardendo por causa da pimenta.

Não quero fazer isso aqui, parece estranho fazer isso no escritório da Julie, mas ele é insistente e acabamos rapidamente. Ajeito a almofada do sofá com a mão antes de sairmos do escritório, para o caso de ter ficado amassada.

Quando Riley abre a porta, enfiando a camiseta de volta na calça marrom com a outra mão, ele para. Dou com a cara nas costas dele.

Tanner está parado no corredor, todo constrangido. Está com uma expressão bem estranha, como se não soubesse o que pensar, e percebo na mesma hora que ele nos ouviu, meu rosto fica vermelho de vergonha.

Tanner estreita os olhos como se tivesse sido mergulhado na água. Ele sussurra:

— Sinto muito pelo que vai acontecer agora. — E dá um passo para o lado.

Atrás dele, parada ao lado da máquina de lavar louça, está Julie.

— A última sessão do retiro foi cancelada. Cheguei em casa ontem à noite. — Sua voz soa fria.

O ar à nossa volta é pesado e tenso.

— Desculpa, Jules — diz Riley, calmo, passando por ela como se não tivesse nada de errado. Ando devagar até a estação de serviço, passando por ela, tão assustada e envergonhada que sinto enjoo. Eu mal consigo ouvir meus pensamentos, meu coração está batendo rápido demais.

Julie olha para Riley, agora protegido atrás da ilha da cozinha. Ela olha para o prato de *quesadillas* de pimenta-vermelha meio comidas, os dois garfos. Olha para mim e para o corredor até o escritório aberto.

— Lavem as mãos, vocês dois, agora mesmo. Não consigo lidar com isso agora. A merda do movimento do café da manhã, se é que vamos *ter*, já vai começar. Cadê a Linus? — grita ela.

— Doente — informa Tanner.

— Meu Deus do céu. — Julie sai marchando para o balcão da frente sem dizer mais uma palavra sequer.

Riley lava as mãos ao meu lado na pia. Ele arqueia a cabeça para olhar para a frente da cafeteria antes de me dar um beijo rápido na bochecha. Ele dá de ombros, o que me faz pensar que tudo pode acabar bem.

O café *fica movimentado* no café da manhã e no almoço. Depois, quando está vazio, ajudo Tanner a arrumar as mesas enquanto Julie fecha o caixa. Ela trabalhou no balcão durante toda a manhã enquanto Tanner atendia as mesas, voltando friamente com seus pedidos e passando para Riley sem dizer uma palavra. Ela não olhou nenhuma vez para mim, o que me fez sentir uma tristeza profunda.

Quando Tanner e eu voltamos para a cozinha com as caixas cheias, Julie está gritando dentro do escritório, com a porta fechada.

— Ah, cacete, isso vai ser bom. — Tanner abre a geladeira e pega uma das cervejas de Riley. — Quer dizer, não pra *você*.

— *Cala* a boca — silvo para ele, meu rosto pálido conforme a voz de Julie fica cada vez mais alta. — Não tem graça.

De vez em quando conseguimos ouvir "Por que você *sempre* toma as *piores* decisões?", "Há quanto tempo *essa porra* está acontecendo?", "Você parou pra *pensar* no que ela disse aqui no escritório? Você sabe se ela tem dezoito anos, Riley? Faz ideia do que isso quer dizer? Quer dizer *estupro* de vulnerável".

Percebo o quanto a situação está feia, consigo sentir na pele. Belisco minhas coxas através dos bolsos.

Tanner olha para mim.

— Você *tem* dezoito? — ele pergunta, com um sorriso de quem está se divertindo.

— Sim — vocifero —, vou fazer. Daqui a onze dias. — Estou com tanta vergonha que acho que vou vomitar. Minha barriga está revirando.

— O que faz você achar que pode entrar no meu *escritório* pra *transar*? — Julie grita. — E você deixou uma camisinha na porra do meu lixo!

Fico pálida. Minha nossa. Não sei por que não pensei em ver o que ele fez com a camisinha na hora. Tanner ri alto, um som semelhante a um latido que perfura meu coração, e é a gota d'água para mim.

Tiro meu avental e jogo na bandeja de pratos, depois ligo a máquina. O ruído repentino da água afoga os zumbidos no meu ouvido. Pego minha mochila e caio fora.

Caminho sem rumo pelo brechó, os olhos lacrimejando, sem procurar por nada, mas sem vontade de ficar na rua ou de ir para casa ainda. Passo os dedos por estranhas pilhas de aparelhos eletrônicos que nem sei para que servem: caixas de plástico azuis cheias de fios, cabos, rodas dentadas e molas. Vasculho as intermináveis prateleiras de LPs arranhados e amassados. Tento manter os olhos abertos e a respiração regular. Belisco meus antebraços. Mesmo que fiquem hematomas, Riley não dirá nada a respeito, tenho certeza disso. Por fim, volto para o meu quarto, para esperar por ele.

*

Esqueci de trancar a porta. Quando ele bate, não respondo, e ele abre mesmo assim, atravessando o quarto até a geladeira. Ele a abre, apesar de eu suspeitar de que não está à procura de nada para comer.

Ele fecha a porta da geladeira e se apoia nela, olhando para mim, sentada no chão.

— Você só come no Grit mesmo, né?

Ele segura uma sacola de papel, que ergue na altura da boca, bebendo. Ao observá-lo, me lembro do beco atrás da cooperativa Food Conspiracy, uns meses atrás. Ele estava parado do mesmo jeito, ombros caídos, sacola de papel na mão.

Estou entre a banheira e a parede, onde me enfiei pelas últimas horas, à espera. É verdade; só compro comida quando preciso. Toda manhã, tenho a esperança de que, em algum momento do dia, Riley vai fazer o pedido errado e me dar algo para comer: um bagel com húmus em vez de cream cheese, uma omelete com azeitonas pretas em vez de pimentão-verde. Ou aceito o que ele me dá quando vou buscar coisas para ele. Nunca saímos para comer. Às vezes espero até ele dormir e seleciono com cuidado algumas coisas na sua cozinha mal organizada: uma laranja, uma *tortilla* cheia de manteiga, um copo de leite com cheiro duvidoso.

Quando ele não está doidão demais, fazemos coisas incríveis no escuro, na sua cama bagunçada, mas tenho medo de pedir comida e, com exceção daquela vez na varanda, nunca falei de verdade sobre morar na rua e o que isso significou. E ele nunca perguntou, o que me deixa ainda mais triste. Eu sempre pergunto sobre ele, o máximo que permite, mas ele nunca pergunta nada de mim.

Forço a voz para que não falhe.

— Fomos demitidos?

Riley tampa a garrafa.

— Eu? Ela nunca me demitiria. Apesar de eu ter ficado com medo depois que ela comentou sobre a camisinha. Acho que ela está puta por vários motivos, não só porque a gente transou no escritório dela.

Resmungando, ele se acomoda no chão ao meu lado, esticando as pernas no linóleo riscado.

— Ela tá puta da vida, Charlie. O que você não ouviu, porque caiu fora, é que ela já sabia da gente faz um tempo. A gente, dois pombinhos apaixonados, vai e volta do trabalho juntos, e ela consegue ver da janela na parte de cima do restaurante, mas tinha decidido que não ia falar nada ainda. O apartamento dela fica ali. Não sei se você sabia disso. Jules ia ignorar. Mas ficou chocada demais depois do que a gente fez no escritório dela.

— E?

— E... ela vai trocar seu turno para a noite. Na verdade o que ela disse foi "não vou entregar essa menina de bandeja pra você". — Ele parece entretido. — E disse "ela não é uma bolacha, ou um livro, ou um disco numa prateleira. Você não pode brincar com ela e depois colocar lá de volta".

Você não pode brincar com ela e depois colocar lá de volta.

— Foi constrangedor demais — digo, irritada —, ela pegando a gente daquele jeito. Eu nem queria fazer nada. Você me fez fazer.

Ele me olha feio. A voz fica tensa.

— Eu não fiz você fazer nada, garota. Acho que você também curtiu.

Não, tenho vontade de dizer, eu *não curti*. Mas não digo nada, porque não foi, em parte, culpa minha tudo o que aconteceu? Eu não queria fazer nada, mas deixei rolar mesmo assim.

Ele inclina a cabeça de lado. Alguma coisa chama sua atenção e ele se inclina para a frente.

— Por que tem uma mala enfiada embaixo da banheira, Garota Estranha?

Antes que eu possa impedi-lo, ele desliza até a banheira e puxa a mala. Seus olhos brilhantes estão grudados em mim, um dos lados da boca se erguendo em um sorriso.

Ele fala baixinho, de um jeito meio assustador.

— É aqui? É nessa a mala mágica em que estão todos os segredos da minha pequena estranha?

Ele vira as fivelas da mala e remexe as camisetas até encontrar o kit de metal. Deve pensar que é alguma coisa divertida, porque só diz "legal". Mas então ele abre o kit. Seus olhos correm pelos objetos que estão lá dentro, os cremes, as fitas, os curativos, tudo que comprei no primeiro dia que cheguei aqui, na loja de conveniência. Eu o observo com o coração apertado.

É maldade minha, uma pequena vingança por hoje, por ele nunca perguntar de mim. Porque eu sei que dessa vez ele vai ficar assustado, um pouco enjoado, ao se deparar com peças do meu quebra-cabeças.

Riley pega com cuidado o tecido de linho e o desenrola; cacos de vidro caem no chão, com uma melodia tão familiar.

Ele bufa duas vezes, um som esquisito, como se alguém tivesse dado um soco no peito dele.

— Que porra é essa?

Falo sem parar, antes que possa pensar duas vezes:

— Sou eu. É o que eu faço. O que eu fazia, quer dizer. Estou tentando não fazer mais. — Prendo a respiração, à espera.

É como se ele não tivesse me ouvido. Irritado, ele se agarra à caixa, a voz ficando mais alta.

— Que merda é essa?

Ele ergue os cacos de vidro um por um, o pote de plástico com água oxigenada, a pomada, o rolo de gaze.

— É o que eu uso. Pra me cortar. São as minhas coisas.

Riley os joga de volta na caixa como se tivessem queimado seus dedos. Ele chuta o kit com força e se levanta, puxando o capuz da jaqueta sobre a cabeça com agressividade. Eu fecho os olhos. A porta da frente bate.

Eu me arrasto pelo chão e pego meu kit, segurando-o perto de mim. Arrumo tudo com cuidado, colocando cada coisa de volta no lugar, porque são bens preciosos demais para mim. Em meus dedos, o vidro tilinta, pica, pequenas promessas que tenho que me esforçar para ignorar. O livro está na palma da minha mão. Coloco o kit na mala e a empurro para debaixo da banheira.

A porta do meu apartamento se abre e fecha com um estrondo. Ele vai direto até a pia, abrindo a janela logo acima dela, e acende um cigarro.

— Me fala — exige ele —, tipo, o que quer dizer tudo isso? Por que você tem essa caixa? O que isso *quer dizer*?

— De onde você achava que as minhas cicatrizes vinham, porra? — Minha voz falha. — Você acha que elas... surgiram do nada?

Ele murmura:

— Não sei... eu... eu meio que não pensei nisso. — Ele sopra a fumaça pela janela. — Achei que você já tinha parado. Não imaginei que você ainda tivesse, tipo, a porra de uma caixa cheia de merdas *pra se cortar quando sentisse vontade.*

— *Você* tem uma caixa com as suas porcarias. — Deixo escapar sem querer. Riley está atônito. Ele não sabia que eu sabia. Sou capaz de apostar, ou de adivinhar, que ele achava que eu não iria procurar. — *Você* é o único no mundo que pode estar fodido da cabeça? Não *sirvo* mais pra você agora que viu as minhas coisas? Fiquei real demais? Não sou mais uma bolacha ou um bolo ou um disco? — Meu corpo está se movendo de um jeito perigoso, a respiração ofegante.

— Não — a voz dele soa como um aviso —, não começa com isso. Não é... justo.

— Eu sou a única que está tentando não fazer coisas ruins, tentando melhorar, e você me trata feito merda por causa disso. — Estou com as mãos espalmadas no linóleo frio e grudento. Sinto o cheiro do chão que há muito não vê limpeza, a sujeira nos buracos da parede, toda a confusão horrorosa que é esse prédio, e de Riley, de Riley também: o fedor de bebida velha, a nuvem de fumaça de cigarros já fumados e que grudou nas roupas dele.

Fui buscar drogas para ele. Transei com ele no escritório da irmã. Deixei ele me ver por completo, cada pedacinho de mim, e agora estou aqui, sentada nesse chão sujo, um cachorrinho aos pés dele. Como *um cachorro*, espero por ele a noite toda. Como um cachorro, agora, burra que sou, só quero que ele me faça carinho, que me ame, que não vá embora, e de repente fico furiosa e triste ao mesmo tempo, e a sensação é de um incêndio dentro de mim.

Eu bato nas pernas dele e as agarro. Ele pula, surpreso, a garrafa cai e quebra dentro da pia. Ele segura meus braços, xingando quando resisto, e, por um minuto, um lampejo de algo sombrio cruza seu rosto, seus lábios se curvam; a tensão aumenta nos seus pulsos. Seus dedos se fecham como metal na minha pele. Ele está gritando agora, como minha mãe, *qual é o seu problema?*, e então uma de suas mãos está levantada, dedos juntos, palma aberta.

Minha mãe e sua mão erguida surgem diante dos meus olhos. Eu me afasto de Riley, me isolando, me preparando.

Há a pessoa que todos veem por fora e depois há a pessoa por dentro e, depois, ainda mais abaixo, está aquela outra pessoa enterrada, uma criatura nua e silenciosa, não acostumada à luz. Ele está aqui agora, consigo vê-lo: o Riley oculto.

Há um estalo na minha cabeça. Meus pulsos doem.

— Para de fazer esse barulho — ordena ele, grosseiro.

Eu olho para cima; ele está enfiando um cigarro na torneira. A brasa quente chia e depois fica tudo em silêncio.

— Você ia me bater. — Minha voz soa monótona, distante.

— Meu Deus, que merda! Você é só uma criança, porra. Eu tenho vinte e sete anos. O que estou fazendo? Não faço ideia de que porra estou fazendo. — Seu rosto está pálido de exaustão enquanto ele caminha até a porta.

Quando a porta se fecha, apago todas as luzes e me enrolo na banheira, me abraçando bem apertado. Eu me imagino dentro de um ovo, um ovo de metal, impenetrável, trancado por fora, qualquer coisa para me impedir de rastejar até meu kit, de rastejar até minha bicicleta, de esperar no semáforo na rua dele, de dizer *me desculpe*, mas para quê, para quê, para quê?

Na tarde seguinte, antes do meu primeiro turno da noite, ele está esperando na entrada de funcionários do café, jogado em uma cadeira verde de plástico, lendo o *Tucson Weekly*. Ele se levanta e para no meu caminho, me impedindo de ir mais adiante.

— Você tá bem? Tudo bem entre a gente? — Ele sussurra as últimas palavras na minha orelha e eu viro a cara ao sentir o hálito áspero dele. — Ah, não faz assim — acrescenta, como se falasse com uma criança teimosa.

— Você quase me bateu — silvo, cortando para o lado e seguindo em frente. Da porta, consigo ver os muitos pratos empilhados nas pias.

— Desculpa — diz ele —, por favor, me perdoa. Eu jamais faria isso, eu juro, eu juro, Charlie. As coisas saíram do controle. Falando sério, tipo, *de verdade*. Você achou que eu ia pular de alegria quando visse a sua caixinha? — Ele enfia o jornal no bolso do casaco.

Ele segura minha mão, mas eu a puxo. Os jogadores de tabuleiro olham para nós, curiosos, as canecas erguidas a meio caminho da boca.

— Por favor, Charlie, me desculpa. — A voz dele fica mais suave, o que tem certo efeito em mim. Sinto que começo a ceder. Ele não esperava encontrar meu kit. Qualquer um ficaria chateado, eu acho, ao ver algo do tipo. Mas...

Linus põe a cabeça para fora da porta de tela.

— Charlie, Julie está te esperando no escritório dela, garota.

Solto a mão de Riley, aliviada, e me afasto do perigoso calor de seu corpo. Meu coração dá cambalhotas o tempo todo enquanto ando pelo corredor até o escritório.

Julie, sentada em sua cadeira giratória, olha para mim e suspira profundamente.

— Isso vai ser difícil, tá? Não quero que você ache que eu vou gostar, ok, Charlie?

Ela esfrega as têmporas.

— Não fique achando que eu não gosto de você, porque eu gosto. Eu só conheço meu irmão melhor do que você, sabe? Você consegue entender? Não vou... — Ela para de falar e olha para longe, como se estivesse pensando.

— Me entregar de bandeja pra ele? — Termino a frase, olhando diretamente para ela. Eu me sinto nua hoje, como se algo tivesse sido derramado do meu corpo. Passei a noite toda na banheira, sem dormir, pensando na escuridão que se espalhava pelo rosto de Riley, na angústia logo atrás de seus olhos. Pela manhã, olhei para meus carvões e papéis e os ignorei, fui para a biblioteca. Olhei meus e-mails (nada de Gasparzinho; Mikey está em Seattle; Blue diz que os médicos estão repensando sua alta); roubei vinte dólares da bolsa de uma mulher no banheiro. A nota estava enfiada desajeitadamente no bolso da frente. Eu estava lavando as mãos, pensando que era burrice deixar uma bolsa na prateleira acima da pia com dinheiro à mostra. Não precisei pensar muito. Senti uma emoção deliciosa ao roubá-la.

Julie franze a boca. Sua expressão fica um pouco perdida.

— Riley consegue as coisas sem o menor esforço. Ele é um viciado. Um mentiroso. Ele é charmoso. Ele não é charmoso.

Ela olha diretamente para mim.

— Ele não é *velho* de verdade, mas já viveu uma vida, e você não.

Eu meio que engasgo.

— Sem ofensa, mas você não sabe nada sobre mim. Tipo, nada mesmo. Você não faz *ideia* do que eu passei e vi.

— Ah, Charlie. — Julie apoia o queixo nas mãos e me olha por tanto tempo que fico desconfortável. Sua entonação triste me irrita. Procuro a pedra de lápis-lazúli no bolso, passo o dedo nela.

— Nunca, nem em um milhão de anos, um relacionamento entre um bêbado drogado e uma menininha jovem e assustada iria dar certo.

Antes que eu possa dizer qualquer coisa, ela se levanta, prendendo o cabelo depressa em um rabo de cavalo.

— Nosso pai era muito violento enquanto a gente crescia. Meu irmão sentiu todo o peso disso. Vou protegê-lo até o dia em que morrer, não importa quanto dinheiro ele roube de mim e o quanto ele sugue minha alma. Mas não me responsabilizo por danos colaterais, entendeu? Isso eu posso controlar. Nunca mais transe no meu escritório com meu irmão ou *qualquer* outra pessoa. E, se os horários de vocês baterem e você estiver aqui quando ele estiver aqui, eu não quero ver nada, nada mesmo, que insinue afeição entre vocês dois. Porque eu vou te demitir.

Nós olhamos uma para a outra. Desvio o olhar primeiro, porque é claro que ela vai ganhar. Preciso desse emprego e preciso do irmão dela. Assinto olhando para o chão.

— Agora, vá buscar a Temple — pede ela.

Temple Dancer é uma garota alta vestida em uma saia largona com sininhos pendurados na cintura, camiseta do Metallica e dreadlocks loiros tingidos e presos em um coque de cada lado da cabeça. Ela cruza os braços.

— É sério isso? Uma menina lavando pratos? De noite?

— Você tem algum problema com isso? — Estou com raiva, as palavras de Julie ainda ardem em meus ouvidos.

O rosto de Temple Dancer relaxa e ela ri, um som profundo, como corujas esvoaçando de sua garganta.

— Só estava te testando. Achei ótimo. Estou cansada desses caras.

Julie aparece, vestindo uma pantalona e uma regata para ir à ioga.

— Meninas, se comportem. Linus!

Linus surge de trás da grelha, a grelha de *Riley*, o rosto suado.

— Bem-vinda ao turno da noite, Charlie. E eu sei, eu sei que eu trabalho demais, é verdade, até de noite. Estou sempre aqui!

— Tentem se manter na linha hoje, tá, meninas? Sem beber nada? — implora Julie.

— Pode deixar, J. — Linus gira um pano de prato no dedo indicador.

Assim que Julie vai embora, duas garçonetes irrompem pela porta da frente e param bem na minha frente. Temple Dancer se junta a elas. Nunca estive na cafeteria à noite, então não sei quem elas são.

— Foi você que trepou com o Riley no escritório da Julie? Puta merda.

— Podicrê! Você trepou com o Riley no escritório da Julie. Como foi?

— Eu achei que ele estava transando com aquela Darla, que trabalha no Swoon? Ela sabe disso? Porque ela vai morrer se souber. Ela é uma ridícula.

— Achei que você ficava com o Mike Gustafson. Vocês terminaram? Eram um casal tão fofinho. Vi vocês comendo batata frita no Gentle Ben uma vez.

O comentário sobre Mikey me machuca um pouco. Os comentários sobre Riley me assustam. Darla do Swoon? Isso rolou mesmo?

Linus balança o pano de prato no ar.

— Já chega. Assunto encerrado, sem mais perguntas e sem responder nada. Temple, faça seu trabalho, vá treinar a Charlie.

Uma das outras meninas se apresenta:

— Eu sou a Frances. As noites são um inferno neste lugar — ela ajeita o cabelo curto laranja atrás das orelhas —, mas de um jeito bom. — Ela termina de falar, antes de ir para a frente da cafeteria com o bloquinho verde para pegar os pedidos.

Temple diz, ameaçadora:

— A melhor e a pior coisa de trabalhar de noite é quando tem música ao vivo. Pode ser uma maravilha ou uma merda. Hoje quem vai cantar é... — Ela pega uma folha de papel debaixo do balcão. — Modern Wolf. Hoje vai ser uma merda. — Ela bate um dedo na boca, rindo.

A outra menina se apresenta:

— Eu sou a Randy. — Ela faz uma dancinha de dois passos. Está vestindo uma saia preta curta e camiseta branca com um alvo vermelho feito com spray. Seu sapato oxford branco e preto arrastam no chão de madeira.

Randy revira os olhos. O cabelo, loiro e liso em camadas, bate nas bochechas.

— Modern Wolf é uma porcaria. Quer dizer que vai ter uns metaleiros e alguns artistinhas que acham que aquilo é rock progressivo, e *não* é. Vai ficar superbarulhento e difícil pra caramba de se livrar deles depois que a gente fechar.

Temple enfia recibos no espeto para papel.

— É uma droga pra você, que vai ter que limpar os banheiros e o piso no fim da noite.

Randy assente.

— E todas nós vamos ter que esperar você terminar e tal, por que Julie disse que temos que ir embora juntas. Mas não podemos ajudar você.

— Porque ninguém ajuda na limpeza. — Temple faz cara de palhaço triste.

— Então a gente vai ficar cada vez mais irritada enquanto te espera — comenta Randy.

— E mais irritada — concorda Temple. Ela franze a testa. — Meu Deus, você vai morrer de calor com essa camisa.

Randy inclina a cabeça para mim.

— Nós já estamos sabendo. A Julie contou. Tenho uma camiseta de manga curta na mochila, se você quiser.

Desesperada, porque elas falam tanto que estão fazendo minha cabeça rodar, solto:

— Vocês não calam a boca nunca?

Linus, que está na grelha, ri.

Temple sorri.

— Nunca.

— Não tem problema pra mim, viu? — comenta Randy, se aproximando, para que eu possa ver o brilho do piercing em seu nariz. — Julie quase não vem de noite mesmo. Minha prima também se cortava. Ela está na faculdade de direito agora. Às vezes merdas acontecem, você só tem que seguir em frente, entende?

Continuar. Seguir em frente. Estou ficando cansada de todos acharem que é tão fácil assim viver. Porque não é. Nem um pouco.

Randy me dá um empurrãozinho amigável com o cotovelo e eu tento sorrir, só para ser legal, *não seja seca*, mas estou começando a me sentir enjoada e pesada por dentro. Olho para o céu escuro pela janela da frente. Trabalhar à noite vai ser muito diferente.

Por volta das oito e meia, o Modern Wolf chega, todos já bêbados, e eles demoram bastante para se preparar, fazendo muito barulho; um deles cai do palco e desmaia. Temple despeja uma jarra de água na cabeça dele. A banda tem um grupo de amigos que se joga nas velhas cadeiras de madeira e fuma lá dentro, o que não é permitido, e bebe enormes quantidades de cerveja que contrabandeia em sacos de papel. Eles batem as botas no chão com tanta força que Linus balança a cabeça para mim e comenta:

— Vocês jovens são tão, tão esquisitos. Por que acham que isso é música?

A banda me faz lembrar dos garotos esfarrapados que Mikey e DannyBoy me levavam para ver em St. Paul: magros, com calças jeans largas, meninas e meninos, com pele estranha e cabelos imundos, que batiam seus instrumentos nos porões mofados das casas, estourando cordas e atingindo a bateria. Era emocionante para mim que você pudesse se jogar tanto em uma coisa só porque gostava e porque aquilo te consumia. Não parecia importar se você era bom ou não. Só importava que fizesse.

Modern Wolf canta: *Meu coração é um pesadelo político/ prisão de Guantánamo todos os dias do meu ser/ você me procurou e me aprisionou e me deixou tenso/ não me resta nada pra dizer/ não tenho nada a dizer!*

Uma garota com um top esburacado e um short bem curto irrompe pela porta da área da cozinha, olha para Linus e para mim, vomita batata frita e cerveja, os restos grudando em seu queixo no mesmo instante, e sussurra *foi mal* antes de Randy empurrá-la para fora. Limpo os pedacinhos, prendendo a respiração. Elas tinham razão, as noites são muito piores do que os dias. Ninguém nunca vomita de dia, a não ser Riley daquela vez. Estou exausta e minha cabeça dói com toda a música barulhenta e ainda faltam duas horas para fechar, e ainda mais tempo para limpar tudo. Meu coração fica cada vez mais apertado.

Depois que fechamos, Temple traz uma garrafa enorme de uísque e serve em canecas para todas, menos para Linus, que faz uma careta. Temple levanta a caneca e grita:

— *Salud!*

Deixo a minha perto da máquina de lavar louça. Apesar de ter tomado uns drinques na casa de Riley, a maioria das vezes enquanto ele dormia, e daquela meia garrafa de vinho, não bebi mais nada.

Alguém menstruou no banheiro feminino e tem sangue espalhado por todo o assento do vaso, e levo algum tempo para limpar. O banheiro masculino está todo pichado nas paredes, com mijo no chão, toalhas de papel grudadas no azulejo em cima da pia. Jogo o produto para limpar repetidas vezes no mictório, mas ele continua amarelo. Quando termino, minhas mãos estão ardendo por causa dos produtos químicos.

Enquanto as outras garotas fazem gracinhas e riem atrás do balcão e nos fundos, eu cuido das mesas: limpo cada uma delas e coloco as cadeiras em cima para poder esfregar. O turno da noite é muito mais trabalhoso. Meu rosto está vermelho com o esforço, e começo a suar. Modern Wolf ainda está se arrastando para fora, o último deles todo torto e cambaleando para a porta. É sexta-feira. A Fourth Avenue vai estar lotada de pessoas ouvindo música na rua, no Plush, O'Malley's, no Hut com sua enorme e carrancuda cabeça Tiki, até o Hotel Congress com seus belos e antiquados toldos. Mikey deve estar ligando para Bunny toda noite. Talvez comprando coisas para ela nas paradas, coisas ridículas como lápis com cabo felpudo.

Eu me pergunto o que Riley está fazendo, porque estaríamos juntos agora, em uma noite boa, talvez ouvindo discos na sala dele, um som mais tranquilo, do jeito que gosto. Eu me pergunto se ele está pensando em mim.

Enquanto esfrego o chão de madeira todo torto, ouvindo as outras garotas rindo, bebendo e fumando, me sinto muito sozinha. Elas são todas amigas e felizes, garotas normais fazendo coisas normais. Todas vão sair depois, encontrar amigos e garotos, talvez ir para bares. E eu estou limpando essa merda e cheirando a comida velha.

O sino toca na porta da frente e as garotas felizes irrompem de trás do balcão, grasnando *Oi, Riley, ei, Riley, vai levar a gente pra beber, Riley?* Meu coração parece subir e descer quando ele responde *desculpa, meninas, só vim buscar minha garota*, e então há um silêncio desconfortável e breve antes que Temple resmungue *ah, podicrê*, porque ela, e elas, e todas elas, eu sei, estavam pensando *mas a gente achava que você só estava* transando *com ela*.

Ele disse *minha garota*.

Meu coração acelera, mas não quero que ele, ou elas, percebam. Sinto que todas me observam de trás do balcão, então as ignoro e abro as portas que levam para a área da cozinha. Despejo a água suja e grudenta na pia, lavo meu avental na máquina de lavar. Tem duas xícaras pequenas e brancas com uísque que ninguém bebeu no balcão, perto da máquina de lavar. Elas se chamam *demitasses* e são para expressos individuais. Linus tem me ensinado os nomes das xícaras para bebidas de café. Amo essas xícaras porque são perfeitas, compactas e imaculadas.

Quando enfim me viro, as garotas estão todas ali, com um sorriso amarelo, Riley parado no meio delas, já tendo bebido bastante. Ele cambaleia um pouco.

Não vamos ouvir música juntos. Ele pode ter dito *minha garota*, mas será que vai se lembrar disso de manhã? Olho para as *demitasses*. Qual o problema se eu beber também? Será que ele vai perceber?

Uma parte pequena de mim, bem pequenininha, sussurra: tem algum espaço para mim nisso que nós somos? *Uma bolacha, um livro, um disco numa prateleira.*

— Estou quase acabando — digo e me viro para a pia. Uma onda de resignação toma conta de mim. Bebo o uísque e enxáguo as xícaras. Minha garganta e meu estômago queimam, mas o calor que se espalha pelas minhas veias apaga isso. Limpo a boca e me viro para encará-los.

— Vamos? — pergunto para Riley. — Tô pronta.

Do lado de fora, tenho que passar por um corredor polonês para chegar à minha bicicleta amarela. Estou mexendo no cadeado quando alguém grita:

— Ei, Riley, cara, essa é sua namorada?

Gargalhadas surgem do pessoal do Modern Wolf. Naquele momento, olhando para o mar de garotos bêbados de camisa preta, cabelo escuro e oleoso e botas com solados perigosos, sei que Mikey já sabe, ou vai saber em breve, o que tenho feito. E acho que não me importo mais. Eu me sinto pesada e entorpecida.

A galera solta um estrondo de *aaahhhs* e Riley pega a bicicleta de mim, coloca minha mochila nos ombros e se acomoda no banco.

— Não fique brava comigo — pede baixinho no meu ouvido. — Eu vim levar você pra casa. Juro que nunca te machucaria, Charlie, nunca. Você tem que me deixar provar isso.

Ele me ajeita em seu colo para que eu fique de frente, minhas mãos segurando suas coxas, meus pés no guidão da bicicleta.

Ele me diz para segurar ou nós dois vamos morrer, e vamos de bicicleta até a casa dele.

Acho que *ladeiras* foram feitas para fazer você *cair*. Não sei *por quê*. Eu nem sei *quem* foi que inventou esse conceito tão *ridículo*. E nem sei por que isso *importa*. Quem *liga*? Quem *liga* para uma garota cheia de cicatrizes que parece não conseguir ficar sozinha? Quem *liga* para uma garota cheia de cicatrizes que limpa o chão e vai buscar drogas para o namorado? A *garota com cicatrizes* deveria ligar. Mas ela não sabe *como*, e quando deixa o *uísque* entrar, quando permite que *qualquer coisa* do tipo entre, como *beijar*, ou *sexo, álcool, drogas, qualquer coisa* que ocupa seu *tempo* e faz você se sentir *melhor*, mesmo que por pouco tempo, bom, você *já era*. E às vezes, uma vez, talvez *duas*, ela diz que está pensando em fazer aulas com uma mulher que é artista, mas depois *para*, porque uma vozinha em seu cérebro e em seu coração sussurra *mas aí você não vai ter tempo livre pra ficar com o Riley*, e as palavras, elas grudam de novo, bem grandes na garganta, e ela sente partes de si mesma desaparecerem na visão de *Riley e eu* e, e, e...

Ladeira abaixo, sem parar, sem parar.

Acontece de um jeito tão sorrateiro. Como um fio em uma agulha: silencioso e fácil, e então sobra só aquele pequeno nó no final para parar as coisas.

Temple está mexendo no celular, sentada no banquinho atrás do balcão, enquanto empilho canecas de café e copos plásticos de água nas bandejas. A banda não apareceu esta noite, e ela deixou Frances e Randy irem embora mais cedo, porque o lugar estava morto. Linus está nos fundos, lendo um livro.

Temple comenta:

— Você não namorava o Mike Gustafson? Ou alguma coisa assim? Eu sei que já vi vocês dois no Gentle Ben algumas vezes.

— Não — respondo —, ele é só meu amigo. Por quê?

Ela balança a cabeça e faz um som desapontado, como uma galinha choca.

— Todo homem que vale a pena já tem dona, né? — Ela vira o celular. — Olha só. Aquele safado se casou em Seattle!

Parece que eu me movo na lama, indo até ela, me curvando para olhar a imagem no celular. A página do Facebook de alguém que eu não conheço, talvez um membro da banda, e lá está, *ele* está ali, *ela* está ali, e os dois estão com sorrisos enormes, o rosto brilhando. Ele está vestindo uma camisa de botão e uma gravata vermelha com jeans e tênis. Bunny está usando um vestido tomara que caia florido simples e lindo, com uma coroa de pequenas e delicadas rosas no cabelo. As rosas combinam com a gravata de Mikey.

Sinto todo o meu sangue se esvair e fico gelada. Só percebo que estou fazendo algum som quando Temple começa a gritar para Linus:

— Acho que a Charlie vai vomitar, Linus! Me ajuda aqui!

Estou arfando, mas nada sai. Pairo com a cabeça no lixo e invento uma desculpa:

— Acho que comi alguma coisa no almoço que não me fez bem. Preciso ir embora, posso ir? — E Linus diz que vai me dar uma carona, já está quase na hora de fechar mesmo, mas eu cambaleio para longe dela, pego minha mochila e saio da cafeteria no mesmo instante. Esqueço da bicicleta.

Ando tão rápido que minhas canelas começam a queimar e então começo a mancar. Corro pela passagem subterrânea e não paro, até que estou na porta dele, batendo.

Tenho vergonha de sentir que ainda preciso pedir permissão para entrar na casa dele.

Ele abre a porta e me puxa para dentro. *Estou doente*, digo a ele, com lágrimas escorrendo pelo meu rosto. *Estou doente, muito doente*. E então, como se alguém tivesse me tirado da tomada, tudo se esvai de uma vez e eu caio no chão.

Ouço Riley xingando e os baixinhos *ai meu Deus* e *ah, meu bem*, enquanto ele desamarra minhas botas, tira minhas meias. Ele me pega com cuidado, deslizando as mãos debaixo de mim. Estou tonta. Ele é um borrão.

Riley me leva para a cama dele. Depois de um tempo, seus lençóis ficam úmidos com meu suor e ele tira meu macacão, toca minha testa com as costas da mão. Ele coloca água do lado da cama, uma lixeirinha com um saco plástico dentro. Eu vomito três vezes e ele esvazia o lixo nas três vezes. Ele me pergunta: *Você tomou alguma coisa?* Digo que não e me viro para a parede. *Perdi uma coisa, perdi algumas coisas*, respondo. *Estou sempre perdendo. Estou cansada.*

Riley diz: *Sinto muito por isso, meu bem*. Mas não faz mais perguntas. Ele me diz que vai cobrir meus turnos no True Grit. E dá uma tragada no cigarro e seus olhos são da escuridão de pedras submersas. Durante três dias, ele trabalha de manhã e cobre meus turnos de limpeza à noite. Ele aquece tigelas com sopa. Coloca pano frio na minha testa. Enquanto ele dorme atrás de mim, sua respiração é uma vela bruxuleando junto ao meu pescoço. No quarto dia, saio cambaleando da cama quando ouço uma batida na porta da frente. É a Wendy, que vende as drogas, o cabelo vermelho e amarelo amassado debaixo do capuz da jaqueta, coçando a bochecha. Ela diz: *Preciso do Riley, cadê ele? Ele está aí?* Sua pele é como a superfície da lua. Quando não respondo, ela sorri. *Faz um tempo que ele não aparece. A gente fica preocupado.*

Você não parece nada bem, criança, comenta. *Avisa pra ele que a Wendy passou aqui.* Wendy aparece em meus sonhos o dia todo, de pernas compridas e rosto manchado, voz rouca e sorridente. Quando Riley chega em casa tarde, ele não está tão chapado que eu não possa tocá-lo no escuro, me dedicar a ele com meus dedos, fazer barulho, fazê-lo fazer coisas comigo que ele não sabe que me machucam, tudo para apagar Mikey e Bunny, Wendy na porta, apagar o cinza se tornando preto dentro de mim. Nós dois somos um desastre.

Eu me levanto da cama de Riley quatro dias depois de ver Mikey no Facebook. Volto para meu apartamento como um zumbi, troco de roupa e vou até a biblioteca.

Nada de Gasparzinho, nada de Blue.

Tenho onze e-mails novos de Mikey. Deleto todos sem ler.

Porta: fechada. Mundo: acabado.

De vez em quando, ao levar as canecas de café para a prateleira atrás do balcão da frente, dou uma olhada pela janela, para Riley. Faz algumas horas que o turno dele acabou, mas ele ainda não foi embora. Se sentou a uma mesa na janela da frente, um livro grosso nas mãos. Sai fumacinha da caneca de café no parapeito da janela, ao lado dele. Ele conversa com os jogadores de tabuleiro na mesa mais próxima. Elogia o chapéu de tricô de uma senhora hippie quando ela passa. Não conversamos na cafeteria; seguimos as regras de Julie. Então lá está ele, sentado na frente até começar o show de talentos à noite, quando poderá enfim entrar e arrumar o palco e apresentar o evento.

É a primeira vez que participo de uma noite dessa na cafeteria. Quando Riley entra, todos que estão sentados o cumprimentam, e ele anda como se fosse dono do lugar, o que, de certa forma, não deixa de ser verdade. Atrás do balcão, eu o vejo verificar os amplificadores e ajustar o microfone, o que já fez milhões de vezes na vida. Ele parece se sentir em casa no palco desengonçado e, por alguns instantes, quando pressiona a boca no microfone e murmura *testando, testando, testando*, meu coração acelera ao ouvir a voz rouca que se espalha pelo ambiente. Ele canta baixinho alguns versos de "Tangled Up in Blue" de Bob Dylan, e todos na plateia ficam em um silêncio absoluto. Mas então ele para e desce do palco para ajustar o volume dos amplificadores.

Riley introduz a primeira apresentação, de um poeta de hip-hop que circula pelo palco torto, movendo os braços e a cintura.

— Ele é tipo a porra de um guepardo que tomou ácido — comenta Temple, seca. O poeta arranha a barriga e o queixo sem parar e diz tantos *vadias* que uma mulher que está tentando beber um *latte* e ler o jornal grita:

— Alguém faz ele parar, pelo amor de Deus!

Depois dele sobe uma garota que parece desprotegida, com um corte bem curtinho e que lê poemas horríveis sobre a fome e a guerra em uma voz baixa e quase infantil. Uma mulher mais velha com o cabelo até o joelho e tornozelo grosso aparecendo por baixo da saia tingida leva seus bongôs para o palco; ela é mesmo muito boa. Toca com intensidade, o cabelo grisalho se espalhando na frente do rosto. A batida é tão hipnótica que até Linus vai ao balcão para ouvir.

Riley se senta em uma cadeira perto do palco. Ele pula na frente do microfone e pede ao público que dê as calorosas boas-vindas a um trompetista nervoso do ensino médio cuja testa brilha sob as luzes fortes do teto. Riley diminui a intensidade delas, projetando a cafeteria em uma luz âmbar. As mãos do trompetista tremem; ele toca algo sensual que me faz pensar que ele e a mulher do bongô deveriam se juntar. No intervalo, pego xícaras e copos vazios. A caixa está quase cheia quando noto Riley ajudando uma jovem de botas pesadas e camiseta preta sem mangas a ajustar o microfone. A saia preta dela parece ter sido cortada com tesoura; a bainha fica pendurada de forma desigual. Seu cabelo é preto e espetado, e seu rosto exala desprezo. Ela parece ter a minha idade. Seus olhos escuros analisam o ambiente. Eu carrego a caixa para a área de lavar louça e volto para o balcão. Riley se inclina, sussurrando algo no ouvido da garota. Ela ri e meio que vira a cabeça para o outro lado. Meu coração para. O que foi *isso*?

Temple e Randy percebem minha cara.

— Oh, oh — brinca Randy, tranquila —, alguém aqui é meio ciumenta.

— Não se preocupe, Charlie — me tranquiliza Temple, acariciando meu ombro. Ela tem tatuagens de henna nas duas mãos hoje, desenhos retorcidos que se enrolam nos nós de seus dedos. Os sininhos pendurados nas suas orelhas tilintam conforme ela balança a cabeça. — Não tem nada rolando ali. Ela toca aqui desde que tinha, tipo, onze anos.

Linus vem da parte de trás, secando as mãos em um pano de prato. Seu rosto se ilumina quando olha para o palco.

— Ah, cara! Que da hora. Você já ouviu a Regan? Vai ficar passada quando ouvir. O Riley *adora* ela.

Temple continua acariciando meu ombro. Riley nunca disse nada sobre essa garota.

— Senhoras e credores — murmura ele ao microfone —, por favor, recebam a trovadora favorita do True Grit, nossa própria senhorita de olhos tristes da planície da música de Dylan, Regan Connor.

O café é inundado por aplausos. Há um vento estranho à medida que a sala começa a ficar em silêncio e sintoniza a presença dela. Quando o café se acalma, ela ataca o violão dourado com um único propósito, seus dedos em uma rapidez. Ela fica parada como se estivesse encarando uma escavadeira, as pernas plantadas com força no palco, um joelho dobrado. Sua voz é aguda, áspera e divina; ela consegue controlá-la o suficiente para mudar de repente para um sussurro ou um latido rouco.

Você não vai me derrubar, ela canta. *Você não pode me cortar.*

No palco improvisado, em meio à penumbra, ela parece de uma exuberância desafiadora, e suas palavras têm uma esperança feminina e rude. A plateia está extasiada. Algumas pessoas estão de olhos fechados. Olho para ela, dominada pela inveja. Ela tem a minha idade e é tão confiante. Não parece se importar com o que as pessoas pensam. Sua voz é ameaçadora e sedosa, pairando sobre todos no café.

Regan está deixando todos extasiados; eu os observo, um por um, se apaixonando por ela.

Você não pode partir meu coração, ela chora, ofegante e furiosa. *Você não pode dominar minha alma. O que eu tenho eu fiz, o que eu tenho é meu. O que eu tenho eu fiz, o que tenho é meu.*

A plateia está aos berros quando ela termina de cantar. Até mesmo o poeta hip-hop grita:

— Puta merda!

Riley assobia com os dedos; seus olhos têm um brilho selvagem. Eu olho de Riley para a garota e depois de volta para Riley, a ansiedade *latejando* dentro de mim.

Estou sempre perdendo coisas.

O armazém quadrado fica no centro da cidade, além dos prédios brilhantes que se erguem e dominam o horizonte. Caminhões e bicicletas lotam o amplo estacionamento de cascalho. Uma placa pintada à mão nas portas duplas da frente lista os estúdios dos artistas e três galerias. Olho para o anúncio no *Tucson Weekly* mais uma vez.

Linus foi comigo comprar o portfólio, um grande e bonito envelope de couro. Usei o que restava do meu dinheiro com Ellis. Linus assobiou quando peguei as notas, mas não comentei de onde vinha a grana.

Também não disse a Riley que viria. Vê-lo feliz com aquela garota na outra noite, o jeito como ele falou dela em nossa caminhada para casa e a voz dela, tão linda, e pensar que eu nunca fui à aula de Ariel porque não queria ficar longe dele nem um instante, fez algo despertar dentro de mim, uma coisa rancorosa e raivosa.

Observar aquela garota, a confiança dela. Eu queria isso. *Eu* queria isso.

Respiro fundo e entro no prédio.

O corredor está empoeirado e bagunçado. Algumas portas do estúdio, abertas. Em uma delas, um homenzinho passa tinta amarela sem parar para cima e para baixo em uma tela em branco. O lugar é uma bagunça de latas de tinta, telas enroladas, potes de líquido turvo, livros. Uma mulher na sala ao lado dele está inclinada sobre uma mesa alta, o rosto pressionado no papel em que está desenhando. Folhas de clorofitos pendem do alto das estantes. Está ouvindo salsa, que sai de um alto-falante a seus pés. Outras portas estão fechadas; atrás delas, ouço batidas fortes, zumbidos, ruídos de trituração. O ar tem cheiro de máquinas, reboco e óleo ao mesmo tempo.

A galeria no final do corredor é ampla e vazia, minhas botas ecoam no chão de madeira brilhante. Não há janelas; as paredes são brancas e vazias. Um menino, não muito mais velho que eu, está sentado a uma mesa comprida junto a uma parede. Quando me aproximo, a mesa é na verdade uma velha porta pregada em cavaletes. Ele digita em um teclado. Está vestido como Beaver Cleaver, daquele programa antigo.

— Sim? — diz ele, seco. Não parece irritado, mas um pouco desdenhoso.

Ele olha para o meu portfólio.

— Você tem obras para entregar para análise?

— Sim.

— Não, não. Não aceitamos em papel. Tem que ser digital, sabe? Tipo imagens enviadas por e-mail ou num site. Você tem alguém que possa tirar fotos pra você ou pode escanear sozinha e enviar? — Ele começa a escrever de novo, mas continua me olhando enquanto os dedos dançam.

Balanço a cabeça.

— Não, eu meio que achei que...

— Não, desculpa. Você precisa seguir as instruções para apresentar suas artes. — Ele volta a olhar para o monitor.

Eu me viro para ir embora, decepcionada, pensando em empurrar a bicicleta até em casa em vez de pedalar. Foi difícil vir pedalando e carregando o portfólio ao mesmo tempo. Minhas mãos ficaram suadas de segurar o portfólio nas coxas, que iam para cima e para baixo.

— Olha só quem está aqui!

O amigo de Ariel, o pintor, está segurando um maço de papéis e uma bolsa de ginástica, sem fôlego. É Tony Padilla da mostra de arte.

— Eu conheço você. Ariel me mostrou você na exposição. A garota com roupa de fazendeiro. Você gostou? — Ele sorri com expectativa.

— Do meu trabalho?

Engulo em seco, pensando no que dizer. Pelos escuros escapam das narinas dele.

— Não muito.

Ele ri e deixa os papéis e a bolsa de lado.

— Você não gostou. Isso é bom! Nem sempre gostamos do que vemos, não é mesmo? E a gente sempre deve dizer. Me deixa dar uma olhada, sim? Vejo que você é à moda antiga. Sinto falta dos dias em que se carregava um portfólio.

Ele pega a pasta das minhas mãos e abre, ajoelhando-se para olhar. Hoje não está vestido com um terno elegante. Ele usa um short cáqui e Birkenstocks com meias e uma camiseta manchada de suor com um coelho estampado. O cabelo não está mais preso em um rabo de cavalo; espalha-se por seus ombros como um leque preto com lascas de branco.

— Você quer expor na mostra?

— Eu queria, mas aquele cara...

— Aquele é meu estagiário, o Aaron. Esta galeriazinha é minha. Eu gostaria de expor os trabalhos de alguns artistas mais jovens dessa vez. Eles tendem a ser interessantes de formas diferentes, sabe? — Ele examina um retrato de Manny. — Você tem permissão dos modelos?

— O quê?

— Termo de autorização. Se alguém posa pra você, precisa assinar uma autorização que diz que a pessoa concorda em ter sua imagem exibida ao público. Aaron, imprima alguns formulários de autorização. Você tem um currículo?

Balanço a cabeça e ele ri.

— Você nunca veio em nenhuma aula minha, né? Tem muita proficiência aqui e alguma coisa estranha também. Mas eu gostei deles. — Ele olha os desenhos mais de perto, tirando os óculos. — Você foi aceita. Deixe os desenhos aqui. Tenho horas de vídeos e filmes e uma instalação de um quarto de criança. E uma nudista. Mas nenhum desenho. Nenhuma pintura. Os jovens de hoje em dia. Se você não pode assistir, andar pela obra ou sentar nela, ninguém quer fazer.

Ele fecha o zíper do portfólio com delicadeza e entrega para Aaron, que me olha intrigado enquanto me entrega os contratos.

— Antonio Padilla. Tony.

— Charlie. — A mão dele é suave apertando a minha, sem pelos, com unhas lixadas e finas, e um único bracelete de prata que bate em seu pulso.

— Essas pessoas são... interessantes. — Tony Padilla me olha com curiosidade.

— Eles moram no meu prédio.

Ele responde:

— Ah, é? — Ele segura o queixo com uma mão. — Me traz um dos meus cartões também, Aaron?

Tony suspira.

— Bem. Nós temos muito trabalho pela frente, para organizar essa mostra. Uma coisa que sempre digo aos meus alunos, e sempre os surpreende, sabe Deus por quê, é que a vida de artista exige muito trabalho. Ninguém vai fazer nada *por* você. Um artista não aparece só nas páginas ou na parede de uma galeria. Você precisa de paciência, precisa de frustração. — Ele olha para as paredes vazias.

E dá uma risadinha.

— Você precisa de massa corrida, pregos, projetores, luzes, besteirol e dias longos. Eu sempre espero que todos contribuam para a mostra. Tomara que você não tenha medo de trabalhar pesado, Charlie.

Posso sentir o tamanho do meu sorriso. Praticamente vai de um lado ao outro do rosto. Eu carrego água com esfregão e caixas utilitárias a noite toda e limpo mijo e merda em banheiros, e agora vou ter meu trabalho nas paredes, para as pessoas verem. *Eu.*

— Não — respondo. — Não tenho medo nenhum de trabalhar.

Linus comemora:

— Que incrível. — E bate palmas. Ela para de falar. — Aposto que Riley deve estar empolgado.

Eu me ocupo com o balde, torcendo o esfregão para tirar o líquido sujo.

— Sim, ele está superanimado.

Mantenho a cabeça baixa, para o caso de a mentira estar estampada no meu rosto.

— Hum. — Linus fica quieta. Ela raspa a grelha devagar. — Entendi. Então... ele tem exagerado muito?

— Como assim?

— Ele anda bebendo demais? O jeito que ele tem preparado a comida anda mais desleixado do que o normal. — Ela empurra um pote de tofu mexido para mim e eu dou uma olhada lá dentro. Os montes amarelos de comida têm cinzas por cima. Sinto vergonha por ele, por mais que saiba que não deveria. E sinto vergonha de mim.

Ele geralmente está dormindo quando chego à casa dele, isso quando está lá, esparramado em seu sofá de veludo com um livro no colo, um cigarro aceso ainda pendurado nos dedos. As garrafas debaixo da pia desaparecem mais depressa e são substituídas com a mesma rapidez. Parece ter parado de se preparar para o show beneficente de Luis Alvarez no verão, o violão guardado na capa, no canto. O caderno de letras e partituras está enfiado debaixo do sofá. Às vezes ele olha para mim como se não me reconhecesse. Comecei a entrar e observá-lo, fumando seus cigarros até sentir meu peito entupido e cheio de fuligem. Uma vez, com a mão na porta de tela enquanto eu saía para trabalhar, ele olhou para mim e murmurou:

— Sinto falta de ter você aqui comigo à noite. Tá difícil sem você.

— E a sensação foi boa, mas triste, e essas coisas travaram uma luta dentro de mim até eu querer enfiar a cabeça na terra.

Evito encarar os olhos de Linus.

— Charlie, eu já bebi durante muito tempo. Faz seis anos que conheço o Riley e sei como ele funciona. — Ela respira fundo. — Ele está indo ladeira abaixo e, nessa ladeira, nós, usuários, levamos junto todo mundo que pudermos. Porque, se for pra cair na merda, não queremos ficar sozinhos lá.

Eu a encaro. Linus, que está sempre ajudando as pessoas, sempre alegre, alcoolista? Pensando agora, deve ser por isso que Temple nunca serve nada para ela beber à noite. Tento imaginá-la como Riley, mas não consigo. E o que ela diz meio que me atinge, sobre ele me levar ladeira abaixo com ele. Seguro o esfregão com mais força, encarando a água suja no balde, como se pudesse encontrar alguma resposta ali.

Ela diz, com tristeza:

— Olha, eu não conheço você muito bem, e não quero me intrometer, e também não quero julgar, mas ficar com ele só vai te prejudicar. Eu precisava falar isso. Você consegue ver isso, querida? Tipo, ver de verdade?

Enfio o esfregão no balde e pego a vassoura, tentando não chorar, porque sei que ela tem razão, claro que tem razão, mas tento me concentrar no meu trabalho, deixar a ansiedade de lado. A banda da noite era uma espécie de trio polka-punk que vomitava confete, e espalharam pedacinhos de papel por toda parte. As mesas na área de estar estão bambas há tanto tempo que o jornal que apoia as pernas está despedaçando e com uma gordura escura. Em breve vou ter que trocar.

— Ele vai melhorar. Eu sei que vai. — Evito olhar nos olhos deia e seco os meus como se fosse suor, e não lágrimas. — Eu vou ajudar. Não se deve desistir das pessoas.

— Charlie — insiste Linus, taciturna —, eu passei anos na reabilitação. Se ganhasse um dólar a cada vez que ouvi isso, seria rica e não estaria trabalhando numa cafeteria meia-boca.

ESTA CIDADE É SECA E O CALOR, OPRESSIVO. TODO MUNDO DIZ que vou acabar me acostumando e até amando, que no inverno fica mais frio, mas o sol é uma bola de fogo gigante que não desiste. Só de pedalar do meu apartamento para a biblioteca no centro já fico suada da cabeça aos pés, as axilas ensopadas e o banco da bicicleta todo molhado.

Tenho nove e-mails não lidos de Mikey. É como se eu estivesse dando um perdido nele, e nem sei por quê. Nenhuma novidade de Blue, mas escrevo para ela mesmo assim, só duas palavras, e aí. É como esticar o braço para se segurar em alguém a fim de não cair do penhasco, e não ter ninguém ali para se segurar.

O último e-mail de Mikey chama minha atenção. O assunto é *aniversário/só mais um pouquinho*. Eu abro para ler.

> Você já deve ter ouvido as notícias sobre mim e Bunny. É loucura, eu sei. Vamos ficar mais um tempinho na estrada, pelo menos até novembro. Tranquei a faculdade. Vamos gravar o álbum no norte da Califórnia. E temos um contrato com gravadora, Charlie. Eu não queria ficar ainda mais tempo longe da Bunny, e parecia o certo a fazer. Quando voltar, tenho uma coisa muito importante para falar com você. E, olha, não tem problema que você não me escreveu de volta. Eu entendo. Espero que você esteja bem. E Charlie: feliz aniversário.

Encaro a palavra: *aniversário*. Então eu fecho meu e-mail e saio da biblioteca.

Levo bons quarenta minutos para encontrar o lugar certo. Precisei adentrar os confins do sul de Tucson para achar o que queria. Quando encontro, uma *panadería* pequena e imunda com um cheiro dos deuses, por trás do vidro sujo da vitrine escolho o doce com mais recheio de creme e cobertura de glacê. Depois de analisar as opções de café, peço um *café de olla*. Eu me sento em uma cadeira grudenta perto da janela, a doçura da massa se acumulando na boca, a bebida cremosa e caramelada aquecendo as mãos. Eu me pergunto o que Mikey tem de tão importante para dizer que não podia simplesmente escrever no e-mail. Talvez Bunny esteja grávida. Talvez Mikey esteja prestes a ter sua vida perfeita com filhos, uma esposa, uma banda de rock e tudo que ele sempre quis, enquanto eu estou desidratada e cansada, e deveria estar bebendo água, mas não, estou bebendo café, gastando sete dólares e sessenta e oito centavos para me desejar um feliz aniversário de dezoito anos que eu tinha esquecido completamente.

Pedalo até a galeria todas as manhãs para ajudar Tony e Aaron com a exposição. Os outros artistas são mais velhos do que eu, em seus vinte e trinta e poucos. Tony os faz testar a posição em que as obras serão expostas conforme anda de um lado para o outro, esfregando o queixo e pensando. Ele decidiu não colocar molduras chiques, só enquadrar. E estava certo: são muitas instalações, incluindo o quarto da infância de alguém, até um conjunto completo de estatuetas de My Little Pony e suas sapatilhas de balé originais combinadas com seus Dr. Martens adolescentes e meias arrastão. Outra pessoa juntou cortes de vídeos que encontrou: em uma parede, há um loop infinito de pessoas e cachorros pulando de trampolins. As cores são fracas e oníricas; eles parecem saltar por entre arbustos de sol desbotado, o céu em tom pastel. Um homem com metade da cabeça raspada e a outra em um moicano alto colou dezoito bolas de praia juntas em uma pirâmide e pintou palavras grosseiras em cada uma. Uma mulher meio que tem um quadro, mas não há nenhuma pintura real. Em vez disso, ela colou peles de esquilo, penas de corvo e mechas de seu próprio cabelo na tela.

Uma mulher muito magra e com cara de brava chamada Holly planeja se deitar pelada no chão.

— Eu sou minha própria obra de arte — explica ela enquanto enfia a unha preta do dedão entre os dentes. — Só de ter que olhar para mim, a maioria das pessoas vai se sentir impactada.

Não entendo como a obra da mulher vai funcionar (e se alguém tocar nela? E se ela tiver que ir ao banheiro?), mas, quando olho para Tony, ele pisca e sussurra para mim, depois que a mulher sai pisando duro.

— A defesa da tese de Holly vai ser extraordinária. Por todos os motivos errados, mas extraordinária mesmo assim.

Eles usam palavras e frases como *teoria, identidade verdadeira, identidade construída* e *fragmentação nuclear*. Quando Holly me viu com as mangas arregaçadas, disse, irritada e com sinceridade:

— Você precisa entender e avaliar suas transgressões contra as normas da sociedade. — Ela agarrou meu pulso. — Você entende que os atos que cometeu contra si mesma são revolucionários pra cacete? Vou fazer uma lista de artigos para você ler hoje. Tem tanta coisa para aprender.

Eu memorizo o que eles dizem enquanto ando pela galeria, seguindo as instruções de Tony, movendo as coisas de um lado para o outro, minhas mãos cobertas por pequenas luvas brancas, como o Mickey Mouse. Eu acho, ou melhor, eu *sei* que alguns deles estão rindo dos meus desenhos e de mim. Eles riem dos rostos irregulares e dos dentes estragados de Hector e Manny, do sorriso esperançoso de Karen. E, quando saio, vou à biblioteca e procuro todos os termos, palavras e frases que disseram, tentando entendê-los.

Não quero que pensem que sou burra, mas também não quero *ser* burra, por isso dedico meu tempo a aprender a língua deles.

E, quando olho para os meus braços, não penso em *revolucionário*. Penso em *triste* e *dor*, mas não em *revolucionário*.

No entanto, da vez seguinte que vejo Holly, penso em *babaca*, e isso me faz sorrir o dia todo.

Temple me entrega o telefone.

— Anda logo, tá? — sussurra. — Queremos chegar no Tap antes da última rodada.

Olho com inveja para ela; todas as garotas daqui saem juntas depois do trabalho, vão para bares e festas; elas nunca me convidam para ir junto. Tenho tentado interagir mais com elas, mas parecem ser um grupo muito fechado. Além disso, não tenho idade para ir em bares. Só a Linus parece estar interessada em mim, de um jeito mais maternal, me empurrando pratos de batatas e tigelas com lentilhas pelo balcão próximo à grelha. Linus não sai com as outras garotas. Às vezes ela diz que vai para uma reunião depois do trabalho.

— O vício não funciona das nove às cinco — ela explica, alegre. — Você pode se sentir uma merda a qualquer hora do dia. Esse é um dos motivos de eu trabalhar nesses turnos. Preciso me manter ocupada, manter os demônios sob controle.

— Charlie. Minha querida Charlie. — É uma mulher; a voz é gutural, confiante.

Brinco com a corda do telefone entre os dedos.

— Quem é?

— Charlie Davis, irmã de alma, depois de todo o tempo que passamos juntas, todos aqueles momentos compartilhando nossas histórias sangrentas, você não consegue reconhecer minha voz?

Meu coração despenca até os pés; sinto meu corpo todo pegar fogo.

— Oi, Blue.

TRÊS

Não posso ser eu mesma
Não posso ser eu mesma
— Elliott Smith, "Needle in the Hay"

Por telefone, Blue me contou que faz três meses que saiu e está morando em Madison com a mãe. Elas não se dão muito bem, comentou, então ela pensou em viajar para o Kansas e ficar com a Isis até as coisas melhorarem. Isis tinha se mudado do Kansas para Minnesota com um cara; agora está vendendo pacote de carne-seca e revista erótica em uma parada de caminhões. Isis e Blue estavam sentadas em um bar com seus copos de gim e gengibre quando pensaram em mim e no lugar quente em que eu estava morando, e em minha mãe.

— Liguei para Creeley e falei com o Bruce. Ele me passou o nome dela... muito prestativo ele, e não é do tipo que se importa com a confidencialidade dos pacientes. Eu sei que vocês dois tiveram suas desavenças, mas Bruce é um cara legal, por baixo daquele jeito ameaçador.

Blue ligou para minha mãe.

— Ela até que é bem educada! Do jeito que você entrava muda e saía calada na hora do grupo, achei que ela seria algum tipo bizarro. Ela fica sabendo de você pelo seu namorado. Ou melhor, seu não namorado. — Ela parou de falar do outro lado da linha e eu ouvi o barulho de um isqueiro, o grito estridente de Isis dizendo *ah, cala a boca* para alguém ao fundo. — Ele contou pra ela onde você trabalha e, bom, eu consegui achar esse número também. A internet não é maravilhosa? É tipo uma pedra grande e velha. É só mexer um pouquinho pra encontrar todo tipo de merda.

Ela inspira fundo, parecendo quase aliviada.

— Eu estava com saudade. — Ela começa a fungar. — É tão difícil, Charlie. É difícil *demais*. Preciso de um tempo.

E agora estou esperando por ela na rodoviária de Greyhound, ignorando os olhares desconfiados de homens com *mullets* e dentes amarelos. Cutuco o chão com a ponta da bota. Riley não estava em casa ontem à noite, quando passei lá. Ele também não estava em casa quando acordei na cama dele hoje de manhã, o que me deixou preocupada. Está um dia quente, um pouco mais fresco do que nos outros dias, mas ainda assim ensolarado e gostoso. É começo de novembro, e em Minnesota as pessoas já estão usando casacos de inverno e botas, lutando contra o vento.

Preciso ir trabalhar daqui a uma hora. Compro uma Coca-Cola na máquina e assisto ao desfile de ônibus cinza que estacionam um atrás do outro. A bebida deixa minha boca grudenta, tão doce.

Ela é a última a descer e tropeça no último degrau. Consegue se equilibrar, o sol forte a fazendo piscar e cobrir os olhos com uma das mãos.

Blue tem quase trinta anos, mas ainda parece uma adolescente com sua calça cargo apertada e camiseta da Lady Gaga. Só quando se fica perto dela, tipo agora, é possível ver a vida dura que vive marcada no seu rosto, no canto dos seus olhos.

Blue deixa a mochila cair e me puxa para um abraço apertado.

— Charlie! Minha fofolete chorona e chata favorita.

Ela dá um passo para trás, os olhos me analisando centímetro por centímetro.

— Puta merda, você tá com uma cara ótima, Sue Quietinha. Seu cabelo está comprido! Qual é o nome dele? — Ela acende um cigarro.

— Seus dentes — comento, surpresa. — Você arrumou os dentes.

— O rei da construção de Madison me deu o dinheiro. Acho que se sentiu culpado por ferrar com a minha vida todos esses anos. E não vou nem dizer o quanto doeu pra consertar a merda desses dentes. Enfim. — Ela remexe a bolsa de novo. — Merda. Acabou o cigarro. Seu carro tá onde? Podemos parar pra comprar antes de ir pra sua casa?

Os dentes de Blue eram uns cotocos ásperos antes. A metanfetamina os destruíra, deixando-os finos e moles como massinha. Agora ela tem todos os dentes, quadrados brancos e brilhantes na boca. O rosto não está mais manchado e inchado por causa dos remédios, mas suavizado por tratamentos faciais, base e pó. O cabelo é de um dourado intenso.

— Não tenho carro, mas não moro longe daqui, só alguns quarteirões. Vamos, eu levo sua mala.

Blue me encara.

— Você tá falando sério? Não tem carro? Nesse calor? Eu tô morrendo, Charlie. — Ela coloca óculos escuros pretos enormes. Eu dou de ombros.

— Por que você não veio de avião? — pergunto. — Tenho certeza de que o rei da construção consegue pagar.

Blue ri, irônica.

— Ah, não. Nada de avião pra mim. Morro de medo dessa merda. Nem ferrando. Não fomos feitos pra ficar no ar. É assim que eu penso.

Ela anda com cuidado ao meu lado, com sapatos de salto. Arrisco um olhar: ainda usa anéis nos dedos dos pés. Por alguma razão, fico mais à vontade ao perceber isso. Aponto lugares como o Hotel Congress e o pequeno cinema que serve pipoca salpicada de pimenta-caiena e parmesão, e exibe filmes em preto e branco com pessoas com sotaques profundos e tristes.

— Então, onde é que a estrela do rock mora? Posso conhecer?

Estamos na esquina da Twelfth; aponto vagamente para a rua que leva à casa dele.

— Ele não tá em casa agora. — Na verdade, não sei dizer se está. Pode ser que já tenha voltado, depois de dormir onde quer que tenha dormido.

— Vamos encontrar com ele depois?

— Talvez — respondo, evasiva. Não sei por que fico desconfortável em pensar em Blue conhecendo Riley, mas fico. Aceno rápido para Hector e Leonard na varanda. Hector se endireita quando vê Blue e esfrega a poça de suor em seu peito. Ele ergue as sobrancelhas para mim. Blue diz:

— Estou meio nervosa, sabe? Preciso de alguma coisa pra *beber*. — E eu aponto para a loja de bebidas na porta ao lado, apesar de ficar receosa e desapontada em pensar em Blue bebendo. Tinha esperança de que ela estivesse sóbria. Pelo menos, mais sóbria do que eu.

— Senhores — cumprimenta Blue, encantadora. Ela vai em direção à loja de bebidas.

Os dedos de Leonard tremem enquanto ele enche seu cachimbo, pedaços de tabaco caindo na calça jeans. Hector o ajuda.

Leonard resmunga:

— Não quero problemas, Charlie. Lembra? Não ligo pra sua amiga estar aqui, mas não quero problemas.

Ah, Leonard, penso. *Eu sou um poço de problemas.*

Blue folheia meus cadernos para ver os desenhos.
— Caramba, Charlie.
Ela passa os dedos pelos rostos.
— Que incrível. Não sabia que você desenhava *assim*. Caraca. E olha essa parede maluca.
Ela olha para o banheiro.
— Não tem porta.
— Eu trabalho lavando *pratos,* Blue. Não se tem portas quando se faz isso. Tem um banheiro que dá pra trancar no fim do corredor, mas os caras usam. Não esqueça do papel higiênico se for dar uma de tímida.
Blue acende um cigarro e remexe a sacola de papel da loja de bebidas, tirando uma garrafa. Ela tira a tampa, procura por copos na pia, serve três dedos de vodca e entrega um dos copos para mim.
Ela ergue o copo dela.
— Aceita? Este lugar é esquisito à beça, Charlie. Todo mundo que mora aqui é que nem aqueles caras na entrada?
Pego o copo com muita facilidade e bebo tudo, sem me importar que tenho que trabalhar daqui a meia hora. É fácil assim agora.
— Eu meio que esperava — digo baixinho — que você não estivesse mais bebendo nem nada.
Blue franze a boca.
— Não demorou muito pra eu recomeçar depois que saí, sabe? Beber, quero dizer. Nada além disso...
Ela dá de ombros, mas não retribui meu olhar.
— Você tem se... comportado?
Minha voz é cuidadosa. Blue está ajoelhada no chão agora, folheando devagar outro caderno de desenho. Sua camisa sobe pelas costas. A pele ali é marrom-claro, de aparência macia.
Blue faz uma careta em meio a uma nuvem de fumaça.
— Eu só fazia aquelas coisas quando estava usando, sabe? Perdia o controle totalmente. Se não estou chapada nem nada, eu sou uma

covarde com isso de cortar e queimar. — Ela me olha de esguelha. — E você? Está se cortando de novo? — Ela olha para minhas mangas.

— Não — respondo. — Nada assim. É que...

O que ela diria se soubesse das drogas que compro? Olho para o meu colo. Blue inclina a cabeça.

— Você está bem, Charlie?

Estou meio encrencada e não consigo encontrar uma saída.

Mas essas palavras ficam presas na minha garganta. Engulo em seco; elas voltam a descer garganta abaixo.

Ela me olha durante um segundo intenso.

— E a estrela do rock? Ele está te tratando bem? Alguns caras, *ainda mais quando são músicos*, têm um talento especial pra ferrar com as mulheres.

Eu me ocupo lavando meu copo, procurando uma camiseta de trabalho limpa.

— Tudo bem. Tudo certo. Sabe como é.

— Ele é mais velho, né?

— Sim. Vinte e sete.

Viro as costas para vestir a camiseta. Sinto os olhos de Blue em mim.

— Charlie, você já *teve* um namorado antes?

Deslizo minha camiseta sobre o rosto depressa para que a voz saia abafada.

— Não, na verdade.

Em voz baixa, ela solta algo que não consigo entender.

— O que você acabou de dizer? — Eu me viro para ela.

— Nada — desconversa ela rapidamente, se levantando para apagar o cigarro na pia. — Deixa pra lá. — Então continua, animada: — Bom, me mostra onde fica a televisão e o computador e acho que consigo me virar até você voltar.

Finjo sorrir, apesar de estar me perguntando o que foi que ela disse que não consegui ouvir.

— Ah, Blue — respondo —, tenho más notícias pra você.

*

As garotas do Grit passam a noite inteira falando de uma coisa chamada Dia de Finados e de queimar uma urna. É um desfile enorme que acontece na Fourth Avenue em honra aos mortos, e as pessoas se fantasiam e pintam esqueletos nos rostos e outras coisas esquisitas.

Temple comenta:

— É demais. Tem muito movimento, não importa o que aconteça, e todo mundo que participa fica tão feliz só por estar vivo, pronto para fazer algum trabalho de energia positiva. E as roupas! São fodas.

O café está vazio; elas não têm nada para fazer. Uma certa hora, Julie liga para saber se tem movimento, e, quando Temple desliga, Randy assente com cumplicidade e arruma as coisas para ir para casa. Tanner não está mais no turno da manhã e agora trabalha uma vez por semana durante a noite, e Julie continua lavando os pratos. Faz duas semanas que a vitrine de comida está empoeirada e vazia. Bianca se cansou de não ser paga.

Temple mexe na máquina de café expresso.

— Ano passado eu fiz asas com luzes de Natal. Um babaca qualquer caiu em cima de mim e rasgou tudo. E minha amiga caiu em cima de um cara que estava dançando com fogo, foi uma loucura.

Ela puxa o filtro e de repente ele cede, espalhando borra de café expresso por toda a saia azul esvoaçante, aquela que acho linda em segredo porque tem sininhos na bainha. Temple xinga. Eu me abaixo com um pano para limpar as manchas escuras da saia dela.

Linus vem da área da grelha, limpando as mãos no pano de prato.

— É o Dia de Finados, Charlie. *Día de los Muertos?* Vinte mil pessoas na porra de uma corrente humana andando pelo centro e queimando pedidos para os mortos. Toda essa merda no ar, era de imaginar que ia dar em alguma coisa, né? Energia coletiva e essa palhaçada toda. Mas o mundo ainda é uma merda, não é, Temple?

— Não critique — pede Temple. — Meus pais sempre nos levavam nas cerimônias. A energia positiva é uma força poderosa.

— Tem algum feriado assim na sua cidade, Charlie? — pergunta Linus, olhando para a cafeteria vazia. Ela sempre se refere a Minnesota como minha cidade quando fala comigo. *Tem tortillas na sua cidade?*

Você deve sentir falta da neve na sua cidade. Você vai voltar logo pra sua cidade, Charlie?

Eu olho para as duas.

— A gente não liga muito para os mortos. Depois de morrer, já era. A gente não gosta de deixar nada interferir na nossa pesca no gelo — solto, com um tom leve, porque não quero pensar no meu pai agora.

Elas me encaram.

— Brincadeira — resmungo.

Temple deixa o ar sair do aerador.

— É uma loucura, Charlie. Acho que você vai gostar. É uma festa artística gigantesca em homenagem ao espírito humano.

Limpo o último vestígio de café da saia de Temple, agito um dos sininhos para que ele faça barulho. O espírito humano. O meu pai. Para onde terá ido seu espírito? Ele pode me ver? E Ellis, a parte dela que desapareceu? Sobrou alguma parte dela em algum lugar? Esses pensamentos me assustam.

Acho que Temple está errada. Acho que não vou gostar nada dessa festa artística.

Blue aparece no True Grit quando estamos fechando, agora vestindo short, tênis e um moletom com capuz. Está com o olhar enevoado. Eu me pergunto quanta vodca ela deve ter bebido. Passo o esfregão com força no piso do salão, intrigada com o que ela está conversando com Linus e Temple. Os braços de Blue estão cobertos, mas será que elas conseguem ver as linhas nas suas panturrilhas? Minha testa está toda suada. Uma vez, na aula de educação física, uma garota arrombou a porta do banheiro e me pegou só de sutiã, a camiseta da aula nas mãos. Eu me trocava no box, longe das garotas, e sempre usava uma camisa de manga comprida por baixo da vermelha e branca da ginástica. Ela riu e depois cobriu a boca com as mãos. Depois disso, todas se afastavam de mim quando eu entrava no vestiário para tirar a roupa de ginástica. Elas davam gritinhos agudos enquanto eu pegava minhas coisas e ia para as cabines. Temple parece ser amigável com Blue. Como será que Temple era no ensino médio? Era do tipo que dava gritinhos ou que se afastava? Será que

Linus já enfiou a cabeça de alguma garota na privada, ou ficava de cabeça baixa, esperando a hora da saída? As pessoas têm tantos segredos. Nunca são o que parecem ser.

Conforme andamos de volta para casa, Blue diz, meio zonza:

— Leonard me explicou como chegar aqui, então pensei em vir te encontrar. Espero que você não tenha ficado brava ou coisa assim. Não quero invadir seu espaço nem nada, sabe?

Ela estica o pescoço para as palmeiras.

— Este lugar é muito estranho. Essa vegetação toda parece alguma merda que saiu do dr. Seuss, você sabe, né? — Caminhamos em silêncio por algum tempo até que ela enfim pergunta: — Bar? — com uma expressão esperançosa enquanto olha para a Fourth Avenue.

Ergo as mãos.

— Dezoito anos. Se quiser ir para o bar, vai ter que ir sozinha.

Ela reconsidera.

— Vamos ver se o astro do rock está em casa — sugere, com um sorriso enorme.

Não tenho mais como fugir disso, acho, então aceito. Eu me pergunto se ele voltou desde a noite passada. Espero que ele tenha voltado desde a noite passada.

Dá para ouvi-lo a um quarteirão de distância, dedilhando, a voz subindo e descendo enquanto trabalha em uma passagem. Fico surpresa; faz semanas que ele não toca. Um olhar sonhador passa pelo rosto de Blue.

— É ele? Porra, isso é incrível.

Ele está na varanda quando nos aproximamos, a fumaça subindo em círculos suaves do cinzeiro a seus pés.

— Charlie. — Ele parece estranhamente alegre. — E Charlie trouxe... uma amiga.

— Blue. — Ela estende a mão, dá uma tragada no cigarro dele. Esse movimento provoca uma sensação feia dentro de mim. Logo de cara, Blue já parece mil vezes mais confortável e íntima de Riley do que jamais estive. Não entendo como ela consegue ser assim. E por que eu *não* consigo? E ela está... flertando?

— *Blue*. Que nome bonito, Blue. Eu sou Riley West. — Ele encosta o violão na grade da varanda.

Ele está correspondendo ao flerte? Não consigo ler os sinais.

— Obrigada — responde Blue. — Quer dizer, não é meu nome de verdade, mas gosto mais dele.

Eu a encaro, surpresa, me esquecendo da raiva.

— O quê? Tá falando sério? Qual o seu nome verdadeiro, então?

Blue dá outra tragada no cigarro e expira devagar.

— Patsy. Patricia. Eu tenho cara de Patsy pra você?

— Não — digo, balançando a cabeça e sorrindo. — Você não tem cara de Patsy, nem um pouco.

Riley ri com gosto. Ele já deve estar um pouco bêbado, porque parece feliz. Queria que Blue não estivesse por perto. Se Riley vai estar feliz, quero isso só para mim. Nos últimos tempos ele precisa de três ou quatro só para sorrir. Ele faz uma reverência para Blue.

— Querem beber alguma coisa, senhoritas? — Ele entra em casa. Blue ri.

— Ele é fofo — sussurra ela.

Blue olha para os vizinhos de Riley em suas varandas, bebendo vinho e se balançando em cadeiras de vime, abanando-se com jornais.

— Ele deve gostar de ter plateia. Além de você, quer dizer. — Ela dedilha de leve as cordas do violão dele. Afasto seus dedos, irritada por ela se sentir tão à vontade com as coisas dele. Ela olha para mim.

Riley reaparece com garrafas de bebida. Ele acaricia de leve minha bochecha, então ergue a cerveja. Hesitante, brindo com eles.

Blue bebe metade da cerveja em dois goles e limpa a boca, olhando de Riley para mim e vice-versa. Ela ri.

— Vocês são engraçados.

— Por quê? — Tomo um gole da minha cerveja.

— Não sei. Só sei que são. — Seu rosto está brilhando. — Podem se beijar ou sei lá. Não liguem para mim.

Sinto minhas bochechas esquentarem.

Riley cruza as pernas e oferece um cigarro a ela.

— Eu sei que tem uma história aí. Alguma coisa trágica, imagino, no jeito que vocês se conheceram?

Blue bufa e solta uma série de anéis de fumaça perfeitos.

— Meu Deus, eu amo cigarro sem filtro — ela diz. — *Amo*. — Ela dá outro gole enorme na bebida. — A gente se conheceu na clínica para pessoas que se cortam. Eu era a que estava lá há mais tempo. — Parece quase orgulhosa. — Isis chegou depois de mim, aí veio a Jen e depois a Charlie. Mas a Louisa *sempre* esteve por lá. Calma. Ei, você tá bem, cara?

O rosto de Riley está muito sério, como se ele prendesse a respiração. Blue olha para mim.

— *Charlie*. Você não contou sobre Creeley para ele? — Ela me olha com cautela.

Riley limpa a garganta.

— Charlie tem sido um pouco reticente quanto à história dela. Mas não tem problema nisso. Todos têm seus segredos.

Sua voz é suave. Ele estende a mão e me puxa para mais perto. Eu me sinto melhor quando ele faz isso. Aliviada.

Blue concorda.

— Eu a chamava de Sue Quietinha, porque durante um bom tempo ela não abria a boca. O que eles disseram que era, Charlie?

Eu cerro os dentes, ponderando se devo responder.

— Mutismo seletivo. — Blue se lembra de repente, sentando-se no corrimão, as pernas lisas e brilhantes. — Tipo, em algumas situações você simplesmente se cala, eu acho. Eu mesma sou um pouco de tudo. Totalmente estranha, por assim dizer.

— Interessante — comenta Riley. — Hospitais são interessantes, né? Todo mundo que você conhece é como um pequeno espelho seu. Eu já passei um tempo lá, então sei bem. Muito desconcertante. — Os cantos de sua boca se contorcem. Estou começando a entrar em pânico, incomodada com o jeito como estão falando de mim e se entendendo tão bem. Cerro os dentes e olho para Blue.

— Ela estava sempre desenhando. — Blue apaga o cigarro. — Depois que se aquietou lá, eles quase tinham que expulsá-la da sala de artes todo dia. Ela era a única que gostava. Eu não consigo fazer nada artístico.

— Ela tem um olhar muito bom para linhas. — Riley olha para mim, sem sorrir. — Você ficou sabendo da mostrinha de arte que ela vai fazer?

Blue continua como se não tivesse ouvido Riley.

— Nossa, eu odiava aquele lugar. Não via a hora de sair. Todas nós lá presas como gatos, cortando partes do nosso cérebro, né, Charlie?

— E você, Charlie? — Riley terminou sua bebida. — Você também estava ansiosa pra sair?

O rosto de Riley está cansado e bonito, tão familiar que uma leve dor brota dentro de mim antes que eu a reprima, observando enquanto ele e Blue se provocam com isqueiros e cigarros.

— Não — revelo baixinho. — Eu gostava pra cacete. Não queria sair nunca.

Blue dá uma gargalhada.

— Bom, *claro, né*? Você estava dormindo na merda de uma grade de aquecedor antes de entrar. Como não amar?

Riley semicerra os olhos.

— Grade de aquecedor? — ele repete devagar. Olho para ele. De repente percebo que ele não se lembra do dia em que estávamos sentados na entrada da casa dele, tanto tempo atrás, durante o temporal, e eu contei que morava na rua. Ele não se lembra. Porque está sempre chapado. Uma tristeza profunda toma conta de mim.

Blue olha de Riley para mim. Ela fica pálida. Apaga o cigarro no parapeito e murmura *desculpa*.

Riley murmura "hmm". E então entra para pegar mais bebidas, acende mais cigarros, conduz a noite para outra direção. Eles falam de mim como se eu não estivesse ali, me provocando e rindo quando meu rosto fica vermelho. Após algum tempo, os vizinhos entram, as luzes se apagam, a rua se acalma, mas Riley e Blue ainda estão firmes e fortes, um pegando o cigarro do outro, rindo da mesma maneira desdenhosa acerca de música e política.

Por fim, limpo garrafas e cinzeiros transbordando, coloco o violão de Riley de volta no estojo, levanto Blue pelo cotovelo. Ela choraminga.

— Por que não podemos ficar? Ainda é tão cedo! Estou de férias, pelo amor de Deus.

Mas eu a levo de volta comigo de todo modo, segurando-a de pé enquanto subimos as escadas estreitas para o meu quarto. Quando entro, me sinto abatida de repente, olhando para o único colchão encostado na parede. Blue cambaleia até o banheiro, puxando o short jeans para baixo.

— Com licença — diz ela. O som de seu xixi ecoa no vaso.

Ela se joga na cama e balança os pés.

— Alguém tire meu sapato, por favor.

Eu arranco o sapato com saltos perigosos de tão altos e o jogo no canto.

— Apague a luz. Ela está acabando comigo.

No escuro, uso o banheiro e escovo os dentes, jogo água no rosto, visto o short e a camiseta e a encaro, encolhida na cama, antes de me jogar ao lado dela. Eu a empurro com o quadril. De repente, sinto uma *saudade* enorme de Ellis, do jeito que nos aconchegávamos na cama dela, sussurrando, nossa respiração quente no rosto uma da outra. Com cuidado, encosto meu quadril no de Blue. Ela está muito quente.

No fim do corredor, uma televisão murmura.

— O que a estrela do rock diz sobre as suas cicatrizes, Charlie?

Eu fecho os olhos.

— O que você está fazendo aqui? — continua Blue, sonolenta. — Volte para a casa do seu namorado.

— Não.

Blue fica quieta por algum tempo.

— Não precisa se preocupar comigo nem nada. Quer dizer, eu gosto de flertar, é bom, mas eu não sou... eu nunca... eu gosto de me mostrar, é só isso, tá bom, Charlie? — Ela puxa o cobertor e se vira em direção à parede. — E sabe do que mais? — acrescenta ela, sua voz ficando mais sonolenta, mas com certa irritação. — Uma namorada *pode* tocar o violão do namorado, tá? Você ficou com raiva de mim por encostar nele e aposto que você nunca pensou que poderia fazer isso, mas *pode*. Ele não é um deus.

Isso incomoda um pouco, que ela esteja tão certa, mas não sei o que responder, então fico quieta. Quando acho que ela adormeceu, quando sua respiração ficou pesada e eu quase caí na escuridão, ela murmura de repente:

— Ei. Não me deixa esquecer. Eu tenho uma coisa pra você. Da Louisa.

*

De manhã, ela está branca como papel, mas alegre, bebendo com vontade o café que comprei para ela na cafeteria da rua. Ela toma banho na pequena banheira enquanto eu lavo copos na pia. Ela não é tímida como eu; consigo ver a história dela enquanto se inclina para trás, a água lambendo seus seios. Depois, ela toma os remédios, um por um, e alinha os frascos no parapeito da janela. Lembro do e-mail dela, quando disse que estava tomando muitos remédios.

— Preciso de alguma coisa gordurosa pra acabar com essa ressaca. — Ela veste a camiseta. É de manga curta. As cicatrizes de queimadura em seus braços são nítidas e deliberadas. — E um refrigerante. Tipo uma Coca-Cola gigante.

Eu aponto para a camiseta, para os braços dela.

— Você não... quer dizer, e se alguém vir?

Ela franze a testa.

— E que caralho me importa se alguém vir, Charlie? É *assim* que é. Essa sou eu. — Ela puxa minha camiseta de manga comprida. — Você vai viver a vida inteira se escondendo desse jeito? É melhor já mostrar logo de cara. E sabe o que me deixa muito brava? Se um cara tem cicatrizes, é visto como algum tipo de herói. Mas as mulheres? Já vão achar que somos loucas. Olha seu namorado. Quer dizer, não quero ser babaca nem nada do tipo, eu gostei dele, toda essa coisa de malandro encantador funciona muito bem, mas ele tem problemas sérios. — Ela imita alguém bebendo. — Então, por que você não contou a ele sobre o hospital ou que morava na rua? Ele pode ter problemas, mas você não? — Suas palavras saem com raiva, me surpreendendo.

Eu sinto a pressão das lágrimas. Ela está indo rápido demais para mim.

— Não sei. — Engulo em seco. — Eu só quero pegar alguma coisa pra comer, tá? A gente pode fazer isso?

Procuro meu dinheiro no bolso, mas ela empurra minha mão para baixo.

— Não. Eu pago. Desculpa. De verdade. Tá tudo bem.

Ela joga a bolsa no ombro.

— Vamos andando. Se eu não tomar um refrigerante logo, vou vomitar.

Blue nos compra ovos mexidos e burritos marrons com pimenta-verde e refrigerantes gelados. Ela é voraz e maliciosa na lanchonete, sussurrando sobre a bunda enorme da garçonete, fazendo piadas sujas sobre os saleiros e pimenteiros em forma de cactos. Ela pede um refrigerante extra e um pãozinho de canela, o glacê grudando no seu lábio superior.

Passamos algum tempo na loja de perucas descolada na Congress. Ela compra brincos de penas e experimenta perucas coloridas. Caminhamos sem rumo pelo centro da cidade, olhando maravilhadas para a fachada tão adornada da Catedral de Santo Agostinho, o delicado e abandonado Santuário dos Desejos de El Tiradito, com seu aglomerado de *veladoras* queimadas. Blue passa muito tempo olhando para os buracos na parede pálida e em ruínas do santuário, para os desejos e presentes que as pessoas deixaram, as velas derretidas, as fotos duras e desbotadas. Toco um nicho vazio. Devo trazer uma foto de Ellis aqui? Corro meus dedos pelas pedras lisas.

Blue está bastante quieta enquanto caminhamos para casa. Respiro o ar do início de novembro, olho para o céu azul amplo e infinito. Em Minnesota, todas as folhas já estão no chão e o céu está cinza, se preparando para o frio e o inverno. Talvez tenha até nevado uma ou duas vezes. Mas aqui tudo é céu azul e calor sem fim.

De volta ao quarto, Blue se acomoda na poltrona com seu celular, digitando e rolando a tela. Quando pergunto como quem não quer nada quanto tempo ela vai ficar, seus olhos ficam embaçados.

— Achei que tinha dito que não tenho para onde ir, Charlie. Você tem muita sorte aqui. É tão legal. Olha só esse sol, mesmo no inverno! Está vinte e três graus aqui agora.

Ela abaixa a cabeça.

— Você não me quer aqui, Charlie?

Quero, mas não quero, quero, mas não quero.

Eu mudo de assunto.

— E o pessoal em Creeley?

Blue balança a cabeça de um lado para o outro.

— Não sei bem, não acompanho. Isis foi embora logo depois de você. Louisa nunca vai sair, aquela idiota. Ou ela vai morrer ou vai passar a vida lá em prisão perpétua, juro por Deus. Ah, que droga!

Ela se arrasta da poltrona para a mochila, revirando-a até encontrar algo. Segura dez cadernos com capa preta e branca, amarrados com uma fita vermelha.

— Louisa disse pra te entregar isso.

Eles são pesados nas minhas mãos. Posso imaginar Louisa, com seu cabelo vermelho-dourado enrolado na cabeça, sorrindo quando lhe perguntei o que ela vivia escrevendo nesses cadernos. *A história da minha vida, Charlie.*

— Não vai dar uma olhada? — quer saber Blue.

— Talvez mais tarde. — Eu os coloco na minha mochila. Não me parece que Blue tenha mexido na fita, mas mesmo assim. Não quero deixá-los aqui. Talvez haja coisas lá dentro que Louisa queria que só eu soubesse. Talvez eu queira as palavras dela só para mim. Blue se aconchega na poltrona. — Jen S. me mandou uma mensagem. Dooley terminou com ela. Jen S. perdeu uma bolsa de basquete e meio que teve uma recaída, mas os pais dela não sabem ainda.

— Você fala com alguém? — pergunto para Blue — Tipo, vai em reuniões ou alguma coisa assim?

Blue toma um gole da cerveja que comprou antes de voltarmos para o quarto.

— Não, não tenho mais nada a dizer. Você vai?

— Troquei e-mails com a Gasparzinho algumas vezes, mas faz algum tempo que ela não me responde.

— Você sempre foi tipo o bichinho de estimação dela. Todo mundo sabia disso. Grandes merdas. — Blue se levanta de repente, começa a tirar as roupas de sua mochila e a espalhá-las no colchão.

Eu fecho minha mochila devagar.

— Gasparzinho gostava de todo mundo — retruco devagar, mas me sinto culpada com o que Blue diz. Talvez eu fosse o bichinho de estimação de Gasparzinho, seu projeto especial.

— Não, ela não gostava. Ela nunca gostou de *mim*. Você acha que ela me mandou e-mails depois que saí? Não.

Ela está de costas para mim, enrolando o cabelo em um coque. Lá está a andorinha, roliça e azulada na nuca, observando.

Para quebrar a tensão, pergunto o que ela vai fazer enquanto estou no trabalho. Blue dá de ombros, arrastando os pés para a cozinha.

Quero dizer *pare* quando a vejo deslizar a garrafa do parapeito da janela, enxaguar um copo. Mas quem sou eu para falar isso? Estou tão perdida quanto ela.

— Ah, sabe como é. Dar uma volta por aí. Talvez conversar com seus vizinhos. — Ela se vira para mim e sorri, seus novos dentes perfeitos formando uma parede brilhante dentro da boca.

Com a mão na porta, eu digo:

— Blue, pega leve com essas coisas, tá? Talvez a gente possa dar outro passeio hoje à noite, só nós duas. O clima tá bem gostoso pra caminhar à noite.

Eu sorrio para ela, esperançosa, mas ela só faz o sinal de paz com os dedos e continua mexendo no celular.

Ela não está no apartamento quando chego do trabalho. Em vez disso, a encontro na sala de Riley. Ouço o som de risadas na rua quando viro a esquina da casa dele. Sinto um frio na barriga enquanto subo os degraus da varanda e paro, espiando pela porta de tela para ver os dois no chão, cigarros no cinzeiro, copos de bebida por toda parte, Blue dedilhando a Hummingbird de Riley enquanto ele corrige a posição de seus dedos com gentileza. Ele está contando piadas, ela está rindo, o rosto corado no universo da atenção dele. Sinto uma pontada só de ver as mãos dele nas dela. Sei que ela disse que nunca faria nada com ele, mas *mesmo assim*. E então me sinto uma merda, porque Blue não disse que se sentia sozinha? E aqui está ela, se divertindo, com alguém prestando atenção nela.

Seu cabelo cai sobre a bochecha em uma cortina sedosa. Blue — Patsy, *Patricia* — parece muito feliz e de repente meu corpo relaxa, só um pouco. Depois do que ela disse sobre Gasparzinho não gostar dela como gostava de mim, ela não deveria ter permissão para isso?

Ela abre um sorriso enorme enquanto entro devagar pela porta, me contando, toda animada, que Riley pagou bebidas para ela no Tap Room e um jantar no Grill. Ele vai levá-la para passear de carro pela manhã, acrescenta ela, para ver os pontos turísticos.

Sinto um aperto no estômago. Ele nunca me levou para um passeio. Blue parece muito satisfeita, seus dedos acariciando as cordas do violão. Olho para Riley, mas ele está mexendo no rótulo de sua garrafa de cerveja.

Talvez ele esteja só fazendo promessas que não pode cumprir, sendo legal, para desapontá-la depois. Porque: com que carro? E onde? Ele vai faltar no trabalho? Começo a ficar irritada.

Eu me largo no sofá de veludo cor de vinho. Riley olha para a frente, enfim percebendo minha presença, e se inclina, levantando o tecido do meu macacão e beijando meu joelho.

— Ah, é! Seu locador apareceu. — Blue dá uma baforada no cigarro. — Lonnie?

— Leonard — respondo, um pouco grossa. Ela morde os lábios, concentrando-se na posição de seus dedos nas cordas do Hummingbird. Tem unhas bonitas, brancas e bem lixadas.

— Ele queria saber quanto tempo vou ficar, porque o quarto é bastante pequeno e tal, e sabe, talvez você tenha que pagar algum dinheiro extra.

Empalideço na mesma hora. Blue percebe e balança a cabeça rapidamente.

— Não se preocupe, Charlie, eu tenho dinheiro, e além disso vou trabalhar para pagar o aluguel extra. — Ela sorri. — Sou a mais nova faz-tudo do prédio. Eu não fazia todas aquelas visitas aos canteiros de obras com meu pai à toa, sabe? Você viu a escada? Consertei hoje. Poderíamos ser colegas de quarto pra sempre. — Ela abre um sorriso enorme, os olhos brilhantes.

Parece tão feliz e ansiosa que eu meio que derreto. Tem sido bom tê-la por perto por algum tempo. Ela não é a mesma de Creeley.

As garotas do True Grit, Temple e Frances e Randy, falam sobre as colegas de quarto o tempo todo. Pode ser divertido ter uma garota com quem morar.

— É — digo, tentando rir um pouco. — Pode ser divertido, Blue.

Riley ri, mas há certa ironia em sua risada.

— Ei, Blue, calma! Não fala assim. Não quero perder minha garota para a melhor amiga. Ela é a única coisa que me mantém em pé. Eu vi primeiro. — Ele aperta meu joelho um pouco forte demais.

Blue ergue as sobrancelhas. Ela tenta me olhar nos olhos, mas eu me levanto e me ofereço para pegar mais bebidas. Continuo servindo bebida para eles e para mim também, até tropeçar tanto quanto eles.

Eu me entreguei cada vez mais e mais porque queria que Blue estivesse diferente quando viesse aqui, queria que estivesse melhor, para que eu pudesse ser corajosa e melhorasse também.

Talvez seja assim que deveria ser.

Mais tarde, no quarto, a casa silenciosa agora que Blue adormeceu no sofá, com as mãos aconchegadas entre os joelhos, Riley exala junto ao meu ombro. O quarto está fresco; as janelas, abertas.

Ele está atrás de mim, me pressionando contra ele, sua respiração na minha bochecha.

— Sua amiga, ela estava só zoando, né, nisso de morar com você? Não sei o que achar disso.

Fecho os olhos, a cabeça girando. Estou tão cansada de beber e ter que consertar as merdas que ele faz quando está muito chapado. Arrastá-lo para a cama. Fazer ele se levantar para ir trabalhar. Onde estou? O que estou fazendo?

Minha voz falha, minha garganta está dolorida por causa dos cigarros, mas eu me forço a falar, com uma raiva que sei que ele pode sentir; seu corpo se encolhe, ainda que só um pouco.

— Você não vai nem me deixar ter uma amiga? Tipo, uma amiga que seja? — Minhas palavras saem arrastadas, e começo a entrar em pânico. Não quero perder a cabeça, mas a bola vai crescendo, o álcool a empurra com força.

— Ei, calma. — A voz de Riley é suave. — Eu não...

— Quer dizer, você sabe como é difícil ficar só com você o tempo todo? Quando você está sempre tão chapado?

Riley fica em silêncio.

Minha voz fica mais alta. Eu afasto as mãos dele, colo meu corpo na parede, a janela acima de mim aberta. Os vizinhos podem me ouvir?

— Você nunca pergunta nada sobre mim. Você nunca me perguntou sobre minhas cicatrizes. Ou sobre meus pais. Pelo menos a Blue sabe, ela entende...

— Ei, mas ouve só, todo mundo tem seus problemas, meu bem, eu só não perguntei porque...

— Você não perguntou porque acho que você não se importa de verdade, desde que eu esteja aqui quando você precisar. — *Uma bolacha ou um livro ou um disco numa prateleira*, como Julie disse.

Eu me viro. Mal consigo distinguir o rosto dele porque minha cabeça não para de rodar e o quarto está escuro. Ele está bastante bêbado também, os olhos caídos. Será que vai se lembrar *dessa* conversa?

— Vou contar tudo, Riley, toda a história. Todas as merdas. Eu tinha uma amiga e ela tentou se matar, e a culpa foi minha. E eu quebrei o nariz da minha mãe e ela me expulsou. Nunca teve grade de aquecedor, mas *tinha* o seguinte: um pedaço de pão pode durar uma semana, mas você fica toda entupida. — As palavras saem apressadas, presas em nuvens confusas na minha garganta, mas não consigo parar. — Quando eu pedir uma moeda, você vai me dar porque sou pequena e pareço triste e estou suja, e você tem umas ideias secretas sobre mim, porque sou pequena e triste e suja. Você pensa que talvez pudesse fazer coisas comigo, e eu deixaria, porque preciso de dinheiro. E eu sei disso, então, quando digo que devemos caminhar até o parque e conversar um pouco mais, reservadamente, você fica feliz em vir comigo, você está animado e nervoso.

Riley sussurra:

— Não.

Ele cobre o rosto com as mãos.

— Não vou olhar pra você no parque quando meus amigos surgirem do mato e pularem em cima de você. Ou quando você chorar porque eles estão batendo em você com correntes, pegando seu dinheiro, estragando seu terno bom. Eu fiz a minha parte. Por que você tem tanto dinheiro na carteira, afinal? Você é tão burro, cara, tão burro.

Riley diz *pare*, mas eu não paro, porque quero machucá-lo, um pouco e muito, pela forma como ele olhou para Regan, ou o que quer que tenha acontecido com Wendy, ou o jeito que ele ri com Blue e não quer me deixar ser amiga dela, mas sobretudo porque estou muito cansada.

Estou cansada de ser *bêbada* e *desesperada*. Estou cansada e com raiva de *mim*. Por me permitir ficar cada vez menor na esperança de que ele me notasse mais. Mas como alguém pode te notar se você continua diminuindo?

Eu chuto os lençóis para longe, me arrasto por cima dele, ainda falando, mesmo enquanto coloco meu macacão e tento encaixar as alças. Não consigo. Minhas mãos se atrapalham. Eu amarro as porcarias das tiras em volta da cintura.

— Se você tentar se virar sozinha, um cara vai tentar estuprar você em um túnel e ele está chapado e é forte pra caralho. Ele enfia as mãos na sua calça, os dedos dentro de você, o ombro na sua boca para que ninguém possa ouvir você gritar. Talvez dois caras salvem você, dois caras legais. Se vocês formarem um grupo, é melhor lembrar as regras do grupo, lembrar quem comanda, ou ele também vai tentar machucar você.

Eu me inclino perto do rosto de Riley. Ele fecha os olhos com força.

— Eu morava em uma casa de sexo. Alguém tentou me vender por dinheiro. Então eu tentei morrer. Essa é a minha história, Riley. Quando vai contar a sua?

Estou ofegante. Ele está com os dois braços cruzados sobre o rosto.

— Riley — chamo, minha voz rouca. — Riley, a gente tem que parar. *Você* tem que parar. Eu não quero que você morra, Riley. Por favor, pare. Eu não quero que você morra. Vai parar?

Sua voz é mais forte do que eu esperava.

— Não.

Eu quase tropeço, cambaleando para fora do quarto. Puxo Blue do sofá pela camisa. Ela tenta se equilibrar.

— Que merda, Charlie... O quê? — Seu cabelo está cobrindo o rosto.

Eu a puxo para fora, calçando minhas botas enquanto ela tropeça na varanda, enfiando os pés na sandália.

— Que porra é essa? Vocês brigaram ou coisa assim?

— Eu só quero ir embora. Vamos. Por favor, depressa, Blue. — Desço correndo os degraus da varanda, respirando fundo. Não sei o que aconteceu, estou confusa e bêbada, minha pele coça. — Preciso ir para um lugar seguro. Por favor. Pra casa.

— Sim, tudo bem, sim. — Blue abotoa a calça jeans e desce a escada. Ela ainda está meio adormecida, bêbada.

Não quero mais beber não quero mais beber não quero mais beber não quero ficar sozinha.

Eu tenho que segurá-la enquanto caminhamos; seu corpo está frouxo e molenga. Eu digo, baixinho:

— Blue, a gente vai parar, a gente vai parar com isso tudo, tá? Você sabe, de ficar bem louca.

— Tá — murmura ela —, tudo bem, beleza, eu topo.

— Por favor.

O céu está encoberto de nuvens. Posso sentir o cheiro adocicado do xampu de Blue em algum lugar debaixo de todo o álcool e cigarro. Também não deixei de notar que Riley não chamou quando saímos ou corremos para a varanda. Ele não fez nada.

A bola dentro de mim também nota isso, e acrescenta à pilha.

De manhã, enquanto carrego duas canecas de café da cafeteria da rua, minha cabeça quase me matando de dor por causa da ressaca, olho para a parede da escada. Blue estava certa; ela rebocou os buracos e rachaduras, lixou tudo. A parede está lisa, muito bonita. Blue parece orgulhosa.

O hall de entrada do prédio tem cheiro de limpeza; Blue estava parada ao lado de um balde e um esfregão encharcado quando voltei com os cafés. Ela havia trabalhado nas paredes no dia anterior; agora está limpando o corredor e o saguão para conseguir ver o piso de madeira melhor, ver que tipo de lixamento seria necessário. Ela parecia bastante energizada após a longa noite de bebedeira.

Acho que ela não se lembra da noite passada. Tenho certeza de que Riley não lembra. Quando saí para tomar café, precisei de todas minhas forças para não ir na direção oposta, virar a esquina e subir os degraus da varanda e...

O suor brilha levemente na sua testa.

— O que dá para fazer com um diploma de letras? — pergunta ela. — Pelo jeito, isso aqui. — Ela ri, fazendo uma cara engraçada. — Universidade de Wisconsin, Madison — acrescenta, de repente. — Não sou uma fracassada, Charlotte.

— Eu sei disso, Blue. E acho muito legal.

— Hoje é o seu grande dia! Está animada?

Ela pega uma das xícaras de café e bebe com gratidão.

— Puta merda, minha cabeça.

Assinto.

— Tô sim. — Penso a respeito disso um pouco mais, afastando os pensamentos em Riley. — Estou, estou muito animada.

— Legal. Você deveria estar. Me encontre aqui mais tarde e vamos juntas até a galeria?

— Sim, combinado. Vou tirar um cochilo antes do trabalho, ok?

Blue acena e eu subo para o quarto. Mas meu estômago está mal. Ainda estou chateada com a briga com Riley e me perguntando se ele vai estar em casa ou se vai à mostra mais tarde. Sinto que, de algum jeito, as coisas ainda não terminaram entre nós, e não gosto disso.

Trabalho das cinco até as sete, e depois Temple me libera para ir para a exposição. Colocou Tanner para trabalhar no balcão enquanto ela fica com a máquina de café expresso. As pessoas lotam o café, usando fantasias muito estranhas, rostos escuros e mortais. Julie está do lado de fora, servindo conchas de sidra quente de uma bacia gigantesca.

Tanner arrumou as urnas de café em cima da vitrine de comidas, com pilhas de canecas de café para viagem e uma caixa para colocar dinheiro. Temple imprimiu uma placa enorme: café por 1 dólar, seja honesto. Linus cuida da grelha e Randy está quebrando um galho na montagem de pratos e entregando comida.

— Tá tranquilo — diz Temple —, a gente se vira. Vai lá e arrasa, garota.

Está um verdadeiro caos na avenida por causa do Dia de Finados, ou *Día de los Muertos*. Dançarinas de dança do ventre, crianças e adultos vestidos todos de preto com caveiras pintadas no rosto; as criancinhas com asas douradas e frágeis amarradas às costas. Cuspidores de fogo, pessoas com pernas de pau, gaiteiros com saias e caras de caveira. O barulho é absurdo, cada som sendo cortado por enormes tambores *taiko*. As pessoas carregam esqueletos gigantes em varas, com cartolas penduradas nos crânios. Uma mulher vestindo preto tem uma caveira dourada pintada no rosto e contornos pretos nos olhos, como buracos. Ela está carregando um guarda-chuva preto com caveiras em miniatura penduradas na beirada. Um grupo de pessoas com vestidos brancos esvoaçantes e caveiras mexicanas pintadas no rosto (Temple precisou me mostrar isso no celular: primeiro se deve pintar o rosto de branco e depois cobrir com desenhos coloridos parecidos com flores) segura uma cobra de papel machê acima da cabeça. Policiais e viaturas, pessoas com máscaras, pessoas que parecem chapadas carregando todo tipo de instrumento vagando por aí. Vejo os punks do Dairy Queen parados em frente ao brechó, fumando e olhando carrancudos para a multidão. Eles também estão com o rosto pintado de branco, os contornos pretos dos olhos. A garota punk me encara e estala a língua de sua boca roxa.

Eu fico na calçada do outro lado da avenida, passando pelas pessoas. O som da multidão, dos vários tambores e das músicas é ensurdecedor. A polícia fica às margens do cortejo, tenta manter todo mundo na rua, mas é difícil; as pessoas entram e saem, gritam e riem. Há mímicos, estandes de artes e artesanato por todo lado. Os cuspidores de fogo passam por mim e eu engasgo quando uma mulher para bem na minha frente e engole a chama suavemente, garganta abaixo. Ela puxa para fora e cospe, correndo para longe. Abro caminho pela passagem subterrânea e escapo para o outro lado da rua, saindo da multidão e caminhando até meu apartamento, o Dia de Finados arrastando seus gritos e tambores atrás de mim.

Blue não está no quarto, mas as roupas dela estão espalhadas pelo colchão, e o ar fica denso com a fumaça do cigarro. Xingo quando vejo a bagunça e a sujeira que ela fez: cinzeiros cheios, copos de bebida com batom, sacolas amassadas da mercearia da rua. Tem pedaços de alface e tomate espalhados pelo carpete, pasta de dente grudada na pia. Olho por um momento para o celular caro de Blue na mesa de jogo; tem uma rachadura na tela do tamanho de uma aranha, como se alguém o tivesse jogado. Sinto uma pontada estranha na barriga. Blue sempre toma muito cuidado com o celular dela.

Agora, olhando direito para o apartamento, para toda essa bagunça, percebo que tem algo errado, aconteceu alguma coisa. Cadê a Blue? Talvez ela esteja na casa de Riley. Respiro fundo e tento não me sentir mal por isso. Talvez ela tenha recebido más notícias ou algo assim e teve um acesso de raiva. Estou dividida entre correr até a casa de Riley agora mesmo para ver se ela está lá ou me arrumar. Faço os exercícios de respiração. Decido que vou me arrumar. Blue deve ter ficado irritada com alguma coisa boba. Vou me arrumar e depois passo no Riley.

Essa é a primeira vez em meses que vou vestir alguma coisa além do macacão. Encontrei uma saia de algodão preta soltinha no brechó e uma blusa ciganinha marrom-escuro. Visto a roupa, coloco a sandália que encontrei em um beco e jogo água na cara. No pequeno espelho do banheiro do corredor, o que só mostra uma parte do rosto, arrumo meu cabelo. Ele está quase na altura das orelhas. Vejo como ficaria se eu prendesse e observo os buracos vazios nas minhas orelhas.

Acho que é legal ver a cor natural do meu cabelo depois de tanto tempo, tantos anos tingindo de vermelho, ou azul, ou preto. Um loiro escuro, com algumas mechas castanhas também escuras.

Meu rosto está melhor do que estava todos esses meses; minha pele está mais uniforme e há menos olheira embaixo dos olhos. Eu me pergunto se Riley alguma vez me achou linda, ou bonita, ou *qualquer coisa*, porque ele nunca me disse. Pensar nele me faz sentir mal de novo. Pensar em ontem à noite me faz sentir um nó estranho no estômago.

Não, disse ele.

Eu me olho no espelho. *Aconteça o que acontecer*, digo para mim mesma, *não vou beber hoje*.

Volto para o quarto e, ao fuçar a mochila verde de Blue, encontro um tubo rosado de brilho labial e passo na boca. Uso o delineador dela para maquiar os olhos, espalho a cor com os dedos para um efeito mais leve, esfumado. Só estou tentando fazer o que já vi Ellis fazer várias e várias vezes enquanto se maquiava.

Mexo os dedos na sandália, me sentindo um pouco desconfortável. A blusa, a saia, o gloss; é muita coisa *nova* ao mesmo tempo. Tiro as sandálias e coloco as meias pretas e as botas. Estou nervosa, e pronta, mas primeiro preciso encontrar Blue.

A guitarra de Riley está na varanda, junto com os cigarros e a cerveja. Ele está tocando ska lá dentro. A rua inteira está barulhenta, com pessoas reunidas nas varandas e nos quintais, bebendo, fazendo churrasco e rindo. O barulho da multidão e os tambores do Dia de Finados ressoam no céu.

Recolho os cigarros e as garrafas de cerveja e levo para dentro de casa.

Blue está sentada no chão no meio da sala, de costas para mim, curvada em meio a uma nuvem de fumaça, com capas de álbum abertas diante dela.

— Blue — chamo, mas ela não me ouve por causa da música.

Toco em seu ombro e ela se assusta, as cinzas caindo nos joelhos expostos. Ela se vira e seus olhos estão arregalados; as pupilas saltam e disparam de um lado para o outro.

— Blue. — Enrugo o nariz ao sentir o cheiro de plástico queimado e percebo que é Blue: *ela* está cheirando a plástico queimado. Ela enxuga o rosto, limpa as cinzas do joelho e esmaga o cigarro no chão com o punho cerrado. A casa inteira cheira a queimado; algo químico que faz meus olhos lacrimejarem. Levo alguns instantes para perceber o que está acontecendo.

Os olhos de Blue estão cheios de água. Ela grasna meu nome.

— Meu Deus. — Eu me afasto, tonta, minhas narinas queimando. Sinto que vou vomitar. — Que merda você fez? Por que você fez isso de novo, Blue? Seus dentes.

Só consigo pensar: *Seus dentes tão lindos.*

O cachimbo está no chão, perto de seus joelhos descobertos. Uma grande quantidade de saliva pende de seu queixo.

Algo treme em seus olhos; de repente, seu rosto se enche de dor, repuxando a pele de suas bochechas.

Ela diz: *Louisa colocou fogo nela mesma.*

Começo a tremer tanto que as garrafas nas minhas mãos tilintam. As unhas de Blue arranham minhas botas. Ela está tentando me manter perto dela. Sua respiração é áspera e rouca e os olhos não param de se mexer. Eu a chuto para longe e recuo. Louisa? Louisa se foi? Meu corpo fica frio, depois quente e dormente.

Meus ouvidos se enchem de oceano e trovões. Louisa. Ellis. Isso não pode estar acontecendo de novo.

Vou para a cozinha aos tropeços, gritando o nome de Riley. Vou ficar bem se conseguir encontrar Riley. Ele vai cuidar de mim, não vai deixar as coisas ruins saírem. Ele pode fazer isso, pelo menos por enquanto, certo? Como fez quando eu fiquei doente. Posso contar com ele pelo menos para isso.

Pontos pretos se mexem na frente dos meus olhos; minha pele formiga; alguma coisa agarra o interior da minha garganta.

Atrás de mim, Blue chora, um gemido fino e esganiçado. *Desculpadesculpadesculpadesculpadesculpa.*

Em chamas. Louisa está *em chamas*. Não consigo respirar.

A primeira coisa que consigo distinguir na cozinha é o flash de vermelho e amarelo, o rosto de Wendy manchado por cima do ombro de Riley, aquele sorriso afiado focado em mim. Ele estoca com tanta violência que a cabeça dela balança, como a de uma boneca. Eles estão transando bem ali no balcão da cozinha, o rosto dele enfiado no pescoço dela, as pernas nuas dela balançando nos quadris dele, o short jeans preso em um dos dedos do pé.

Wendy dá o que parece ser um soluço e pisca para mim.

Na outra sala, o disco para de repente, um ruído longo e terrível enquanto Blue arrasta a agulha. Os olhos de Wendy estão arregalados como pirulitos.

As garrafas de cerveja escorregam de minhas mãos e se estilhaçam. Ela ri.

— Volte para suas lâminas e bitucas, garotinha. — Outro soluço.

A cabeça de Riley sobe. Ele se vira. Não reconheço a expressão em seu rosto. É um rosto diferente e cheio de uma fúria tão assustadora que deixo de sentir todo o meu corpo, dormente. Não consigo me mexer.

Ele puxa a calça marrom até a altura das coxas, avançando para mim. Estou paralisada. Ele grita comigo, mas estou fora do meu corpo, estou dissociando, flutuando para longe do meu corpo estático. Como acontecia com o Maldito Frank. Com minha mãe.

Ele empurra a garota que sou eu com força na parede. A capa do álbum *Little Crises Everywhere* emoldurada atrás dela cai no chão. O vidro se estilhaça, cortando a parte de trás das panturrilhas, sujando o chão aos seus pés.

Ele está gritando. *Não tem nada aqui! Não está vendo? Não entendeu?* A umidade de sua boca cobre a bochecha da garota. De alguma forma, ela encontra suas mãos. Ela bate no peito dele.

Fogo, fogo, em todos os lugares, dentro dela.

Não sei quem você pensou que eu era, mas já chega. Ele pressiona a bochecha da garota na parede. *Cai fora da minha casa,* ele sussurra com voz rouca para ela. *Volta para o lugar de onde você veio.*

Cai fora logo.

A procissão chegou ao seu destino final em pleno centro da cidade. A urna está queimando, grandes nuvens de fumaça, desejos e orações pelos mortos ondulando no ar. Recuperei a consciência em meio ao pandemônio, no meio de pessoas chorando pelos mortos, minha visão embaçada pela umidade, a escuridão crescendo dentro de mim. Ao meu redor, os rostos de caveiras parecem sussurrar e bater os dentes. Eu esbarro na cabeça das crianças enquanto corro. Uma mulher de preto chora no chão, com o rosto manchado de tinta. Penso em Louisa enquanto as pessoas me empurram, com as línguas apontando para o meu rosto. Louisa, que ficou sem espaço, Ellis, que foi fundo demais. Uma imagem de Louisa surge na minha mente, uma auréola de fogo, cabelo ruivo dourado em chamas. O canto me envolve, tambores e gaitas de fole fazem um oceano nos meus ouvidos. Na esquina do Hotel Congress, vejo Ellis dançando ao som dos Smiths e paro, meu corpo levando pancadas e sendo empurrado por outros. Tento me virar, mas lá está ela de novo, Ellis curvada sobre a máquina de costura, a ponta da língua no canto da boca. Ellis sussurra em meu ouvido tarde da noite em sua cama, explicando exatamente o que um certo garoto fez com ela e como ela se sentiu. Ellis fura minhas orelhas com um alfinete esterilizado e me dá vinho para aliviar a dor. A primeira vez que tomamos ácido juntas em uma festa, passamos horas olhando uma para a outra, rindo enquanto observávamos nosso rosto se transformar e girar em cores diferentes. Ouvindo Ellis transar com um garoto em uma garagem, senti o cheiro de óleo e diluente, e me perguntei quanto tempo mais aquilo poderia durar. Ser expulsa da escola enquanto Ellis continuava lá e me afastar dela, do menino lobo e depois os pais dela a obrigando a parar de falar comigo. Ellis gostava de correr, de quebrar regras, mas também gostava de ir para casa, para sua cama felpuda, de batatas fritas e sorvete, e de uma mãe que ainda gostava de pentear o cabelo dela com os dedos e achava que suas mudanças frequentes de cor de cabelo eram o sinal de um espírito livre. Abro caminho por esqueletos, me viro, estou perdida. As lágrimas fartas de Ellis quando seu pai, Jerry, me mandou embora, sem ter para onde ir, depois de semanas morando com eles. As pílulas no chão não eram minhas, eram do menino, mas Ellis não disse nada. As mensagens de Ellis depois que ele terminou com ela. *Dói d+. Tá doendo.* Sim, tem algo de errado. Ellis e Louisa e Riley e Blue e Evan e meu pai, morto e afogado no rio, a tristeza dele puxando-o para baixo. A minha tristeza é por culpa dele, ou minha tristeza é porque sou filha dele? Buracos. Buracos humanos. Viro a cabeça para olhar para a multidão, à procura de um buraco em todos esses buracos humanos, esses milhares de rostos desejando que os espíritos tenham um lugar melhor, classificando as almas dos mortos. Todos eles têm cabeças pretas com buracos no lugar dos olhos, buracos no lugar das bocas, bocas da morte cruéis e escancaradas. Há muitas pessoas na minha cabeça. Eu agarro meu corpo para tirá-las, para remover a escuridão que se espalha dentro de mim.

    Estou ficando cega, engolida por fantasmas.

Escuro. Meu quarto está escuro. Todo escuro. Estou no escuro.

Abri caminho aos trancos e barrancos pelos Finados e foi como nos velhos dias, velhos tempos, me escondendo e me fazendo menor na rua, e encontrei um beco, um lixão, e me enfiei entre ele e a parede de tijolos de um prédio, a escuridão me cercando.

E agora estou de volta, vazia, e meu quarto foi destruído. A mochila verde, a bolsa de Blue, as roupas dela, tudo foi rasgado e cortado, pisoteado e destruído. Uma garrafa de uísque pela metade balança em cima da mesa de jogo. Tem batom espalhado por toda a parede do meu mural, os rostos talhados de sangue. Ela escreveu *Com amor, Wendy!*

Eles vieram aqui juntos depois que ele me expulsou? Eles vieram aqui juntos para estragar minhas coisas, rindo, chapados? Essa era outra maneira de ficarem mais doidões?

O enchimento da poltrona está vazando, uma faca está inocentemente sobre a almofada.

Tiro toda a minha roupa nova e fico no meio do quarto, nua.

Você nunca melhora.

Tomo quatro goles de uísque. Cem abelhas zumbem nos meus ouvidos. Os pequenos trabalhadores dentro de mim afiam garras, juntam pregos. Eles estão cantando. Bebo um pouco mais, fico de joelho e me arrasto até a mala de Louisa na cozinha, empurro o engradado de leite que apoia os pratos para que eles batam e quebrem, mil estrelas brancas, mil pedaços de sal. Agarro a mala, bem presa debaixo da banheira, até ela ceder.

Um som baixo, um grito, escapa da minha boca. Meu caderno de desenho sumiu. As fotografias e meus desenhos antigos, rasgados. E meu kit, meu kit, está pisado, amassado e vazio, gaze espalhada por toda parte na mala, meu vidro quebrado em mil pedaços.

Por que fui dar ouvidos para Gasparzinho, para Mikey? O que eu estava tentando fazer, afinal? Achei que as coisas seriam diferentes?

Me mandar ficar quieta. Respirar. Deixar as coisas acontecerem. Que monte de merda.

Chuto a mala para longe e me levanto. Fecho os olhos, bebo o resto da garrafa e a jogo na parede. Eu sou escuridão, escuridão, toda escuridão. Tenho que cortá-la, essa coisa em mim que achou que eu poderia melhorar. Preciso me lembrar do quanto fui burra, fui *burra* pra cacete...

Eu paro. Foi assim que Ellis se sentiu, esse momento de certeza? As mensagens de texto piscam em frente aos meus olhos.

Tá doendo. Vc nunca disse q doía tanto. Dói d+. Um lago cintilante de vidro de garrafa está aos meus pés. Eu me jogo nele. Deixo minha pele absorver o lago de vidro. Qual o tamanho do meu poder? Qual o tamanho do meu poder. Posso jogar o vidro no meu rosto, apagar meus olhos, comer vidro e desaparecer por dentro. Ali, a janela, minhas mãos, aquela mão, em punho e dolorida. Essa mão, um punho, me dê mais, me dê mais vidro, posso beber tudo. O vidro caindo em cima de mim da janela quebrada, me sinto em casa.

TEM UNS HOMENS AQUI E QUERO QUE TERMINEM E VÃO EMBORA. Eu não acabei. Você poderia, por favor, me deixar aqui até eu terminar? Preciso me cortar pedaço por pedaço até não sobrar nada.
    Eu gostaria que os homens parassem de falar. Eu gostaria que os homens parassem de chorar. Eu me pergunto por que os homens estão chorando.

O calor de uma toalha molhada. Pomada sendo espalhada. O cheiro de limpeza e a pressão suave da gaze medicinal, o *zip* da fita adesiva branca. Os homens não estão mais chorando. Há uma mulher agora. Não é minha mãe.

Queria poder abrir os olhos.
    Não quero abrir os olhos.
    Ouço choro de novo e de novo, e consigo perceber que sou eu, estou chorando.

Agora são as vozes de uma mulher e de um homem, e a noite está passando depressa. Estou subindo e descendo no mar, a escuridão acima de mim, escuridão por toda parte. Escuridão dentro de mim.

A mulher diz:

— Eu vou acabar com ele pessoalmente.

O homem ri, mas não de forma cruel.

— Quem não viu que isso iria acontecer?

A mulher retruca:

— Não a merda da adolescente no banco de trás, disso tenho certeza. Meu Deus, a gente precisa de muita porcaria pra comer. Muita porcaria.

O mar treme. As vozes ficam cada vez mais distantes e então não ouço nada por um longo tempo. Então o mar treme de novo e algo agarra minha perna. Quero gritar, mas não posso. Minha boca está cheia de pedras molhadas, como antes, bem antes. Antes de Creeley. As pedras na boca voltaram.

O homem comenta:

— Ela ainda está bem inconsciente, mas os curativos parecem bons. Ela vai ter bastante dificuldade pra andar por alguns dias.

A mulher reclama:

— Seu babaca, você comeu todos os Cheetos?

O homem pergunta:

— Você ouviu o que ela estava falando da amiga dela? Que ela está em estado vegetativo ou coisa assim?

A voz da mulher é triste.

— Tive que parar de ouvir.

Eu paro de ouvir.

*

A mulher e o homem saíram de novo. A chuva respinga no mar. Tenho que ir ao banheiro.

Preciso ir ao banheiro. Ninguém responde, porque eu não disse em voz alta.

Apalpo em volta e uma dor familiar sobe pelo meu braço. Estou no banco de trás de um carro, rasgos em couro falso sob as unhas, uma luz quadrada e apagada no tecido que cai do teto. Eu me levanto e pisco. *Preciso ir ao banheiro*. Da janela só consigo ver escuridão, árvores sombrias.

Com cuidado, vou até a porta do carro, mordo o lábio para não gritar e empurro a porta, sentindo o esgarçar e o calor dos braços dilacerados e uma queimação estranha no estômago. Coloco a perna para fora e me inclino para a frente para me levantar. Quando os dedos dos pés encostam no chão, um raio atravessa as solas.

Eu me inclino para a frente, esmagando minha boca e o nariz na terra dura. Eu gemo, inalando sujeira, e começo a engasgar.

Mãos passam pelo meu corpo limpando a sujeira e as pedras dos meus olhos e boca. Eu pisco.

O rosto enrugado e bronzeado de Linus. O sorriso largo de Tanner. As sardas em pontinhos iguais em seus rostos.

Cuspo a sujeira. *Preciso fazer xixi*. Movo minhas mãos, me afago para que eles saibam o que quero dizer.

Eles começam a rir.

— Isso vai doer pra caramba. — Tanner sorri.

Linus empurra o balde para baixo de mim e abre minhas pernas. Parte da minha bunda está apoiada no banco de trás. Ela abaixa a calça de moletom que estou vestindo. E olha para minhas coxas e depois para mim, surpresa em seu rosto. Claro. Como ela poderia saber dessas cicatrizes? Ela pensou que eu só tivesse cicatrizes nos braços. "Garota", diz ela, mas depois não diz mais nada. Ela suspira.

Ela se desculpa pela calça; foi a primeira que conseguiu puxar da mochila quando ela e Tanner foram ao meu quarto, procurando por mim. A princípio ela não sabia o que Hector, Manny e Leonard estavam fazendo, comentou ela, então ficou com raiva, puxando-os para longe, e os agredindo um pouco. Linus é uma mulher forte.

E acrescenta:

— Aí eu vi que eles estavam chorando. E bêbados também, mas tentando limpar você o máximo que podiam com papel-toalha e lenços. — Ela contou que eles estavam todos vestidos para a mostra, mas voltaram quando eu não apareci.

Meu xixi respinga no balde. Linus espera até que eu termine e então me entrega um lenço e esvazia o balde perto de uma árvore. Ela joga o balde no porta-malas do carro.

— Pisar no vidro foi um belo toque, Charlie. Você vai passar uns bons dias sofrendo por isso. — Ela enfia a calça de moletom de volta pelas minhas pernas trêmulas, ergue até a bunda e a puxa até minha cintura. Ela me leva de volta para o carro.

— Sua amiga Blue disse que pode ser que você passe algum tempo calada. Preciso comentar que isso é um pouco irritante.

Seu sorriso é triste e resignado.

— Estamos em um cemitério na cidade de Truth or Consequences, New Mexico. Você sabia que Tanner é meu irmão? Paramos para fazer uma visita rápida ao nosso pai.

Mais adiante, na escuridão, Tanner chuta uma lápide e cospe no chão.

— A gente não se dava muito bem com nosso velho.

Ela enxuga o rosto, com força, com as duas mãos e depois chama Tanner, diz que é hora de ir.

Tanner olha para mim pelo retrovisor, os cantos da boca cheios de sal de batatas fritas.

— Parecia pior do que estava, na verdade. — Ele tira o sal da boca com a língua. — Lembra? Estou estudando para ser socorrista. Eu estava com a minha bolsa de socorrista. Dei um jeito em você na mesma hora.

O céu passa pela janela, preto pontilhado com milhares de estrelas brancas como a neve. Eu me pergunto que horas são. Minhas mãos deslizam por baixo do moletom com o qual Linus me vestiu, tocando nas bandagens.

Eu sou Louisa agora. Não tenho mais espaço.

Eu me sinto vazia, mas não de fome. Tento localizar algo no vazio, no entanto não consigo. Minhas costas doem por passar tanto tempo deitada no banco do carro. Tudo em mim dói. Eu me sento, ignorando as fagulhas de dor que rasgam meu estômago. Tanner está dormindo. Sua cabeça se recosta na janela fechada.

Linus pigarreia, olhando para mim pelo retrovisor.

— A traficante de Riley, Wendy, roubou seu dinheiro e destruiu seu quarto. Ela seguiu sua amiga até em casa depois que você foi embora. Desceu a porrada nela. Aquele cara magro no primeiro andar, o cara com muitos livros? Ele está cuidando da sua amiga. Riley e Wendy roubaram o carro de alguém chamado Luis, compraram mais drogas sabe-se lá onde e foram para o cassino. Depois que esvaziaram o depósito noturno do True Grit, quer dizer. Assim, você sabe, faz meses que ele está roubando de lá pra comprar as coisas dele. — Ela aperta o volante, mantém os olhos na estrada escura.

Penso em todas as vezes que ele me deu dinheiro e eu fui à casa de Wendy por ele. Julie estava tão preocupada com o faturamento do caixa. Fecho os olhos. Estou com tanta vergonha.

— Ele continua bebendo, nosso Riley, apesar de ter misturado um monte de coisas dessa vez. Ele abusa da metanfetamina de vez em quando, mas aposto que você percebeu isso, né?

A caixa de madeira de Riley. As minúsculas sacolas cheias de cristal, o estranho cheiro de plástico queimado.

— Eles não chegaram ao cassino, Charlie. — Linus mordisca um Cheez Doodle. — Riley capotou o carro. A vadia tá toda machucada, mas Riley, sendo Riley, está bem. Ele sempre parece se dar bem, aquele Riley.

Fora da lanchonete, um dinossauro rosa com pintura descascada rosna, sem dentes na boca. Tenho visto muitas coisas bem bregas à beira da estrada pela janela do carro: dinossauros, robôs, foguetes, alienígenas com cabeças enormes. É assim que é o New Mexico? Dinossauros de mentira e alienígenas? Terra dos perdidos.

Observo Tanner e Linus pela janela do carro. Estão sentados em um sofá. Ele mastiga um hambúrguer e fala ao celular. Linus mexe seu chá e escreve em um caderno. Uma vez, no café, ela me disse que escreve todos os dias, "para manter as coisas em ordem na cabeça".

Eu me pergunto se eles vão me trazer algo para comer ou se Tanner vai me dar mais analgésicos. Linus não quer que ele faça isso; eu os ouvi sussurrando quando pensaram que eu estava dormindo. Mas eu quero; quero continuar sem forma, à deriva. Eu não quero voltar ainda.

O céu aqui é diferente do de Tucson, um azul mais brilhante, quase doce. As nuvens parecem pairar nele com tanta suavidade, como nuvens de fumaça. O carro está impregnado do cheiro de salgadinho e refrigerante. Uma mosca anda lentamente pelo teto. Penso em Riley na cozinha dele, o rosto distorcido de um jeito estranho. A dor sobe pelo meu corpo de novo, dilacerante e raivosa. Pressiono as mãos com força contra os olhos.

Linus está no banco do carona agora, dormindo. Já é noite de novo. O ar quente do deserto invade o carro. Molho um dedo na boca e enfio no saco de batata frita vazio, chupo o sal, penso em Jen S. naquela noite na sala da recreação quando ela chupou o sal da tigela de pipoca. Isso tudo parece milhões de anos atrás. O hospital limpo, um bom médico, uma cama quente. Agora estou de volta onde estava: à deriva, ferida.

Quando perceberam que haviam esquecido de me alimentar, o único lugar que encontraram foi uma loja de conveniência local com burritos desidratados e suspeitos. Tanner trouxe um saco de batata frita e Gatorade, pretzels e Coca-Cola.

Tanner respira fundo.

— Nossa, eu amo New Mexico. Se você pensou que Tucson era um show de horror, ainda não viu nada. — Ele tamborila os dedos no volante. — Tá com tontura? Estamos subindo em altitude. Vai se sentir melhor daqui alguns dias. Continua bebendo o Gatorade.

*

Sempre que os vejo na minha cabeça, na cozinha, tento ao máximo apagá-los, mas o calor recomeça dentro de mim, a vergonha, e lá estão eles, se empurrando, a boca molhada dela sorrindo maliciosamente para mim e Riley se virando, tão bêbado, e com outras coisas, gritando comigo, me dizendo...

Choro muito no banco de trás, meu rosto pressionando a janela, Linus e Tanner na frente, observando a estrada. Eles não dizem nada, só me deixam chorar. Durmo e acordo, meu rosto rolando no assento de vinil, meus pés latejando, a dor aumentando e diminuindo como uma onda do mar. Os murmúrios do banco da frente chegam até mim devagar, como se atravessassem um longo túnel. As palavras se afunilam ao meu redor: *centro de tratamento. Mensagens. Mãe. Riley.*

Riley. *Riley.* Enterro a cabeça no assento, os soluços de volta na minha garganta.

E, rastejando, como ratos depois que uma casa adormece: Ellis. Como ela se sentia antes de fazer isso. Este oceano de mágoa e vergonha. Aquele em que ela estava se afogando.

E eu a deixei se afogar.

Acordo, vagamente ciente de que o carro parou. Tanner sai, estica as pernas. Linus desafivela o cinto de segurança e sorri para mim.

— Levanta. Levanta, garota — anuncia ela, alegre.

Um homem idoso com chinelos felpudos acena para nós de uma ampla varanda de madeira no topo de uma entrada de terra e cascalho. Dezenas de sinos de vento estão pendurados nas vigas da varanda, tilintando como vidro na brisa leve. Está muito mais frio aqui do que em Tucson. Eu tremo no banco de trás do carro, observando todos eles.

O homem está com um roupão azul-petróleo, bebendo uma taça de vinho. O cabelo espetado como tufos de algodão branco. Tanner e Linus atravessam a calçada, dão um abraço apertado nele e voltam para o carro para me buscar, o homem seguindo devagar atrás deles. Ele se abaixa um pouco enquanto eles me puxam, seus olhos tão curiosos quanto os de um pássaro.

— Ah, sim — murmura. — Ah, sim, entendo. Ah, meu bem.

A casa está quente quando Tanner e Linus me levam para dentro, me ajudando a percorrer um corredor até um quarto pequeno com uma cama de solteiro e uma janela. Observo a grande cruz de madeira ornamentada na parede. Penso na cruz que roubei de Ariel. Estou feliz por ter devolvido, mesmo que nunca tenha dito a ela que fui eu.

Eles me colocam na cama e cobrem meu corpo com um cobertor de lã azul. Tanner coloca dois comprimidos na minha língua e leva um copo de água à minha boca.

Pela janela sem cortinas, vejo o céu e suas estrelas brancas delirantemente enormes. Durmo por dois dias seguidos.

No terceiro dia, meus pés latejam menos quando os coloco no chão. Eu manco, desidratada e tonta, pelo corredor para encontrar um banheiro. Grandes fotografias emolduradas revestem as paredes de adobe, pessoas em preto e branco, velhas igrejas de adobe.

No banheiro, cruzes coloridas e maços perfumados de sálvia foram pregados. Rolos grossos de papel higiênico macio estão empilhados em torres brancas ao lado do vaso sanitário. Não há chuveiro, apenas uma banheira bem funda. Sento no vaso, toco a gaze nos braços, na barriga. Penso em tirar para olhar, mas não faço isso. Fico muito tempo no banheiro, ouvindo o silêncio, vendo uma mariposa esvoaçar no parapeito da janela. Acho que este é o banheiro mais bonito em que já estive. Nunca pensei que um banheiro pudesse ser tão lindo. Que alguém se desse ao trabalho de torná-lo tão calmo, tão bonito.

O velho está sentado a uma longa mesa de pinho na sala, segurando um jornal bem próximo ao rosto. Na mesa há tigelas com frutas enormes e nozes, uma travessa com uma baguete e um prato com manteiga cremosa. Ele olha por cima dos óculos para mim.

— Café? — Ele me serve uma xícara de uma prensa francesa, empurra uma garrafa de leite para o outro lado da mesa. — O leite está morno, se você quiser. Meus netos estão alimentando o cavalo.

Eu me sirvo de um pedaço de baguete com manteiga. Estou com fome agora; meu estômago faz barulhos ferozes. Mordo o pão; é tão leve e crocante que a casca se estilhaça no meu moletom, e fico coberta de migalhas. O velho ri.

— Acontece comigo o tempo todo. Nunca tive vergonha de fazer bagunça na hora de comer.

Limpo as migalhas pálidas. A baguete é macia por dentro, úmida. A casa está silenciosa, exceto pelo som da minha mastigação e o farfalhar ocasional do jornal do velho. Aos poucos, percebo que também está quieto lá fora. Estranhamente quieto. Sem carros, sem vozes, nada.

— Você sabia que os quakers acreditam que o silêncio é uma forma de deixar o divino entrar no corpo? No coração? — Ele sacode o jornal e se inclina para perto de mim. Suas sobrancelhas são como lagartas brancas adormecidas. — Nunca tive medo do silêncio, e você? Algumas pessoas têm, sabe como é. Elas precisam de tumulto e barulho. Santa Fé. País de alto deserto. Não é lindo? Estou nesta casa há quarenta e dois anos. Esse silêncio maravilhoso que você está ouvindo, e isso que acabei de dizer é muito *engraçado*, faz daqui o lugar mais divino da terra. Para mim.

Ele estende a mão e segura a minha. Sua pele é seca, empoeirada.

— É um prazer ter você na minha casa divina, Charlotte.

Sinto a pressão de lágrimas quentes de gratidão nos olhos.

Ele se chama Felix e é avô de Linus e Tanner. Linus me conduz pela casa, apontando para pinturas nas paredes, esculturas dispostas nos cantos e no quintal, um espaço imenso que dá para as colinas e o estábulo dos cavalos. Ela me leva a um prédio cavernoso inundado pela luz que vem das claraboias no teto, onde várias telas estão penduradas nas paredes, e latas de tinta, baldes de pincéis e frascos de terebintina de tamanho industrial não faltam. As telas estão amontoadas de três em três em algumas das paredes. Um espaço semelhante a um loft foi construído na outra extremidade; uma mesa com uma velha máquina de escrever e uma cadeira simples ficam no andar de cima. Uma ampla escada leva ao loft. Abaixo dele estão estantes pesadas e desordenadas. Uma jovem trabalha em silêncio a uma mesa alta de pinho no canto do estúdio, classificando os slides, segurando-os contra a luz e estudando-os antes de colocá-los em diferentes pilhas.

— Essa é a Devvie — apresenta Linus —, a assistente dele. Ela também mora aqui.

Ando mancando pelo ateliê, tocando delicadamente nas coisas de Felix, os lápis, os papéis soltos, os potes e tubos, os espantosos e volumosos detritos: penas de pássaros, pedras de vários tamanhos, ossos antigos de animais, fotografias amassadas, cartões-postais com letras cursivas e carimbos exóticos, uma máscara vermelha, caixas de fósforos, pesados livros de arte com capas de tecido, potes e tubos com camadas de tinta, tantas tintas. Embaixo de uma das mesas há uma série de aquarelas sobre papel espalhadas, em tons leves e suaves, flores roxas em forma de cone. Outra mesa tem só livros, vários deles, abertos em diferentes imagens de pinturas e desenhos, cinco ou seis notas adesivas coladas em cada página com palavras como *Clima da paleta, Eco/Resposta, Não minta*. O chão está coberto de tinta velha; eu tropeço em um par de tamancos surrados.

Olho novamente para as telas nas paredes; quero dizer que são pores do sol, mas não são tão literais. Algo mais profundo, algo dentro do corpo, um sentimento? *Não é lindo?*, Felix comentou. As cores estão fazendo alguma coisa juntas, tenho certeza disso, eu sinto; jogando uma contra a outra; algum relacionamento está sendo descrito que não consigo colocar em palavras, mas olhar para elas me desperta, me enche, cega a dor. Eu olho para os materiais de arte de Felix e gostaria de poder fazer algo agora, fazer algo meu. Me lembro do que Ariel disse na exposição de arte com tinta de barco do Tony Padilla: *as cores também podem contar histórias*. As pinturas de Ariel eram uma história sob uma superfície de escuridão e luz. Sorrio tímida para Linus.

— Demais, né? — Ela bate palmas, alegre.

Felix mexe a carne na grelha como se ainda estivesse viva. A fumaça embaça seus óculos, e ele usa a barra da camisa para limpar. Olho para seus dedos calosos, a largura dos pulsos e nós dos dedos. Sua pele está salpicada com os mais fracos resquícios de tinta.

Estamos reunidos em torno de uma longa mesa de madeira do lado de fora. Faz um pouco de frio. Tanner me emprestou um colete de lã. Linus fatia um queijo branco picante e Tanner corta o abacate. Devvie, a assistente, está em casa, preparando bebidas e alimentando o velho e manco cão de caça. Ao longe, o cavalo relincha dentro do estábulo. Sons estranhos vêm do deserto escuro além de nós. Gritos e assobios; farfalhar e berros.

Felix coloca a carne brilhante em uma travessa e a apoia na mesa, colocando o guardanapo no colo. Ele olha para o céu.

— Acho que essa é uma das últimas vezes que vamos poder ficar ao ar livre assim. — Ele olha para mim. — Dezembro é quando temos neve. É o mês mais bonito aqui.

Ele olha para mim por cima dos copos e toma um longo gole de vinho, suspirando em apreciação depois de engolir.

— Esse coração partido — continua ele, sentando-se à mesa, mexendo no guardanapo no colo. — E não me refiro ao que aconteceu com aquele jovem, porque essas coisas vêm e vão, é uma das lições dolorosas que a gente aprende. Acho que você está tendo um tipo diferente de coração partido. Talvez uma espécie de coração partido por estar no mundo quando você não sabe bem fazer isso. Isso faz sentido?

Ele toma outro gole de vinho.

— Todo mundo tem um momento, eu acho, um momento em que alguma coisa tão... *crítica* acontece que rasga seu próprio ser em pedacinhos. E então você tem que parar. Por um longo tempo, você só junta os pedaços. E leva muito tempo não para encaixar tudo de novo, mas para montar de um jeito diferente, que não necessariamente é *melhor*. É mais como uma maneira com a qual você pode conviver até ter certeza de que esta peça deve ir *ali* e a outra *lá*.

— É coisa demais pra enfiar na cabeça dela, vô — comenta Tanner. — Ela é só uma adolescente.

Felix ri.

— Então eu vou calar a boca. Pode me ignorar. Sou só um velho tagarela.

Fico com a cabeça abaixada. Não quero chorar na mesa na frente dessas pessoas, então encho minha boca com a carne salgada. Deslizo os dedos para baixo das coxas para impedi-las de tremer, ouço todos conversando. Estou tão vazia por dentro, tão faminta por algo que sinto como se pudesse comer por dias sem me sentir saciada.

Mais tarde, na minha cama pequena no quarto silencioso, a janela entreaberta para o céu luminoso, o ar fresco no rosto, penso em momentos *críticos*. Meu pai foi meu primeiro momento crítico? Ele estava lá, e depois não estava, e eu não podia perguntar dele ou chorar, ou fazer qualquer coisa, na verdade, porque minha mãe estava muito chateada.

Talvez Ellis fosse uma peça de quebra-cabeças, uma peça grande e *crítica* e bonita que tirei da caixa do quebra-cabeças. Ainda não tenho certeza do que Riley era. Talvez ele também fizesse parte da montagem? E eu ainda não terminei?

Eu me sinto tão incompleta. Não sei onde estão todos os pedaços de mim, como encaixá-los, como fazer com que fiquem juntos. Não sei se sequer consigo fazer isso.

Após uma semana, a confusão mental começa a diminuir. Ainda durmo bastante e estou muito cansada, mas andar já não é tão dolorido e parece que não vamos sair daqui tão cedo, então começo a desbravar a casa de Felix, tão complicada e desconexa. Olhando de frente, parece pequena e quadrada, mas, quando você entra, ela se espalha em várias direções ao mesmo tempo, sua natureza complexa escondida por choupos e cactos que parecem polvos. (Pelo menos o livrinho que Linus me deu diz que são cactos. Eu o levo comigo quando saio de casa. Ele ajuda a me distrair ao fazer coisas simples, como dar nome a uma planta.)

A casa tem muitos quartos, todos com camas de solteiro e cômodas simples de madeira. Cobertores de lã estampados foram dobrados com cuidado e colocados na ponta de cada cama. A sala é enorme, com madeiras escuras e pesadas cruzando o teto, como os ossos de um esqueleto que, de acordo com Tanner, se chamam vigas, e há uma enorme lareira de pedra junto a uma parede. Devvie a mantém acesa nas noites mais frias, e eu gosto de me sentar ali, perto do calor.

Felix tem um cômodo só para livros, outro só para discos com um aparelho de som e um piano torto e abandonado no meio. A cozinha fica nos fundos da casa, em um terraço com visão para as colinas retumbantes e escuras. O estábulo fica na encosta, com cercas para afastar os coiotes.

O estúdio, Linus comenta comigo, foi construído com o dinheiro de algo chamado bolsa para gênios muitos anos antes. É um anexo nos fundos da casa, elevando-se como um celeiro em cima da colina. Durante a noite, os coiotes saem, uivando, vagando. De dia, Felix aponta para falcões voando baixo, suas formas descendo sobre os choupos em arcos escuros. Eles cozinham juntos, Linus, Tanner e Felix: grandes e maravilhosas refeições de frutas e carnes, pães e queijos, saladas de espinafre com nozes e queijo feta salgado.

— Sabe — comenta Felix certa manhã, enquanto coloca mirtilos no meu prato —, não quero que você ache que sou só um velho burro de carga, trabalhando desesperadamente todos os dias nas minhas pinturas e quadros. Algumas vezes eu fico no estúdio sem fazer nada! Só fico sentado. Ouvindo música. Folheando meus livros. Algumas vezes escrevo sobre coisas que me lembro. Até escrevo cartas.

Ele serve mais café na sua xícara.

— Às vezes não trabalhar pode ser trabalho, só que com mais delicadeza. É importante apenas ser, Charlie, de vez em quando.

Meus pés estão cada vez melhor. Os cortes e as feridas cicatrizam bem, embora ainda estejam sensíveis. Tanner tira as bandagens do meu braço e me deixa ver os novos cortes, os novos rios. Hesito ao ver as novas linhas na minha barriga, mas decido não olhar.

Não me cortei fundo, diz ele; não precisei levar pontos.

— Vamos pensar nisso como uma coisa boa.

Ele joga as bandagens velhas no lixo, abre um novo rolo de gaze. Uma noite, enquanto Felix está abrindo outra garrafa de vinho, Linus me chama para ver algo em um pequeno laptop em cima da mesa da cozinha. Já se passaram duas semanas, e notei que todas as noites após o jantar Linus desaparece com o laptop por uma hora. Tanner disse que ela vai conversar com os filhos via Skype.

Só consegui responder "ah". Eu nem sabia que ela tinha filhos. Ou pode ser que ela tenha me contado, mas eu não estava ouvindo. Percebo, envergonhada, que nunca perguntei nada a respeito da vida de Linus, ou de seu problema com a bebida, porque estava sempre vidrada demais em Riley.

Linus aponta para a tela. Eu aperto os olhos. É um artigo de jornal, com uma foto de uma obra de arte na parede. Minha arte. Manny e Karen e Hector e Leonard. A data é de dois dias depois da mostra de arte.

Linus dá um tapinha na minha cabeça.

— Olha, bobona. É uma crítica da mostra na galeria. Ouve só.

Ela lê a crítica, que parece boa o bastante, ainda que um pouco sarcástica; o escritor usa muitas palavras que não entendo; eu me pergunto por que eles não podem só dizer se gostaram ou não de alguma coisa. Pesco algumas palavras do que Linus diz: ... *parecendo à deriva em meio às obras focadas no digital e a nostalgia tecnicolor, há uma série de retratos feitos a carvão... de uma solidariedade reveladora... toques clássicos...*

— Acho que gostaram dos seus desenhos, Charlie! — Linus me cutuca no quadril. Seu hálito cheira a mel e chá verde. Felix se aproxima, balançando um dedo para Linus.

— Clica ali, clica ali — pede ele. Linus clica; a tela se enche com os rostos de Hector e Karen, Leonard com seus olhos tristes e sua boca esperançosa.

Felix diz apenas:

— Muito legal. Traços bem fortes, minha querida. — Ele tira os óculos. — Mas não têm sentimento.

Balanço a cabeça, surpresa. Como ele pode dizer que não tem sentimento? Gostei de todos e trabalhei à beça neles. Gostaria de poder responder em voz alta, mas minhas palavras ainda estão enterradas.

— Está tudo aí, querida. Atenção aos detalhes. Belos momentos gestuais. — Ele olha bem nos meus olhos. — Mas você não *gosta* desse tipo de desenho. Ou pelo menos não tem uma paixão confusa por ele. É preciso ter um ou outro. A ambivalência não é amiga da arte.

Felix dá um tapinha na minha bochecha.

— Você tem habilidade, Charlotte. Agora dê *emoção* à sua habilidade. — Ele volta para a garrafa de vinho. — Tenho um quarto que você pode usar — grita para mim. — Devvie vai prepará-lo para você amanhã.

Linus assente.

— Não vamos sair daqui por enquanto. O True Grit está fechado por Deus sabe quanto tempo. Riley roubou muito dinheiro, sabe como é. As pessoas não foram pagas. A gente pode só se divertir.

No meu quarto pequeno e arrumado, deito na cama, com o coração batendo forte, a mente zumbindo. O que Felix quis dizer com *emoção*? Trabalhei pesado nessas peças, olhei todos os livros da biblioteca, fiz tudo o que o manual de desenho mandava, pratiquei e pratiquei. Não é isso que se faz quando se é artista? Eu me lembro da exposição de Tony na galeria, quando Ariel me convidou para ir à sua oficina de desenho. Ela disse que eu nunca chegaria a lugar nenhum se não me analisasse. Que me permitisse ser *minha* própria modelo. Reprimo uma risada. O que Felix quer que eu faça, me desenhe? Ninguém vai querer ver isso, uma garota com pele rasgada e rosto triste.

Pressiono o rosto contra a parede. Consigo ouvi-los no terraço de trás, um cantor comovente no toca-discos, vozes se misturando com os gritos intermitentes do deserto escuro. Não tenho nada agora. Sem Riley, sem Mikey, sem Ellis, sem meus desenhos. Prendo a respiração e tento conter uma nova onda de soluços. Estou bastante cansada, de novo. Cansada de *tentar*. Meu nariz escorre; meus olhos latejam com o esforço de conter as lágrimas. Eu me enrolo, os joelhos pressionados junto ao peito. Sinto tanta saudade de Riley, por mais que saiba o quanto isso é errado: seu cheiro de fumaça e bebida está entranhado em minha memória; as pontas dos dedos doem quando imagino a inclinação aveludada de suas costas; meu coração dispara.

Eu balanço para a frente e para trás na cama. O banheiro no fim do corredor surge na minha mente, as caixas de lâminas de barbear embaixo da pia. A cozinha com as promessas provocantes das facas. Eu me desenrolo, me forço a sentir o meu corpo, conto as cicatrizes e os curativos, o acúmulo de todos os danos que causei a mim mesma.

Não há mais nada que eu possa fazer por mim mesma.

É nesse instante que Louisa vem até mim, uma imagem que surge de repente: pegando fogo, o cabelo fino lambido pelas chamas, a pele derretendo como manteiga.

Eu me sento tão rápido que a fita na minha barriga se solta. Eu a pressiono de volta no lugar, a dor me fazendo estremecer. Minha mochila está no armário. Caio de joelhos, revirando-a. Foi a única coisa que Wendy não destruiu.

Os cadernos de Louisa ainda estão amarrados uns aos outros. Solto a fita.

A primeira página do caderno começa, em letras pretas pequenas e elegantes: *A vida de uma garota é a pior vida do mundo. A vida de uma garota é: você nasce, você sangra, você queima.*

As palavras de Louisa machucam, mas são verdadeiras, elas ressoam dentro de mim. Leio tudo na mesma noite, cada um dos cadernos. Não consigo parar.

É de manhã cedo e ainda não dormi, as palavras de Louisa eletrizantes dentro de mim. *Se cortar é como construir uma cerca em volta do próprio corpo para manter as pessoas longe, e depois chorar com vontade de ser tocada. Mas a cerca é de arame farpado. O que fazer?* Quando saio da cama, Linus me diz que Felix vai me deixar trabalhar em um dos quartos vazios, o menor de todos. Devvie e Tanner colocam uma mesa alta, um banquinho e caixas de equipamentos — blocos, lápis, corantes, canetas e tintas — para mim. Devvie é uma garota angulosa com uma queda por camisas de flanela e calças de academia. Está terminando o mestrado na Universidade de Nova York, mas ainda precisa entregar a dissertação.

O quarto cheira a mofo. Lá fora, o cavalo relincha. Tanner o leva para passear todas as manhãs a essa hora. Eu me sento no chão, sujeira e poeira grudando na parte de trás das panturrilhas.

Felix disse para fazer algo de que eu gostasse. Ou pelo que sentisse uma paixão confusa. Ariel disse para me usar de modelo. Louisa me contou a história da vida dela. *Um bêbado e uma bêbada se conheceram e juntos tiveram um problema: eu. Nasci com o coração partido.*

Traço as cicatrizes nas minhas pernas, apalpo os anos de cortes cicatrizados e não cicatrizados por baixo da minha camisa. É tudo o que sou agora, essas linhas e queimaduras, os momentos por trás delas. *Nasce uma garota.*

Na sala mofada, escolho um caderno de desenho com papel grosso e macio e canetas escuras. Usando uma régua, faço um quadrado em um pedaço de papel, testando a caneta preta, a sensação nos dedos. Ela desliza como água sobre o papel, sem que eu precise empurrar como o carvão. Em outra folha, faço esboços, me testando, as imagens que aparecerem.

Nasce uma garota. Começo por mim mesma: uma garota com cabelo emaranhado em um cardigã amarelado e felpudo no primeiro dia na escola nova, todas as cicatrizes escondidas embaixo do suéter e da calça jeans. Que garota triste, a boca fechada, os olhos queimando, um campo de força de raiva e medo vibrando dentro dela. Ela observa as outras crianças, como elas se movimentam com facilidade, rindo, ajustando os fones de ouvido, sussurrando. Ela quer dizer *meu pai está no rio no final da rua*, mas não diz nada. Ela conhece uma linda garota com cabelo roxo selvagem e a pele bem, bem branca. A linda garota, tão crítica, tem um cheiro doce e cremoso, como pó facial e muito delineador preto.

A garota, tão linda e crítica, é *divina pra cacete*.

Louisa escreveu: *Cada aberração na minha pele é uma canção. Coloque a boca em mim. Você vai ouvir a cantoria.*

Desenho tanto que perco a noção do tempo.

À medida que a história avança, a personagem de Charlie perde mais roupas, peça por peça, a pele jovem e pálida sofrendo cada vez mais danos conforme o arco se desenrola. Adormeço em cima dos braços, apoiada na mesa. Acordo e continuo a história. Não sou boa em falar, não sou boa em fazer as palavras certas irem do meu cérebro para a boca e saírem, mas sou boa *nisso*, meus desenhos e as palavras que consigo escrever. Sou boa *nisso*.

Foi isso que Felix quis dizer. O que você faz deve disparar pelo seu sangue, levando você para algum lugar.

Sinto cãibras nos dedos e preciso de espaço, e pegar um pouco de ar. Saio da casa sem fazer barulho. Caminho durante muito tempo pelo deserto, até encontrar um lugar com sombra embaixo de um choupo para descansar, um dos cadernos de Louisa equilibrado nos meus joelhos. Está quieto, vazio e cheio aqui fora, no deserto, tudo ao mesmo tempo. Eu me aconchego mais no casaco de Tanner.

Louisa escreveu: *As pessoas deveriam saber sobre a gente. Garotas que escrevem suas dores no próprio corpo.*

Leio e releio a vida dela devagar. É difícil e dói, mas ela me entregou suas palavras e sua história, cada pedacinho ensanguentado dela.

Ninguém me incomoda. Ninguém pergunta o que estou fazendo. Quando estou com fome, vou até a cozinha e faço um sanduíche, encho um copo d'água, volto para o quarto e continuo desenhando o quadrinho.

Acho que três dias se passam, talvez quatro, não sei dizer, não percebi, mas em algum momento tenho a sensação, algo nítido e definitivo que diz: *acabei. Ao menos por enquanto, acabei.*

Recolho delicadamente todos os meus papéis e os coloco em ordem, em uma pilha organizada na mesa alta, limpo as canetas, jogo fora as lascas de lápis na cesta embaixo da janela.

Desenhei tudo o que Gasparzinho queria que eu dissesse.

Tenho uma voz. Tenho um lugar para minha voz.

Olho para a calça de moletom largona e grande demais que Linus me deu, o cós dobrado três vezes, e a camiseta gigante da NYU que Devvie me emprestou. Penso no meu macacão no apartamento destruído e ensanguentado, minhas camisetas compridas, as botas pretas pesadas. Está na hora de usar coisas diferentes. Está na hora de falar de novo.

Tiro as roupas emprestadas, tremendo com o ar frio que entra pela janela aberta. Enrolo um cobertor de lã cinza em volta de mim e saio do quarto, escapo em silêncio pela porta dos fundos. Fico um longo tempo sentada nos degraus, no frio, ouvindo o deserto se abrir ao meu redor, seus trinados, guinchos e uivos, ouvindo os sons de Felix murmurando lá dentro, Linus e Tanner brigando por causa de algum jogo de cartas.

Tudo isso parece um lar.

Alguns dias depois, quando estamos indo embora, Felix abraça cada um de nós, até eu. De início eu encolho quando ele me toca, mas depois me forço a relaxar. Ele passa as mãos fortes pelas minhas costas. E beija minha testa. Linus e Tanner arrumam o carro; Devvie fez vários sanduíches para nós, organizou frutas e queijos em um saco, mas suspeito que Tanner vai querer parar para comer salgadinhos.

Eu ajusto o cós da saia. É verde militar, de algodão, o caimento um pouco acima dos meus joelhos, quatro dólares no brechó em Santa Fé. Olho para baixo, para meus tênis pretos lisos, para a camiseta do Santa Fé High School Raiders, de manga curta e marrom-claro, para as cicatrizes nas minhas pernas. Como foi que Blue disse? *Que caralho me importa?*

Linus me levou para fazer compras e automaticamente me guiou até a seção de roupas jeans da loja e começou a vasculhar os cabides de jeans e macacões, pensando que eu ia querer comprar. Eu a deixei lá e andei sem rumo. Quando me encontrou, eu estava carregando um monte de saias e camisetas simples de algodão e um cardigã preto com botões prateados brilhantes. Balancei a cabeça para seus braços cheios de macacões e disse:

— Já chega disso. — Ela ergueu as sobrancelhas, sorriu e levou as roupas de volta para a estante.

Felix diz:

— Você sabia, Charlotte, que existe uma história interessante de automortificação?

Eu o encaro, sem conhecer a palavra, mas então acho que entendi. Ele assente.

— É verdade, minha querida. Algumas pessoas usaram isso como uma forma de se aproximar de Deus. — Ele ergue o queixo para mim. — Você está tentando se aproximar de Deus, Charlotte?

Balanço a cabeça.

— Porra, eu não — respondo. Felix ri e me ajuda a entrar no carro.

Linus dá partida no carro e nós saímos, mas, quando estamos prestes a pegar a estrada, ela para e olha pelo retrovisor. Eu me viro. Felix está se arrastando pelo cascalho, seus chinelos felpudos levantando uma nuvem de poeira. Ele se inclina perto da minha janela, sem fôlego, faz um gesto para que eu me aproxime.

No meu ouvido, ele sussurra:

— Seja *você* mesma, Charlotte. Seja você mesma.

Em Albuquerque, Tanner adormece no banco de trás. Linus empurra o saco de torresmo para mim. Eu despejo um pouco na minha mão.

— Linus — chamo baixinho. — Por que você está me ajudando? Você nem me conhece, e eu tenho sido tão egoísta. Tipo, eu nunca perguntei nada sobre você. E eu sinto muito. Foi ridículo da minha parte. — Eu respiro. É o que eu queria dizer.

As bochechas dela estão cheias de comida, como as de um esquilo. Ela engole.

— A bebida fez eu me afastar dos meus filhos. Passei anos tentando ficar sóbria, e eles ficaram com os respectivos pais, não queriam saber de mim, e estavam certos. Fiz coisas horríveis que ainda me fazem querer vomitar de vergonha só de pensar.

Ela limpa a boca com as costas da mão.

— A vida sem mãe é uma merda. Eles estão putos. E se aproximando, mas bem devagar. Mas são crianças boazinhas, o que me faz pensar que, ao longo do caminho, tiveram contato com a bondade, formas de ajuda e amor. Então, é isso que estou fazendo. É por isso que estou ajudando você. Não conheço a história da sua mãe, mas tenho que acreditar que ela se alimenta da esperança de que tem alguém cuidando de você.

Amasso o torresmo na mão, lambo os pedacinhos da palma.

— Minha mãe não pensa assim.

Linus fica em silêncio por um longo tempo antes de responder.

— Sim. Ela pensa. Algum dia, se você decidir ter filhos, vai entender o que eu quero dizer. E isso vai fazer você ficar chocada.

Já é tarde quando Linus me deixa na frente do prédio. A rua está tranquila, a loja de bebidas fechada à noite. Fechei os olhos quando passamos pela Twelfth Street. Não queria correr o risco de ver a casa azul-claro dele.

A luz do saguão está fraca, mas a primeira coisa que noto é que o corrimão e o piso foram repintados em uma cor de pêssego claro; a porta de entrada é de um branco novo e uniforme. O corredor cheira a lilases, limpo; as paredes foram pintadas de um azul-claro tranquilo. Eu me aproximo da porta do meu apartamento. Ouço música vindo lá de dentro e meu coração fica pesado. Leonard já deve ter alugado. Será que guardou algumas das minhas coisas? Talvez tenha colocado em caixas no porão. Mas onde está Blue? E para onde devo ir? Meu coração acelera. Quando me viro para sair, a porta se abre.

Os hematomas no rosto de Blue estão desaparecendo, mas o círculo ao redor do olho ainda está inchado e amarelo-púrpura. E tem linhas vermelhas pontilhadas, resquício dos pontos que precisou levar.

Blue respira aliviada.

— Charlie. Estou tão feliz em ver você. — Ela abre mais a porta.

— Você está falando? Está bem? Achei que poderia voltar a ficar quieta por um tempo.

O quarto está um brinco, sem cinzeiros e com uma cômoda nova, de madeira lisa, para guardar as roupas de Blue. O linóleo foi retirado e a madeira abaixo dele lixada e pintada de rosa. Percebo que meu sangue deve ter manchado o linóleo; sou invadida pela culpa. Blue se curva para passar a mão pela madeira.

— Abeto — comenta baixinho.

Meu colchão destruído foi substituído por uma cama de casal coberta com um edredom fofo e convidativo. Blue instalou prateleiras de metal simples na cozinha e as encheu com pilhas de pratos e xícaras cor-de-rosa, potes de molhos e geleias, latas de comida, biscoitos. Outra prateleira enorme ostenta um micro-ondas. Uma cortina de chuveiro com um mapa-múndi está pendurada no teto ao redor da banheira. O banheiro também tem uma cortina de pano com flores.

— Gosto daqui — acrescenta ela com um sorriso tímido.

Em seis semanas, Blue conseguiu fazer com que esse apartamento se parecesse um lar. Estou aqui há seis meses e não fiz isso.

Na mesa de jogo, um projeto meticuloso: Blue tem juntado com fita adesiva o conteúdo do meu caderno de desenhos destruído e as fotos rasgadas que eu e Ellis tiramos com a câmera instantânea. Alguns pedaços são minúsculos; Wendy foi muito detalhista.

Blue gagueja.

— Foi... foi a Jen S. Ela me ligou depois que você saiu para o trabalho, para falar da Louisa, e, nossa, Charlie, eu perdi o controle. Encontrei Riley e fomos para a casa daquela garota. Eu só queria ficar chapada, sabe? Eu não... eu não sabia que ia ser aquilo, mas não consegui me conter. Meu Deus, Charlie, você já sabia dele?

As pequenas bolsas de cristal. O cheiro de plástico na primeira manhã em que fui acordá-lo. Olho para Blue e começo a chorar. Seus olhos se arregalam, alarmados.

— Charlie, *que foi*?

Digo a ela que sinto muito, muito, mas que menti, que comprava drogas para Riley, que tudo foi horrível e que eu estava me afogando e que não quero mais ficar submersa.

Blue balança a cabeça com ênfase.

— Estou fora, Charlie. Eu não quero mais, de verdade. Não vou mais fazer nada daquilo. Eu prometo. Eu *gosto* daqui. Essa cidade é *legal* pra cacete. Caramba, tem *sol*.

Pressiono a testa na parede, de repente exausta de novo, vazia, agora que estou de volta.

Ela continua:

— Aquela pessoa que eu era em Creeley não era eu de verdade. Às vezes, com as pessoas, você acaba virando uma coisa, tipo, seu papel *chega* a você, em vez de você escolher. Deixei isso acontecer quando cheguei aqui. Abri mão do controle, por mais que não quisesse. Eu não... eu não sou assim, Charlie. Quero ser sua amiga. Acho que a gente pode se ajudar. Eu gosto *tanto* de você.

As mãos dela estão nas minhas costas, quentes sobre a camiseta.

— Não quero ser Louisa — sussurra. — Eu não quero morrer. Eu não quero ser assim, nunca. Se você me ajudar, eu também posso ajudar você.

Eu acredito nela. Ela diz meu nome. Ela diz o nome de Louisa, de novo e de novo. Choramos assim, por horas, juntas, eu encostada na parede, Blue encostada nas minhas costas. Uma apoiando a outra, como tem que ser.

A porta de tela verde se fecha atrás de mim. Todos se viram, sérios. Penduro minha mochila no gancho da parede, vou até a máquina de lavar louça, amarro meu avental, pego o escorredor de pratos e começo a tirar pratos e xícaras. Quando me viro com uma bandeja de pratos limpa, eles estão olhando para mim: Randy em seu sapato oxford, Temple ocupada com as cafeteiras, pulseiras prateadas tilintando.

Randy joga as xícaras que carregava na água com sabão, molhando meu avental. Ela me bate de leve no ombro.

— Já estava na hora — solta ela. — Faz três dias que abrimos de novo e eu estava me perguntando onde estava nossa lavadora de pratos favorita.

Na minha segunda noite de volta ao trabalho, Julie me chama para o escritório. Eu não olho para o sofá. Tento não olhar para nada, exceto para minhas mãos encharcadas, enquanto Julie me conta o que eu já sei. Que Riley e Wendy destruíram o carro de Luis; Wendy quebrou três costelas, rachou a clavícula e perfurou o intestino. Que Wendy atacou Blue no apartamento quando Blue tentou fazê-la parar de destruir minhas coisas.

Julie gira os anéis em seus dedos, a voz vacilante.

— Riley teve alguns hematomas e foi acusado de dirigir bêbado, dirigir sem habilitação, uma possível acusação de roubo do depósito noturno e do roubo de um automóvel. — Ela põe a mão na tigela de lápis-lazúli. — Ele estava preso. Agora está no norte, em uma casa de reabilitação só para homens. Não é a primeira vez dele em um lugar assim, mas você já deve ter adivinhado. — Ela bate as pedras uma na outra. Seus olhos estão marejados. — Tenho pensado muito, sabe? Talvez parte disso seja culpa minha, sempre ajudando quando ele fazia merda. Ele não pode voltar aqui, nunca, para trabalhar. Não pode. E legalmente, puta merda. Se ele não quiser ser preso, precisa completar a reabilitação com emprego de um ano e ficar limpo. Eu deveria apresentar queixa por ele ter roubado meu dinheiro? — Lágrimas correm pelo rosto dela. — O mundo é tão horrível às vezes, e é aí que você tem que começar a pensar, qual é o papel que você exerce nesse horror? Eu contribuí para isso?

Sinto um grande peso dentro de mim. Eu tenho que me livrar disso.

— Julie — digo. — Eu sabia, quer dizer, acho que sabia, mas não queria *saber*, que ele estava roubando do caixa. E... eu o ajudei. Eu... comprei coisas para ele. E eu sinto muito. E entendo se você quiser me demitir.

Julie balança a cabeça, enxugando os olhos.

— Você comprou coisas pra ele?

Assinto, meu rosto queimando de vergonha. Eu queria que ele me amasse.

Digo em voz alta, mas muito baixinho.

Julie estende a mão e pega a minha.

— O amor é uma bagunça, Charlie, mas não é assim. Não é comprar drogas pra alguém. Você não merece passar por isso, querida. Não merece mesmo.

Tento absorver as palavras dela, em vez de rejeitá-las. É difícil, mas consigo.

Continuo falando, as palavras saindo depressa.

— Linus disse que o Grit está com problemas sérios. Conversamos sobre isso no caminho de volta do New Mexico, e estive pensando, bem, Linus e eu pensamos e conversamos, e temos algumas ideias para colocar o Grit nos trilhos, se você quiser ouvir.

Julie pisca, fungando. Ela encontra uma caneta e abre um caderno.

— Estou ouvindo — incentiva ela. — Pode falar, porque estou mal aqui.

Eu gosto de morar com Blue. Gosto de ter uma amiga, uma amiga *mulher*, de novo. Ellis ainda está dentro de mim, e sempre estará, mas Blue é boa à sua maneira e gentil.

Às vezes, quando chego em casa do meu turno no Grit, pegamos o ônibus para o cinema da meia-noite e compramos pipoca amarela salgada e refrigerantes gelados demais. A fonte inesgotável de dinheiro de Blue me surpreende positivamente. Ela dá de ombros sempre que pergunto; *Meu pai se sente culpado,* responde. *O dinheiro é uma forma de suavizar.*

— É estranho — acrescenta, seu rosto assumindo uma fisionomia que é uma mistura complexa de dor e pesar. — Não quero falar disso. Talvez a gente possa conversar sobre isso algum dia. Vamos pedir manteiga extra na pipoca dessa vez?

Não posso sentar na mesinha chorando ou na banheira olhando para o teto, pensando em como poderia ter feito melhor, em como poderia ter ajudado mais o Riley ou ter caído fora dessa mais cedo, em como poderia ter salvado Ellis, me tornado melhor, porque eu percebo que todas essas coisas são erradas; imaginar o que poderia ter sido não resolve nada, agora sei disso.

Tenho que esperar meus sentimentos ruins passarem, e isso significa me manter ocupada, significa trabalhar no Grit, significa dedicar algum tempo à minha história em quadrinhos, reler os cadernos de Louisa, pensar em quem pode querer ler a história dela e a minha.

Significa ir com Blue às reuniões. Significa sentar no porão bem iluminado de uma igreja decadente em cadeiras duras que arranham o chão de cimento, beber um café que parece lama e ouvir as pessoas gaguejarem suas histórias. Significa de fato *ouvir*, pensar nelas e pensar em mim mesma.

Blue e eu procuramos um grupo como nós, de pessoas que se cortam e se queimam, automutiladoras, mas não conseguimos encontrar. Ela diz:

— É, acho que vamos ter que continuar conversando, então, né? Quem diria que seríamos só nós duas, né, Sue Quietinha?

Sinto falta da Gasparzinho, mas agora entendo por que ela teve que abrir mão. Talvez eu tenha sido, no fim das contas, só mais uma garota que se machucava, mas ela foi gentil comigo e tem que ser gentil com as outras também, porque mesmo aquela pequena gentileza, mesmo por um tempo tão breve — era alguma coisa.

Era alguma coisa.

Uma noite, Blue chega em casa com um laptop novinho em folha. Depois de configurar, ela me faz criar uma conta no Facebook. Rindo, ela explica:

— As redes sociais são perfeitas pra você. Elas são feitas para pessoas que não gostam de interagir pessoalmente. Talvez não o Twitter, porque lá precisa falar muito, então nem cria uma conta lá.

Não penso muito a respeito, só dou uma olhada nas notícias ou vejo a página de Blue. Mas uma noite recebo uma solicitação de amizade.

É Evan.

Não sinto medo por ele ter entrado em contato, nem fico nervosa. Eu me sinto grata pra caramba, na verdade, por poder aceitar de todo coração, porque ele está *vivo*, e eu tinha certeza de que ele tinha morrido.

A primeira coisa que ele me manda é uma notícia de jornal. A história já tem alguns meses, mas a foto faz meu coração parar.

Evan escreve: O MAL FOI CAPTURADO.

A casa, a Casa da Semente, foi fechada, Maldito Frank foi preso por vender meninas menores de idade para sexo, fornecer drogas e bebida alcoólica a menores e muito, muito mais. Na foto, seu rosto está magro, não mais largo e zangado. Ele parece assustado.

E então Evan diz: *E mais uma notícia, esse é meu 92º dia sóbrio. E, pô, como VOCÊ tá, Charlotte?*

Não consigo parar de sorrir enquanto respondo.

A comida da *panadería* esgota todos os dias. Linus e eu tivemos a ideia de conseguir um desconto antes que eles jogassem as sobras no lixo. Julie permite que Linus trabalhe em um novo cardápio de almoço com itens mais saudáveis, menos focado em batatas, gordura e queijo. Ela concorda em ter um cartão de fidelidade para os cafés. Um dia, enquanto estava limpando a louça e carregando a bacia de mesa em mesa, olho para cima e vejo uma nova pichação vulgar nas paredes de tijolos falsos da cafeteria. Fico parada, olhando as paredes por um longo tempo, me virando, absorvendo todo o espaço, a quantidade de luz das janelas no alto das paredes, pensando em como podemos consertar isso.

Blue chega uma noite para ajudar a pintar as paredes e os banheiros, com latas, rolos e pincéis do galpão de Leonard. Temple me ajuda a puxar as escadas do escritório de Julie e empurrar as mesas e cadeiras para o centro da sala. Randy e Tanner trabalham nos tampos das mesas, pintando-os com cores diferentes, adicionando padrões diferentes a alguns, lixando e colando cartões-postais antigos em outros. Blue, Julie e eu pintamos por horas, uma cor de trigo suave que brilha pela manhã e parece etérea à noite.

— Mas agora não tem nada na parede — comenta Julie. — Ela parece tão vazia.

— Não por muito tempo — respondo.

Certa noite, estou trabalhando no balcão enquanto Temple faz uma pausa para fumar quando Ariel entra, hesitante, como se não tivesse certeza de estar no lugar certo. Sua boca se abre de prazer quando ela me vê.

— Você! Que surpresa boa. Eu fui na sua mostra de arte, mas não vi você lá.

Eu respiro fundo.

— Roubei sua cruz. Fui eu. E peço desculpas por isso.

Ariel abaixa a cabeça.

— Eu sei. Eu entendo. Obrigada por ter devolvido. — Ela estende a mão. — Posso? — pergunta. Eu assinto.

Ela coloca a mão cuidadosamente sobre a minha.

— Perdi meu filho, então sei o que é estar... vazio, mas cheio, de inferno. Eu sei que você sabe o que isso significa. Isso é tudo que tenho a dizer sobre esse assunto. Mas quero que saiba que estou feliz por você estar bem. Estou muito, muito feliz.

Assinto, tentando não chorar. Ela dá um tapinha na minha mão, pede um expresso duplo. Estou aliviada por poder me virar e fazer alguma coisa para que ela não veja as lágrimas caindo. Ela anda enquanto eu trabalho na máquina.

— Faz anos que não entro aqui — ela grita por cima do barulho da máquina. — O lugar estava bem sujinho. — Ela olha para as paredes. Estão repletas de paisagens brilhantes e intrincadamente tecidas: mulheres trabalhando nos campos; paisagens urbanas complicadas; uma montanha fulva com o sol pairando logo acima. — Meu Deus — exclama ela, ofegante, aproximando-se das paredes. — Tão requintados. Quem fez?

A voz dela ressoa no café novo e limpo.

— A cozinheira — respondo com orgulho, enxugando o rosto e me virando com a *demitasse* dela. — Linus Sebold.

Linus me pede para encontrar uma nova caixa com blocos de pedidos para os garçons no escritório de Julie. É uma noite movimentada; desde que fizemos as mudanças, ficamos lotados com um público diferente e mais velho. Os garotos da arte ainda vêm, mas perdemos alguns dos roqueiros. Sinto falta deles, mas Julie precisa que isso funcione, e o Grit precisa de pessoas que comprem comida e bebida e não vomitem no chão.

Enquanto estou atrás da mesa de Julie, vasculhando as caixas, ele aparece diante de mim, claro como o dia, embaixo do canto do telefone do escritório.

Um pedaço de papel, um número de telefone, o nome dele, rabiscos, círculos e estrelas.

Em um momento estou olhando para o papel e no próximo estou dizendo:

— Posso falar com Riley West? — Sentindo-me lá em cima, flutuando perto do teto, observo minhas mãos tremerem enquanto pressiono o telefone no ouvido. Do outro lado, ouço o som de passos lentos, um suspiro pesado.

— Sim?

Será que ele consegue ouvir meu coração batendo forte? Será que, pelo silêncio, reconheceu que sou eu? As palavras ficam presas na minha garganta. É por isso que o ouço suspirar de novo, e ele diz:

— Querida?

— Riley.

— Você não pode me ligar aqui, ok? Ouça, você não pode...

Sua voz é comedida, cuidadosa, suave. Ele está tentando não chamar a atenção, aposto. Sinto uma onda de raiva e tento controlá-la, mas, antes que eu consiga, ela já veio à tona. Sai de mim antes que eu possa impedi-la.

— Você pelo menos lembra de ter ficado comigo, Riley? Será que se importou, tipo, *uma vez* que seja?

A adrenalina me força.

— Quer dizer, eu era só um show bizarro para você? É isso? — Estou com medo, me sinto solta e perdida, mas cada palavra que sai parece poderosa.

Uma voz estéril e automatizada corta a linha. *Esta chamada telefônica chegará ao fim em quatro minutos.* É verdade. Eu me lembro disso; em Creeley, o telefone comunitário encerrava as ligações após dez minutos.

— Charlie. — Ele está chorando, um lamento infantil, como o que uma pessoa faz quando não quer que os outros ouçam. O som do choro se infiltra em mim, arranha meu coração. Ele diz meu nome mais uma vez. Eu passo as costas das mãos no meu rosto molhado.

— Eu te *amei*, Riley. — Dói dizer isso em voz alta, deixar as palavras crescerem e flutuarem para longe de mim.

— *Por favor* — ele chora —, *querida...*

A linha fica muda.

Abro a gaveta da escrivaninha de Julie: um grampeador; uma tesoura pesada e brilhante; tachinhas. Tudo que preciso para um alívio rápido.

No caminho de volta de Santa Fé, Linus me disse:

— Minha vida às vezes é como uma série de intervalos de dez minutos. Às vezes eu quero me dar uma maldita medalha por passar uma hora sem beber, mas é assim que tem que ser. Esperar.

Fecho a gaveta com força. Tenho que me obrigar a esperar, esse martelar dentro de mim, esperar em intervalos de dez minutos, intervalos de cinco minutos, o que for preciso, sempre, agora e para sempre.

Coloco os blocos de pedidos nos braços e saio pela porta, fechando-a com força atrás de mim.

Temple está apresentando outra noite de show de talentos, desta vez com menos roqueiros e mais poetas, quando Linus me passa o telefone do balcão. Tenho que me abaixar até o chão para ouvir a voz do outro lado. Noto a poeira e o pó de café embaixo da beirada do balcão e faço uma anotação mental para limpar com mais cuidado depois.

— Ah, minha querida Charlotte. — A voz de um velho, suave e chiada. — Você gostaria de vir trabalhar para mim por um tempo? — Felix Arneson continua: — Estou em Nova York, e Devvie... você se lembra de minha assistente, Devvie... terminou a dissertação dela. Ela vai me deixar. Estou desolado, mas vou sobreviver.

— Eu não... o quê? — Eu aperto mais o telefone no ouvido, sem saber se ouvi direito. — Quer que eu trabalhe para você? Eu?

Felix ri.

— Preciso de alguém que não se importe com o deserto, o isolamento. Pode ser um tanto tedioso lá, você sabe. Quer dizer, tem uma cidade maravilhosa bem perto, mas onde eu moro, bem, você viu. Você esteve lá! Seu trabalho seria classificar meus slides, colocar meus arquivos em ordem. Muitas coisas, na verdade. Atender o telefone, responder e-mails. Encomendar equipamentos. Dou casa, alimentação e um pequeno salário. O que me diz? Acho que você gostou bastante de lá.

Não preciso de muito tempo para pensar. Aqui é dolorido, eu estou bem, mas é dolorido, e quero ficar em um lugar calmo, em que o fantasma de Riley não esteja por toda parte.

Havia tanta quietude nas terras que cercavam a casa de Felix.

— Sim — respondo. — Sim, eu quero trabalhar para você.

Ele vai providenciar uma passagem para que eu vá para Nova York e, uma vez lá, vou encontrá-lo no hotel. Ele prometeu que, quando não estiver na galeria, vai me levar para os museus, as livrarias. Depois vamos voar de volta juntos.

— Tenho medo de voar — sussurra. — Não é engraçado, na minha idade? Afinal, vou morrer, mas tenho medo de dar um pulinho no céu. Estou disposto a fazer você vir até aqui só para que eu não tenha que voar sozinho.

Confesso que nunca viajei de avião.

— Meu Deus — solta ele. — Vamos ser uma dupla e tanto. E você também vai ficar com aquele quartinho para trabalhar nas suas obras. Linus me disse que você está trabalhando em uma espécie de livro. Não vejo a hora de ouvir mais a respeito.

Julie e Linus estão diante de mim, resolutas. Digo não de novo.

— Vou embora daqui a quatro dias — insisto. — Não quero ir com vocês.

Linus diz:

— Eu sei que parece horrível, Charlie, mas ele se esforçou muito por esse momento e é importante ajudar na recuperação dele. Até os idiotas precisam de ajuda às vezes.

Julie pega minha mão.

— Ele está consertando as coisas, Charlie. Este é um dos passos. Pra ser sincera, nunca o vi assim antes.

Eles vão permitir que Riley saia para o show beneficente de Luis Alvarez. Uma enfermeira vai acompanhá-lo; ele precisa usar um monitor no tornozelo. A esposa de Luis informou que não prestaria queixa contra Riley caso ele se apresentasse. Ele ainda terá que ficar na reabilitação com emprego por um ano. Ele quer que eu vá ao show.

Blue coloca sua xícara de café no balcão do True Grit; ela está ouvindo a conversa em silêncio. Ela faz o menor dos movimentos com o queixo, um sombrio *não deixe ninguém te obrigar a nada*. Passei a conhecer cada uma das expressões de Blue, o queixo caído, os olhos arregalados, a careta de desaprovação. Em Creeley, ela tinha apenas dois olhares: raiva e miséria. É como se estar aqui tivesse aberto Blue de maneiras que não aconteceram para mim.

Passo o esfregão, o cabo deslizando na minha mão. É gordura nos meus dedos ou outra coisa?

— Tá bom — cedo, por fim. — Tá bom.

Blue olha para minha mochila, a mala rosa nova que ela comprou para mim no brechó. Já guardei todas as minhas coisas. Ela franze a boca um pouco.
— Não acredito que você vai embora — diz baixinho.
— Eu sei.
— Quer dizer, acho bom. Vai ser bom. Mas vou sentir sua falta.
— Vou sentir sua falta também. — Pego a mão dela.
— Felix tem computador?
— Sim.
— Você vai me ligar no Skype? Uma vez por semana? — Seus olhos estão atentos, suplicantes.
— Sim, com certeza.
— Que tal um telefone? Você vai conseguir um celular?
— Não tenho dinheiro pra isso. Ele tem um telefone que eu posso usar.
— Você vai me ligar toda hora, vai me ligar e me passar o número dele, né? E eu vou visitar. Vai ser divertido. Uma vez por mês, tá? — Ela está sem fôlego.
Seus dedos apertam os meus.
— Sim, Blue.
— Você vai encontrar reuniões por lá? Vou começar a ir com Linus.
— Sim, eu prometo.
— Tá – diz ela, por fim. Seus olhos estão marejados.
— Tá.
— Temos que aguentar firme, Charlie. Não podemos desistir. — Lágrimas escorrem pelo rosto dela.
— Não — concordo, com a garganta apertada.
— Não somos como as outras pessoas.
— Não.
— Você é minha família agora. E eu sou a sua. Você entende?
Essa última parte ela diz no meu cabelo, porque agora está me abraçando, bem forte, e eu não quero que ela pare, nunca.
Sim, eu digo a ela. *Sim*.

O Evento Beneficente para Luis Alvarez está lotado. As pessoas estão espalhadas por toda a Congress Street, do lado de fora do Hotel Congress, no centro de Tucson. Palcos separados foram montados para bandas de abertura e a rua está bloqueada para carros. Uma banda de mariachi passeia pela multidão. A fotografia de Luis está em cartazes colocados do lado de fora do hotel. Ele morreu logo depois que Riley roubou o carro dele. Tiger Dean conversa com uma equipe de televisão, o cabelo espetado e os óculos escuros na cabeça.

Eu avisto Mikey, de mãos dadas com Bunny; ele não está mais de dreadlocks; seu cabelo forma uma touca dourada e curta em volta da cabeça. Não o vi desde que voltei.

Mikey se vira e me vê. Meu estômago embrulha quando ele sorri e se aproxima, Bunny fica para trás para conversar com alguém. Não posso deixar de notar o brilho de ouro puro em seu dedo. Blue fica ao meu lado, quieta.

— Oi — cumprimenta ele, tímido.
— Oi.
— Charlie — diz ele. — Estou muito feliz por você estar aqui. Estou muito feliz em ver você.

Eu aponto para o dedo dele.
— Então, as coisas estão bem diferentes para você agora.
Mikey assente.
— Vamos dizer que sim. — Ele ri.
Eu respiro fundo.
— Me desculpe pela forma como agi, Mikey. *Michael*. Desculpe. Eu deveria ter respondido seus e-mails.

Ele suspira.
— Achei que você tivesse deletado todos eles. De todo modo, eu estava planejando ir visitar você logo, no Grit. Nossa turnê se estendeu por alguns meses e nós acabamos gravando o álbum. Parece que as coisas vão rolar.

Ele respira fundo.

— Eu tenho uma coisa pra você, Charlie. Ia levar no Grit se não encontrasse você aqui.

Ele enfia a mão no bolso da calça jeans e tira um papel dobrado.

— Isso é muito difícil para mim, Charlie, então deixa eu falar.

Ele fecha os olhos e, quando os abre, olha direto para mim, duro, mas sorridente.

Meu coração dispara e fico nervosa ao pensar no que ele vai falar.

— O quê? O que é? — Começo a desdobrar o papel.

— Eu a vi, Charlie. Fizemos uma parada em Sandpoint. Onde ela está, em Idaho. E eu a vi.

Ao meu lado, Blue segura meu cotovelo com força, pega o papel da minha mão trêmula. Eu mal consigo enxergar, meus olhos cheios de lágrimas. Mal consigo respirar. *Ela*. Ela.

Ellis. Minhas mãos tremem; o papel balança.

— Meu Deus, Charlie. Ela está bem. Quer dizer, não está tipo *superbem*, mas não se foi totalmente. Ela está *ali*. É preciso ficar um bom tempo sentado com ela e fazer perguntas bem, bem específicas, mas ela está *ali*, e, quando eu disse seu nome, juro por *Deus*, o rosto dela se iluminou.

Mikey está chorando um pouco, respirando pesado. Olho para o endereço no papel, o nome dela. Meu corpo está pegando fogo, mas de um jeito bom, de um jeito alegre.

Como um fogo cheio de amor.

Ellis, minha Ellis.

— Sensacional pra cacete — murmura Blue —, sensacional.

— Obrigada, Mikey — sussurro. — Muito, muito obrigada.

Tiger Dean deu a Julie ingressos e passes para os bastidores. Julie, Blue, Linus e eu ficamos lá atrás, maravilhadas com a produção, a equipe indo e voltando, a energia fluindo do público. As bandas punk se apresentam primeiro, muito barulhentas, suadas e se contorcendo, mas os garotos mais novos adoram, gritando e batendo palmas. O clima está perfeito, confortável e fresco, o céu cooperando por ser infinitamente azul e lindo. Tiger Dean faz um set com um bando de jovens vestidos com ternos cinza idênticos e usando cordões como gravata. A multidão o ama porque ele é Tiger Dean, mas, como Riley sempre disse, suas letras são péssimas.

Regan, a cantora do show de talentos do Grit, surge do lado oposto do palco, vestida com a mesma saia preta esfarrapada que usava na época, as mesmas botas surradas. Ela murmura o próprio nome no microfone e depois entra em seu set. As pessoas na multidão balançam para a frente e para trás, entregues a Regan. Lá embaixo, na borda do palco, há vários homens falando ao celular, observando-a atentamente e usando um segundo celular para gravá-la. Julie sussurra para Linus:

— Caça-talentos. Riley me disse que mandou a demo dela para o antigo empresário dele.

Tiger Dean entra no palco enquanto Regan termina de cantar e dá um meio abraço em seu ombro. Ela sai do palco. Tiger limpa a garganta.

— Temos um convidado muito especial aqui esta noite, pessoal. Um dos meus amigos mais antigos e queridos, e um ótimo músico. Tenho certeza de que vocês sentiram falta dele nos últimos dois anos. — Tiger pega um lenço estampado e enxuga a testa. — E ele está passando por uma fase muito difícil faz algum tempo e acho que está se recuperando. Pelo menos eu espero que ele esteja se recuperando. Porque eu preciso que ele escreva umas músicas pra mim, cacete — ele termina, fingindo sussurrar. A plateia ri.

Julie se inclina para perto de mim.

— Eles só o deixaram sair para fazer esse show. Tem que voltar logo depois. Botaram um monitor de álcool no tornozelo dele. O monitor mede o consumo de álcool pelo suor, então, se ele tomar um gole que seja, o monitor vai detectar.

Tiger se inclina para o microfone.

— Riley West.

O público irrompe em aplausos, gritos e assobios. As pessoas se levantam, pisam com força. Meu coração para por alguns instantes. Blue desliza sua mão na minha.

E então ele está lá.

Ele aparece à nossa frente, do lado oposto, com uma camisa de caubói simples de manga curta azul e branca com debrum bege no peito. Está vestindo sua velha calça marrom e seu tênis preto. Eu me pergunto onde estão suas botas marrons favoritas, mas então noto o brilho prateado do monitor de álcool em uma das pernas da calça; não caberia dentro de uma bota justa. Ele cortou o cabelo castanho, sempre tão bagunçado; agora dá para ver todo o seu rosto, que parece mais limpo, menos inchado. Olhando para ele, percebo com uma pontada de dor o quanto estava acabado todos aqueles meses, e como eu não via, como não *queria* ver. Não há nenhuma protuberância no bolso do peito.

— Ele parou de fumar — sussurra Julie. — Cortou de vez.

Ele está assustado pra caramba. Percebo porque ele hesita um pouco antes de sair, deslizando o violão sobre o ombro enquanto caminha. Sua mão vacila quando ele a levanta para o público e então noto algo que nunca vi no rosto de Riley West.

Ele está vermelho, ruborizado.

Então lambe os lábios quando chega no microfone, ajustando-o, e toma um gole do copo no banquinho ao lado dele. Ele olha duas vezes para o copo.

— Esta bebida tem gosto de água. Não combina comigo.

O público ri. Alguém grita:

— Riley, você está ótimo, cara!

Riley protege os olhos da luz e olha para o público.

— Ah, é? Quer sair comigo? Porque ninguém mais vai querer, neste momento. — Mais risadas. Ele toma outro gole de água. — É a primeira vez que eu canto em público só com água no copo.

— Vai, Riley.

— Você consegue, Riley.

Riley respira fundo, acomoda o violão junto ao corpo, estica o pescoço e olha diretamente para nós. Seus olhos encontram os meus.

Seu rosto relaxa por um instante. Eu viro a cabeça, o coração batendo forte. Quando volto a olhar, ele está virado para o público, com um sorriso enorme e torto, o sorriso que ele me deu na primeira vez que o vi do lado de fora do True Grit, com Van Morrison flutuando no ar, os homens jogando no tabuleiro, os punks tomando sorvete na Dairy Queen.

Ele limpa a garganta.

— Sabem, eu conheci uma garota não faz muito tempo, e ela era fofa e tal, mas meio triste, sabem como as garotas podem ser, né? Mas eu pensei: *Ei, Riley, talvez você precise de uma garota triste, meio que pra equilibrar vocês, talvez, se somar seus problemas com toda a tristeza dela, o resultado seja vocês dois felizes.* Certo?

Eu congelo. Ele está falando de mim.

O público diz *Certo*.

— Durante algum tempo deu certo. Mas vocês me conhecem, eu ferrei com tudo. Esqueci que a gente precisa, sabe como é, falar sobre as *coisas*. Ou que talvez eu devesse, sabe, ficar sóbrio e essas *merdas*.

Risadas.

— O bom é que agora eu tenho muito tempo livre para refletir sobre meus erros, cortesia dos excelentes serviços correcionais e de reabilitação do estado do Arizona. E eis aqui uma música sobre aquela garota.

Ele começa a dedilhar, seu corpo relaxando a cada movimento, a cada minuto. Uma vez ele me disse: "Faço isso porque me faz sentir rico. Não rico com dinheiro no bolso. Rico com um tipo de peso doce dentro de mim."

A música é lenta, um verdadeiro arrasta-pé, como ele gostava de chamar esse tipo de balada. O tipo de música, ele me disse, que se arrasta tristemente e que quase todo mundo pode memorizar com facilidade e cantar junto.

Não consigo parar de olhar para ele, para seus dedos que se movem com facilidade pelas cordas, a mudança em seu rosto, a revelação que está acontecendo no meu corpo. A sensação de tristeza absoluta e inevitável que experimento ao vê-lo e ouvi-lo cantar sobre *mim*. Sua voz é diferente sem cigarros e álcool. É mais enxuta, mais interessante. A música se chama "Quem poderia imaginar que eu a deixaria tão triste". Aos poucos, percebo que é uma música sobre a noite em que ele encontrou meu kit e nós brigamos na cozinha; uma música sobre nós dois.

Eu não falei com Riley. Eu nunca disse a ele como me sentia até que fosse tarde demais. Simplesmente deixei ele me guiar, porque estava grata por ser notada. E ele também não falava comigo, porque estava bêbado o tempo todo, ou achava que precisava ficar, e eu nunca disse *Pare*.

Essa música é o jeito de ele falar, assim como minha história em quadrinhos, assim como os cadernos de Louisa, são nossas formas de falar.

Essa música é o *desculpadesculpadesculpadesculpadesculpa* dele. Para mim.

Quando acaba, Julie está com o punho junto à boca e Linus enxuga os olhos. Blue aperta minha mão com tanta força que os ossos doem. O público se levanta, rugindo. Riley toma outro gole de água. Ele diz:

— Só um instante. — E sai do palco, em nossa direção.

Quanto mais ele se aproxima de mim, mais o mundo se inclina, distorce, silencia, como se nuvens estivessem se movendo nos meus ouvidos, mas eu permaneço firme. Julie diz *ah*. Linus diz *Riley*. Blue solta minha mão e se afasta.

O cheiro dele é diferente agora, limpo e robusto, sabonete de aveia e um pouco de loção pós-barba. Nenhum cheiro profundo de tabaco, suor e álcool. Quando olho em seus olhos, estão cheios de água.

Ele abre a boca para dizer algo e depois pensa melhor. Ele levanta minha mão, fecha algo dentro dos meus dedos.

E aí está de novo: aquele pequeno zunido de eletricidade, um fio quente dele para mim, de mim para ele.

Quando abro os olhos, ele já está no palco de novo.

Ele canta "Christmas in Prison", de John Prine, duas canções de Dylan do *Nashville Skyline*, e depois faz uma pausa.

— Sabe, esses jovens de hoje em dia...

Risadas.

— Na verdade, sou só um cozinheiro de fast-food, e sempre trabalhei com todos esses malditos hipsters o tempo todo e eles estão sempre mexendo nos celularzinhos e tendo conversas rápidas e engraçadas tipo, ei, e se o Coldplay fizesse um cover da Madonna, ou se o Jay-Z cantasse Joan Baez. Sabe, esse tipo de merda.

— Faça um filho comigo, Riley! — uma mulher grita.

Riley responde:

— Você não ouviu a primeira música, moça? — A plateia ri. — De qualquer forma — prossegue ele, pigarreando —, tinha uma pessoa, ela está aqui agora, na verdade, e eu escrevi aquela primeira música para ela, só para que vocês saibam...

As pessoas na plateia começam a olhar em todas as direções. Eu me enfio atrás de Blue.

— Essa garota legal, ela teve uma ótima ideia. Vocês vão ficar de queixo caído.

Ele inclina a cabeça para trás dramaticamente e depois a deixa cair para a frente. Pouco antes de seu queixo bater no peito, ele sacode a cabeça para trás e para cima e começa a dedilhar as cordas com avidez.

— *I got chills* — rosna. — *They're multiplyin'*...*

Demora alguns instantes até que a multidão grite ao reconhecer, provavelmente imaginando Sandy e Danny pulando ao longo do barco gangorra no parque de diversões no final do filme, o cabelo de Sandy com cachos, Danny enlouquecendo por causa de sua calça de couro.

Ellis adorava tudo em *Grease*. Nós assistíamos o tempo todo, e toda vez ela dizia:

---

* Tenho arrepios/ Que se multiplicam (tradução livre).

— Mas, falando sério? Eu pegaria o Kenickie, não o Danny. — E toda vez eu fingia que ela nunca tinha dito isso antes, porque é isso que amigas fazem.

Riley está me dando a música dela.

Julie e Linus riem. Blue ergue as sobrancelhas. O público bate palmas no ritmo, começa a cantar junto.

Tiger Dean percorre o palco carregando um baixo, e um cara jovem muito pesado, de queixo caído, vestido com uma cueca minúscula do Capitão América e nada mais, com uma caixa de marcha amarrada em si, batendo forte.

Eles cantam em uníssono com Riley, os três marchando em círculo ao redor do palco, transformando a música de um cover country preguiçoso e sexy em algo excitante e irritado.

Ellis estava certa, penso sem tristeza. Ela teria adorado essa música nessa versão.

Todas as pessoas fora do Congress no palco principal estão de pé. Celulares são erguidos, flashes se infiltram por entre a multidão. Outras bandas invadem o palco, entram no coro, acrescentam vozes. Regan Connor aparece, um pouco envergonhada com o agito todo, mas topa a brincadeira, batendo as botas e cantando também. Julie e Linus pulam, cantando junto. Blue está longe delas. Ela é a única que percebe quando me viro e me afasto, saindo da coxia. Ela pega minha mão de novo.

Olho de volta para o palco. Riley está com os dele, em seu lugar.

Blue se inclina perto do meu ouvido.

— O que o cereal está fazendo, Charlie?

— O cereal não está me comendo — repito até ela dizer que posso parar. — Vamos — digo. Saímos da coxia e abrimos caminho entre as marias-guitarra, a equipe, deixando Riley West para trás.

Fazemos o caminho mais longo para casa.

No avião, tento não apertar as coxas nem chorar, ainda que meu sangue esteja pulsando. A jovem ao meu lado está com dificuldade para apertar o cinto de segurança.

— Ah, oi — cumprimenta a garota. — Tudo bem. Primeira vez? Chiclete. Você precisa de chiclete. Eu costumo tomar Xanax para ajudar. Quer um chiclete? — Ela vasculha uma enorme bolsa de couro marrom-chocolate.

Balanço a cabeça para o chiclete que ela oferece. Ela tira as sandálias e mexe os dedos dos pés, puxa o cabelo para trás e prende com um elástico, suspira.

— Conversar ajuda. Faz você pensar em outras coisas. Pra onde você vai?

— Nova York. — Gasparzinho disse que preciso falar, então vou falar. — Nunca fui antes.

— Ah, você vai adorar! É legal demais. O que vai fazer lá?

Engulo em seco. Ela tem um rosto gentil e esperançoso, cheio de sardas.

— Vou trabalhar para um artista. Como assistente. Eu sou artista também.

Não soa tão mal dizer essa última parte em voz alta. Os olhos dela se arregalam.

— De verdade? Que legal. Eu vim visitar meu pai por alguns dias. — Ela faz um movimento como se engasgasse — Aff. Pais. Eles são tão chatos, né?

Seus dedos são finos, com anéis coloridos. O vestido é diáfano e justo e as alças deslizam pelos ombros macios. O emaranhado de fones de ouvido envolve seu pescoço e o celular brilhante em seu colo vibra, tilinta e pisca. Ela é bem alimentada. É amada. Pode dizer que os pais são ruins porque eles não são. Aonde quer que vá, sempre vai poder voltar para perto deles.

Talvez eu compre um cartão-postal para minha mãe em Nova York. Talvez eu consiga escrever algo nele, algo curto. Talvez eu compre um selo. Talvez eu até mande um e-mail para a Gasparzinho, só que desta vez vou chamá-la de Bethany. Vamos ver.

Não tenho mais um kit ternura. Estou entrando na vida despreparada pela primeira vez em muito tempo.

Um garoto robusto do outro lado do corredor se inclina em direção à garota, mostrando o celular.

— Olha, Shelley. Olha que sucesso.

Ela ri, virando a tela para mim.

— Nós fomos a um ótimo show ontem. Você precisa ver esse cara.

Lá está ele no YouTube, cercado por Tiger Dean e todas as bandas de Tucson, tocando a guitarra, um sorriso enorme no rosto, lamentando-se em "You're the One that I Want".

— Ai, meu Deus, ele é tão gostoso — suspira Shelley. — Essa foi a música mais engraçada. — Ela se vira para o garoto. — Nick, qual era aquela outra música, aquela supertriste? Eu chorei demais, você também?

Nick para de mexer no laptop.

— "Quem poderia ser tão triste" ou alguma coisa do tipo — responde ele. A letra surge na minha cabeça, assim como ontem à noite, enquanto Blue e eu voltávamos para casa. *Perdidos em uma tempestade/ as nuvens à nossa frente/ você chorava para mim/ tanta dor no seu coração/ eu tentei te dar/ garota triste/ todo o amor que tinha/ mas na hora do vamos ver/ sou tão vazio quanto todo o resto.*

Aperto minhas mãos porque elas estão tremendo. Uma voz sai pelo alto-falante. Shelley e Nick começam a desligar celulares, computadores, deslizando-os para longe.

Lágrimas se formam nos meus olhos quando o avião começa a percorrer a pista, cada vez mais rápido. Eu alcanço minha mochila, lutando contra o cinto de segurança.

Com as mãos trêmulas, pego dois pedaços de papel. Um é o bilhete que Riley colocou na minha mão no show. Desdobro devagar.

Charlotte... eu me lembro, e me importei. E ainda me importo. Se cuide.

Ele assinou com o nome verdadeiro.

Irwin David Baxter

Estou rindo e chorando ao mesmo tempo. O avião está inclinado para trás, minha cabeça pressionada contra o assento. Estamos sentados no fundo e o som é ensurdecedor; nossa parte do avião balança e balança. Cabeças se viram na minha direção. Eu não ligo.

Eu não vou dizer *desculpadesculpadesculpadesculpadesculpa*.

Shelley olha do bilhete para o meu rosto. Ela dobra o papel de volta e o pressiona em uma das minhas mãos, pega a outra entre as dela. Ela segura aquela mão com muita força. Sinto Shelley prender a respiração um pouco e, em seguida, a leve fricção do seu dedo pelo meu braço exposto.

— Eu tinha uma amiga no ensino médio que fazia essas coisas — sussurra. Ela abaixa a cabeça de forma conspiratória. — Respira — murmura. — É assustador só por um minuto. Depois vamos estar no ar e tudo vai ficar bem. Quando a gente estiver lá, no ar, não há nada que possamos fazer, sabe? Você tem que parar de lutar. A parte mais difícil é chegar lá.

Penso em Louisa e seus cadernos, a pele dela, todas as suas histórias, minha pele, Blue, Ellis, todas nós. Sou camadas em cima de camadas de história e memória. Shelley ainda sussurra, suas palavras suaves no meu ouvido. Na minha outra mão está o outro bilhete, aquele que Mikey me deu no show, aquele que diz:

Eleanor Vanderhaar, Ridge Creek Drive, 209
Amethyst House, Sandpoint, Idaho

Blue disse que precisamos escolher quem queremos ser, não deixar que a situação nos escolha.

Momentos críticos, Felix disse.

Estou escolhendo meu próximo momento crítico.

Fecho os olhos e começo a carta que sei que vou escrever na minha primeira noite não em Paris, Londres ou Islândia, mas em Nova York, cercada por luzes, barulho, vida e pelo desconhecido.

Querida Ellis, tenho uma coisa divina pra cacete pra te contar.

NOTA DA AUTORA

Quando Charlie Davis vê sua colega de quarto Louisa tirar a blusa, ela fica chocada: *Nunca tinha visto uma garota com a pele como a minha.*
Anos atrás, eu não queria escrever esta história.
Anos atrás, no ônibus da cidade, fazendo anotações para outra história que estava escrevendo, levantei os olhos quando senti alguém deslizar para o assento ao meu lado. Eu planejava dar o mais superficial dos olhares e voltar para minhas anotações, mas então senti todo o ar fugir dos pulmões.
Ela tinha a pele como a minha. Sentindo que eu a olhava, ela abaixou as mangas depressa, escondendo suas finas e recentes cicatrizes vermelhas.
Nem sei dizer o quanto queria arregaçar as mangas e dizer: "Sou igual a você! Olha! Você não está sozinha."
Mas não fiz isso. Pra ser sincera, fiquei nervosa ao olhar para ela. Depois de anos vestindo camisas de mangas compridas, escondendo o que havia feito a mim mesma, na esperança de poder "ter uma vida", me vi voltando para quando estava no fundo de mim mesma, mais sozinha do que nunca estive.
Anos atrás, eu não queria escrever a história das minhas cicatrizes, ou a história de ser uma menina com cicatrizes, porque já é difícil ser

uma menina no mundo, mas tente ser uma menina *com cicatrizes na pele* que está no mundo.

Deixei aquela garota descer do ônibus sem dizer uma palavra. E não deveria ter feito isso. Eu deveria ter dito que, mesmo atolada nas profundezas de si mesma, ela não estava sozinha.

Porque ela não estava.

Estima-se que uma em cada duzentas meninas entre treze e dezenove anos cometa automutilação. Mais de setenta por cento delas se cortam. É importante lembrar, porém, que essas estatísticas vêm apenas do que é relatado e não representam o percentual crescente de meninos que se automutilam. Acho que você conhece alguém, neste momento, que se machuca.

A automutilação é o ato deliberado de cortar, queimar, cutucar ou danificar a pele como forma de lidar com o tumulto emocional. Pode ser o resultado de muitas coisas, como abuso sexual, físico, verbal ou emocional. Assédio moral. Desamparo. Tristeza. Vício.

A automutilação não é uma maneira de chamar a atenção. Não significa que você é suicida. Significa que você está lutando para sair de uma confusão muito perigosa na sua mente e no seu coração e que esse é o seu mecanismo de enfrentamento. Significa que você ocupa um pequeno espaço no desfiladeiro muito real e enorme de pessoas que sofrem de depressão ou transtorno mental.

Você não está só. A história de Charlie Davis é a história de mais de dois milhões de mulheres jovens nos Estados Unidos. E essas jovens vão crescer, como eu, carregando a verdade do nosso passado em nossos corpos.

Escrevi a história de Charlie Davis para quem se corta, se queima, para adolescentes em situação de rua que não têm onde dormir em segurança. Escrevi a história de Charlie Davis para seus pais, mães e para seus amigos.

Charlie Davis encontra sua voz e seu alívio no desenho. Eu encontro a minha ao escrever. O que traz alívio para você? Você sabe? Encontre e não pare de fazer, nunca. Encontre seu grupo (porque você precisa conversar), sua tribo, sua razão de ser, e, eu juro para você, o outro lado surgirá, devagar, mas com segurança. Nem sempre é um mar de rosas por aqui, e às vezes o escuro pode ficar bem escuro, mas está cheio de pessoas que entendem, e com risadas o suficiente para suavizar as pontas e fazer você chegar até o dia seguinte. Então: vá.

Vá ser absoluta e positivamente divina pra cacete.

PEÇA AJUDA

Se você ou alguém que você conhece se automutila ou sofre de depressão, ofereça apoio e procure atendimento de profissionais de saúde mental. Procure, também, a ajuda do Centro de Atenção Psicossocial mais próximo.

Se você ou alguém que você conhece é suicida, peça ajuda: ligue para o Centro de Valorização da Vida (telefone: 188), serviço gratuito para apoio emocional e prevenção do suicídio, que assegura o sigilo e o anonimato. O serviço está disponível vinte e quatro horas por dia.

Se você ou alguém que você conhece precisa de um lugar seguro para dormir, peça ajuda ao centro de assistência social mais próximo, a fim de que seja indicado um lugar apropriado para acolhimento.

AGRADECIMENTOS

Este livro demorou nove anos e catorze rascunhos para chegar até você. Pode ser verdade que no começo havia só uma escritora, um bloco de papel, um lápis ou uma caneta (ou um computador, ou um tablet, ou uma ferramenta de ditado no iTantoFaz), mas no final são necessárias muitas pessoas para transformar um texto na história que você acabou de ler.

Este livro não existiria se Julie Stevenson não tivesse apostado em mim (e em Charlie). Obrigada do fundo do coração por fazer meus sonhos de escritora se tornarem realidade. E por entender quando minha filha roubou meu celular e o escondeu no carrinho de bebê.

Falando em sonhos de escritora: que sorte eu tenho por ter a magia editorial de Krista Marino. Você ampliou os horizontes de *Garota em pedaços* de maneiras que eu não achava possível. Obrigada por acreditar em Charlie e por sempre me levar *muito mais* longe.

À equipe da Random House Children's Books — Beverly Horowitz, Monica Jean, Barbara Marcus, Stephanie O'Cain, Kim Lauber, Dominique Cimina, Felicia Frazier, Casey Ward e Alison Impey (Alison, obrigada por encontrar Jennifer Heuer, que sonhou com esta capa linda, comovente e incrível!) — obrigada por me receber no grupo e por seu apoio e seu entusiasmo incansáveis.

Agradeço ao Minnesota State Arts Board por ajudar artistas e escritores no estado de Minnesota a realizar sonhos. *Garota em pedaços* foi escrito com a ajuda de várias bolsas da MSAB, ao longo de vários anos, em vários lugares diferentes: em um pequeno escritório sobre o Trend Bar em Saint Paul, Minnesota, e nas bibliotecas da Universidade Hamline e da Universidade de Minnesota.

Agradeço também ao Programa de Escrita Criativa da Universidade de Minnesota por me nutrir como escritora durante meu tempo na pós-graduação e como manobrista de escrivaninhas ao ser coordenadora do programa. Recebi encorajamento constante e caloroso de Julie Schumacher, Charles Baxter, Patricia Hampl e M. J. Fitzgerald.

O dr. Justin Cetas e a dra. Alivia Cetas forneceram bons conselhos médicos e textos divertidos tarde da noite enquanto eu revisava o livro. Elizabeth Noll, Tom Haley e Holly Vanderhaar me animaram e me ouviram divagar e chorar. Meus colegas de workshop na Conferência de Escritores de Verão de Taos foram incríveis e engraçados, oferecendo conselhos sábios e críticas pontuais; agradeço especialmente a Summer Woods, a mente por trás do workshop, que continuou a me encorajar muito depois de nosso tempo no deserto ter terminado.

Agradeço também a Marshall Yarbrough, Diana Rempe, Caitlin Reid, Nick Seeberger, Diane Natrop, Isabelle Natrop, Kira Natrop, Mikayla Natrop, Swati Avasthi, Amanda Coplin, Lygia Day Penaflor, Laura Tisdel, Joy Biles, John Muñoz e Chris Wagganer, e a todos os meus colegas escritores do Sweet Sixteens, especialmente Jeff Giles e Janet McNally, por me convencerem a não desistir.

E, finalmente, agradeço a Nikolai e Saskia, por me encherem de amor todos os dias; e a Chris, por vinte anos de paciência, risadas e louça para lavar.

Impresso no Brasil pelo Sistema Cameron da Divisão Gráfica da
DISTRIBUIDORA RECORD DE SERVIÇOS DE IMPRENSA S.A.